FEPACI

PAN-AFRICAN FEDERATION OF FILM-MAKERS
الاتحادية الافريقية للسينمائيين
FEDERATION PAN AFRICAINE DES CINEASTES
FEDERAÇÁO PANAFRICANO DOS CINEASTA
FEDERACIÓN PANAFRICANA DE CINEASTAS

01 B.P. 2524 - OUAGADOUGOU 01 - BURKINA FASO - TEL.(226) 31.02.58 - FAX (226) 31.18.59

FEPACI
Fédération Panafricaine des Cinéastes
Panafrican Federation of Film Makers

L'Afrique
et le
Centenaire du Cinéma

Africa
and the
Centenary of Cinema

PRÉSENCE AFRICAINE
25 bis, rue des Écoles - 75005 Paris
64, rue Carnot - Dakar

AVERTISSEMENT

Cette publication est un ouvrage collectif réalisé sous la direction éditoriale de la Fédération Panafricaine des Cinéastes (FEPACI).

Les textes ont été gracieusement offerts par leurs auteurs qui ont répondu à un appel lancé par la FEPACI ; ils sont publiés généralement dans la langue originale. Certains textes, notamment parmi les plus courts, figurent dans deux versions en français et en anglais, mais pour leur majorité, les textes sont accompagnés d'un résumé d'environ une page dans la seconde langue.

Leur regroupement s'est fait par thèmes et chapitres, selon un canevas fortement conditionné par les contenus-mêmes des contributions parvenues dans les délais.

NOTICE

This publication is a collective work done under the editorial supervision of the Panafrican Federation of Film Makers (FEPACI).

The articles, gratuitously contributed by their authors in response to an invitation of the FEPACI, are published in their original language. Some texts, especially among the shortest ones, appear both in French and in English but most of the time the original article is followed by a summarized translation.

Texts have been organised according to themes and chapters determined by the contents of the articles which were sent within the prescribed time.

ISBN 2-7087-0588-1

Cette publication a été rendue possible grâce à la contribution technique, logistique et financière de :

- L'État du Burkina Faso
- Le FESPACO
- L'Union Européenne (UE, Bruxelles-Belgique)
- Le Programme des Nations-Unies pour le Développement (PNUD, Ouagadougou - Burkina Faso)
- Le Centre National de la Cinématographie française (CNC, Paris-France)
- Le Centro Orientamento Educativo (COE, Milan-Italie)

This publication was made possible thanks to the technical, logistic and financial contribution of :

- *The State of Burkina Faso*
- *The FESPACO*
- *The European Union (Brussels, Belgium)*
- *The United Nations Development Programme (UNDP, Ouagadougou, Burkina Faso)*
- *The National Centre of French Cinematography (CNC, Paris, France)*
- *The Centro Orientamento Educativo (COE, Milan, Italy)*

Préface

CINÉMA ÉCOLE DU SOIR

SEMBÈNE Ousmane

Ma pensée va d'abord à ceux de ma classe d'âge dans ce métier, à leur ténacité, à leur conviction. Cette partie de l'Afrique, dans les livres d'histoire de la Cinématographie était « TERRA INCOGNITA ». Malgré le tard des âges, esprit jeune, déterminés, ils ont déblayé les sentiers. De jeunes vieux, avec la foi de l'adolescence, ils ont taillé dans cette forêt des clairières... Carthage, FESPACO... Peu et beaucoup... Aussi, une autre pensée m'habite. Une nouvelle génération de cinéastes s'exprimant avec beaucoup de volonté, maîtrisant superbement la technique, a vu le jour. Une relève.

Dans notre première lettre adressée à tous et toutes, nous disions : « Que la découverte scientifique appartient au patrimoine mondial. » Faire des films est devenu notre métier. A nous d'exprimer notre concept du 7e Art. Sa place à côté des autres arts, pour cette Afrique à venir. Chaque génération doit mener sa lutte liée à son temps. Les aînés avaient cette idée comme credo. Un travail individuel et collectif à la fois.

De nos jours, il ne se tient plus un festival international à travers le monde, sans la participation d'au moins un film réalisé par un des nôtres ou, sans qu'un des nôtres soit membre d'un Jury International... De même, il s'organise hors de notre continent, des semaines, des séminaires, des festivals en l'honneur de notre Afrique.

Lentement, s'éloigne, s'estompe, la présomption d'un savoir-faire, monopole d'un ou de groupes paternalistes. Notre participation à toutes ces rencontres cinématographiques ne déplairait pas à l'inventeur, solitaire de la cinématographie. Et rendre hommage à cet homme est signe de probité. Mais nous devons aller encore plus loin... Chaque culture se représente pour pérenniser sa morale et son éthique de vie.

Dans les années 20, 30, 40, nos compatriotes citadins, surnommés les ÉVOLUÉS, subirent l'influence de certains films venus d'ailleurs. Je me souviens de certains de nos ÉVOLUÉS qui se donnaient des noms d'acteurs (américains ou européens).

Un autre souvenir des mêmes années. Nos meetings anticoloniaux ou syndicaux se tenaient dans les salles de cinéma le jour. Et la nuit nous y retournions pour assister à des projections. Dans cette lancée nous avons un très beau témoignage écrit de notre aîné, le grand Hampaté BÂ, qui pour la première fois, en 1905 à Bamako, avait assisté à une séance publique.

Dans les années 30, après mon renvoi de l'école française, en tandem avec mon père, nous allions pêcher des carpes du fleuve. Mon père me gratifiait d'une piécette pour aller au cinéma. Il s'étonnait de mes assiduités dans les salles de cinéma. Pour lui, c'était « une histoire de Blanc ». Il n'a jamais assisté à une séance de projection de film. Lorsqu'il lui arrivait de passer devant des affiches de film il ne s'arrêtait jamais. Mieux, il refusait de se faire photographier, de même que ma mère. Et, ce n'est qu'à la fin de son séjour terrestre que j'ai pu la prendre en photo.

L'Afrique et les Africains sont présents dans bon nombre de films : le paysage comme décor et les indigènes comme figurants. Des ethnographes à travers leurs commentaires, ont utilisé le cinéma pour établir la soi-disant supériorité de leur civilisation. Ces « africanistes » ont menti à leur propre public. Mais pour nous Africains, en changeant les commentaires, les danses et les festivités restent authentiques.

En publiant ces textes d'origines diverses, nous apportons notre pierre africaine à l'édifice universel. Ceci est signe de notre vitalité.

Cet acte de commémoration ne doit pas être une glorification de notre « peu » de savoir-faire. Nous sommes encore très loin d'atteindre notre objectif.

Notre cinéma est extraverti. Nous devons nous interroger sur nos insuffisances, celles de nos associations et celles de notre Fédération Panafricaine de Cinéma, la FEPACI. Nos productions filmiques sont absentes de nos écrans. C'est pourquoi, à l'heure de l'exception culturelle, notre lutte est juste. Cette occasion qui nous rassemble doit être un moment de réflexion... Notre continent secoué par tant et tant de problèmes, internes et externes, est plus vivant que jamais. A nous d'oser, d'avoir la témérité de récupérer notre espace culturel et cinématographique. Défendre nos pays, nos villages, nos maisons face à l'envahisseur est héroïque. Il est encore plus noble d'avoir la force de caractère de combattre chez nous l'imposture et l'iniquité.

Ce XXIe siècle à venir est riche de tout espoir pour nous, pour nos enfants et nos petits-enfants. En cette année 1995 — Centenaire de la naissance du cinéma — nous prenons le témoin transmis par nos anciens cinéastes.

Chacune des réflexions contenues dans cette publication est un hommage sincère rendu à l'inventeur de la Cinématographie.

En Afrique, enfin, nous sortons du temps du mégotage pour aborder le vrai cinéma africain.

Pour les anciens, tous et toutes soyez ici remerciés.

L'AÎNÉ DES ANCIENS
SEMBÈNE Ousmane

Preface

CINEMA AS EVENING SCHOOL

SEMBÈNE Ousmane

My first thought goes to my age mates in this profession, to their tenacity and conviction. In books on the history of cinematography, this part of Africa is TERRA INCOGNITA. In spite of their age, they have cleared the path with determination and a youthful spirit. Young old people, with an adolescent faith, they have cut down clearings in this forest... Carthage, the FESPACO... Not much, still a lot... So another thought comes to me. A new generation of film makers, strong-willed and with a superb mastery of technics is born. A relief troop.

In a first letter addressed to all, it was said that « scientific discovery belongs to all ». Making films has become our profession. So up to us to express our own concept of the seventh art, to place it along the other art forms for this new up-coming Africa. New generations, new struggles. The elders strongly believed in this idea. An altogether collective and individual work.

Nowadays, there is not a single international film festival without the participation of at least one film directed by one of us or without one of us being a member of an international jury. Weeks, seminars, festivals about Africa are organised outside the continent, worldwide.

Slowly the presumptive know-how of one or some paternalistic groups vanishes and our participation to all these meetings about cinematography would certainly have pleased the solitary inventor of cinematography. So it is just fair to pay him homage but we have to go even further... Each culture pictures itself with the aim of perpetuating its morals and ethics.

In the 20s, 30s, 40s, our fellow country-men in the cities, nicknamed « the ADVANCED », were influenced by foreign films. I remember some of the « ADVANCED » people who named themselves after American or European actors.

Another memory from the same period comes to me : our anti-colonial or unionist meetings used to take place in cinema halls during the day. At night, we would go back there to watch films. In fact, we have a marvellous written account by the great Hampaté Bâ telling us about his attending a public screening for the first time in Bamako, in 1905.

In the 30s, after my expulsion from the French school, I used to go fishing carps in the river with my father. He would give me a coin to go to the pictures. He always showed great amazement at my regular attendance at cinema halls. For him, it was a white man's business. He never attended any film show. When by chance we were passing in front of a film poster, he never stopped. What is more, he refused to be photographed and so did my mother. It is only shortly before she died that I was able to photograph her.

Africa and Africans are present in many films : the African landscape as background and the natives as crowd artists. Ethnographers have used film commentaries to establish the so-called superiority of their civilisation. These africanists have told their own audience lies but if we change the commentaries, the dances and festivities will remain authentic for us Africans.

In publishing these texts gathered from various sources, we contribute to the universal edifice. This is a sign of our vitality.

This commemorative act should not be a glorification of our « poor » know-how. We are still far from reaching our aim.

Our cinema is extravert. We have to question our shortcomings, the imperfections of our associations and of our Panafrican Federation of Film Makers, the FEPACI. Our film productions are not screened at home. That is why, keeping in mind the cultural exception, our struggle is right. This occasion which provides an opportunity for our coming together should be devoted to reflection. Our continent ridden with so many internal and external problems is more alive than ever. We have to be daring and reconquer our cultural and cinematographic space. To defend our countries, our villages, our homes from the invader is an act of heroism. It is even more noble to be strong-minded enough to fight imposture and iniquity at home.

The coming 21st century is full of hope for us, for our children and grand-children. In this year 1995 which marks the Centenary of cinematography, we take the baton relayed to us by our first generation film makers.

All the considerations in this book represent a sincere homage to the inventor of cinematography.

In Africa, we are finally on our way out of the skimpy films and we are about to enter full scale African film production.

Thank you all for the elders.

The Elder of Elders
SEMBÈNE Ousmane

AVANT-PROPOS

Alors que l'on célèbre les cent ans de l'invention du cinéma, on peut constater qu'il y a dans le monde des pays où il n'est même pas encore véritablement né. Le cinéma de l'Afrique reste fondamentalement embryonnaire, même s'il a déjà offert des œuvres majeures au patrimoine cinématographique universel.

Les Africains sont aux aurores de leur devenir cinématographique et aussi paradoxal que cela puisse paraître, c'est même à cause de cela que la célébration du centenaire revêt pour eux une signification et une portée particulières. En effet, l'image constitue aujourd'hui un enjeu stratégique que nul ne peut ignorer tant ses implications politiques, idéologiques, économiques, culturelles et même civilisationnelles sont évidentes. Si les Africains demeurent confinés au seul statut de consommateurs d'images cinématographiques et télévisuelles conçues et produites par d'autres, ils deviendront des sous-citoyens du monde à qui on imposera un destin qui ne tiendra compte ni de leur histoire, ni de leurs aspirations fondamentales et encore moins de leurs valeurs, de leur imaginaire et de leur vision du monde.

Si l'Afrique n'acquiert pas une réelle capacité à forger son propre regard, afin de se confronter à sa propre image, elle perdra son point de vue et sa conscience d'être. Notre continent doit soulever les paupières lourdes de sa conscience et sublimer le regard des autres pour exister par lui-même et pour lui-même.

Ce sont ces considérations qui ont donné naissance à l'idée de publier un recueil de textes sur le thème « l'Afrique et le Centenaire du cinéma ». L'idée est devenue réalité grâce à la contribution gracieuse de personnes issues de tous les horizons professionnels et culturels. Nous aurions souhaité un nombre plus élevé de contributeurs et une plus grande diversité dans les propos, étant donné que notre ambition était avant tout de recueillir le maximum de textes reflétant des opinions, des points de vue, des sentiments, des réflexions et des analyses.

Nous tenons à remercier toutes les personnes, les institutions et les organismes qui nous ont accompagnés, soutenus et aidés dans l'aventure de cette publication. Nous vous la livrons avec ses limites et ses imperfections, en espérant que si modeste soit-elle elle n'en remplira pas moins toute sa fonction de témoignage, et agira comme une formidable semence de vitalité qui fécondera la créativité des cinéastes d'Afrique, non seulement durant l'année de la célébration du centenaire proprement dite, mais aussi pendant les 99 autres années qui nous séparent du bicentenaire.

Gaston KABORÉ
Directeur de la publication

FOREWORD

As we are celebrating one hundred years of cinema, we can observe that in some countries in the world it is not yet truly born. Cinema in Africa basically remains embryonic even though it has contributed some major works to the universal film heritage.

Africans are just at the dawn of their cinematographic career and as contradictory as it may seem, this is the reason why the celebration of the Centenary of cinematography has a special meaning and importance for them. Nowadays, indeed, images are of strategic importance and a lot is at stake which nobody can ignore as there are obvious political, ideological, economic, cultural and even civilisational implications. It Africans only remain consumers of cinema and television images conceived and produced by other people, they would become second rate citizens of the world and be forced to accept a destiny which would not take into accoount their history, their basic aspirations and even less their own values, imaginary and vision of the world.

It Africa does not show the capacity of forging her own approach so as to confront her own image, she would lose her point of view and full consciousness of her existence. Our continent should lift its heavy eyelids of awareness and distill other people's views to become itself and live for itself.

These considerations gave way to the idea of publishing a collection of articles on the theme : « Africa and the Centenary of Cinematography. This idea has taken shape thanks to the gracious contribution of people from all cultural and professional ways. On would have wished for an even greater number of contributors and for more diversity in the articles as our ambition was to collect as many texts as possible on opinions, points of view, feelings, reflections, analysis.

We wish to thank all individuals, institutions and organizations who have helped and given their support to this publication that we deliver to you as imperfect as it may be ; we hope that however modest it is, it would all the same be a testimony and a tremendous seed of life that will fertilize the creativity of African Film makers, not only during this one year of celebration but also during the next 99 years to the bicentenary.

Gaston KABORÉ
Chief Editor

Première partie/First part

LES CHEMINS DE L'ÉMANCIPATION

THE PATH TO EMANCIPATION

By Courtesy of TOTAL GHANA Ltd

L'IMAGE DE SOI, UN BESOIN VITAL

Gaston KABORÉ

Tout individu a un besoin vital de son propre reflet, de sa propre image, car une part importante de l'équation de l'existence se fonde sur la capacité à établir un dialogue avec cette image, pour la questionner, pour se confronter à elle.

Tout individu qui vivrait sans être en mesure de se représenter, de se regarder, de se projeter sur l'écran de son propre réel, à la fois comme acteur et comme cible de ses propres actions, en viendrait à perdre toute conscience de soi ; il n'aurait plus ni aspirations, ni désirs, ni rêves. Ceci est tout aussi vrai pour une communauté, pour une société, que pour un peuple. Dans la dialectique relationnelle que l'homme entretient avec le réel qui l'entoure, l'image constitue un paramètre décisif.

Une société quotidiennement et quasi exclusivement submergée par des images absolument étrangères à sa mémoire collective, à son imaginaire, à ses références et à ses valeurs sociales et culturelles perd peu à peu ses repères spécifiques et son identité ; du même fait, elle perd son aptitude fondamentale à imaginer, à désirer, à penser et à forger son propre destin.

Produire soi-même majoritairement les images que l'on consomme n'est donc pas un luxe, ni pour un individu, ni pour une société, un peuple, un pays ou un continent. Si l'Afrique, ce continent de 850 millions de femmes et d'hommes, se démettait de sa responsabilité de devenir productrice d'images, elle renoncerait du même coup à celle de décider et de conduire son propre développement. L'image de soi joue une fonction proprement vitale.

Dès la fin des années 60, les cinéastes d'Afrique ont réalisé que l'image cinématographique représentait un énorme enjeu économique, culturel et politique. Bien avant les gouvernements africains et les institutions intergouvernementales et internationales de Coopération, les cinéastes africains avaient su mesurer à quel point la culture était une dimension essentielle du développement. En 1970 ils ont fondé la Fédération Panafricaine des Cinéastes (FEPACI) dont l'objectif allait bien évidemment au-delà de la simple défense de leurs intérêts professionnels.

Bien plus fondamentale était l'ambition de la FEPACI qui voulait devenir le moteur d'une véritable intégration de la culture au développement en partant de son domaine spécifique, le cinéma et plus globalement l'audiovisuel. Immédiatement acceptée comme membre observateur de l'Organisation de l'Unité Africaine (OUA), la FEPACI se bat depuis 25 ans sur tous les fronts pour amener l'Afrique à se doter d'une industrie cinématographique et audiovisuelle capable de répondre à ses propres besoins.

Grâce à son action, toutes les instances politiques et culturelles du continent partagent une vision et une conviction communes sur l'importance du cinéma et de la télévision par rapport au devenir historique des peuples africains.

La Fédération Panafricaine des Cinéastes réfléchit, élabore et propose des plans, des projets et des stratégies visant à activer la naissance d'une expression cinématographique et audiovisuelle.

Les cinéastes africains considèrent le cinéma comme un puissant outil de communication et d'éducation, un moyen d'investigation sur la réalité et un lieu d'affirmation de l'identité. En se racontant, ils racontent leurs peuples et voudraient que leurs images agissent sur le subconscient collectif et servent de catalyseur au développement intégral de l'homme africain. Sans tomber dans les pièges d'un cinéma militant et conformiste, ils ont une conscience aiguë de l'utilité sociale des films qu'ils réalisent.

Gaston KABORÉ

Cinéaste producteur burkinabè

THE ABILITY TO PICTURE ONESELF : A VITAL NEED

The ability to picture oneself is a vital need. In fact, if a man were to live without the capacity of forging a picture of himself, he would have no aspirations, no desires, no dreams of his own.

The same applies to a community, a society and a people. A society daily subjected to foreign images eventually loses its identity and its capacity to forge its own destiny.

The development of Africa implies among other things the production of its own images.

This is the reason why African film makers have founded the Panafrican Federation of Film Makers (FEPACI) in 1970. Its objective is not only to defend professional interests but also to develop a film industry that will serve the needs of the continent and play an active role in communication, education, investigation. Fully aware of the social dimension of their films, African film makers tell about their peoples and would like the pictures they shoot to serve as a catalyst for the full development of the African personality.

DE L'EXCEPTION HISTORIQUE

Balufu BAKUPA-KANYINDA

à Haïlé G. et Sherikian A.
Que la mémoire soit notre anneau de fer

Bruxelles. Le Palais de justice, et son dôme géant, dominant la ville. Une vue panoramique s'achève au-dessus des prisons bruxelloises. Une voix égrène les mots tel le constat d'une exploration tardive... *« Voilà enfin le théâtre des ombres où dansent les fantômes de nos illusions... »*

Les images, qui défilent à l'écran, se tressent, éventent les drapeaux de l'Union maastrichtienne ondoyant dans la brise de la capitale de l'Europe.

Calé dans la salle obscure, j'interroge les repères de ma mémoire d'Africain rompu à la vie en Occident. Mon rêve filmé se déroule, longeant les rives du continent de Salah Abou Seif, Ababacar Samb, Med Hondo, Sembène Ousmane, Haïlé Gérima, Désiré Ecaré, Gnoan Mbala, Moustafa Alassane, Roger Kwami, Kwaw Ansah, Cheick Oumar Sissoko, Raymond Rajaonarivelo, Djibril Diop Mambety...

C'est un voyage que j'évoque. Il s'agit de partir, d'arriver... Comme les ans se succèdent, ce trajet est centenaire. Reste à choisir le navire. La tête frôlant les nuages, les pieds s'enracinent dans la latérite : **l'Afrique et le cinéma**.

Le fleuve coule, et ne remonte jamais vers l'amont... Mais c'est à la force du débit d'une rivière que l'on considère l'importance de ses sources.

1995. Année du centenaire du Cinéma. Que grâce soit rendue aux aînés ! C'est en leur hommage que nous célébrons la « Mémoire ». Celle qui défie le vent, la pierre, la pluie, le soleil, et rend anecdotique le cadrage sahélien, l'étendue des savanes, les méandres des forêts, le pittoresque des cités... C'est elle, Mémoire héritière des bibliothèques orales des griots, qui explique l'exception historique des cinématographies africaines.

« Qui et quoi sommes-nous ? admirable question. » (Aimé Césaire.)

Le cinéma, moyen d'expression artistique et technique, est une vision imagée, subjective, objective, poétique, ou codifiée, des choses et des êtres. Il révèle le regard qu'une personne pose sur le monde. Autrefois, il fut l'un des moyens les plus importants que certains systèmes politiques utilisèrent pour abrutir les masses, les conformer, et imposer leur domination ainsi que leur image magnifiée aux colonisés. En ce sens, la naissance de la filmographie africaine, tel un pari libérateur, relève d'une **exception historique**.

Avant que les Africains ne réalisent leurs premiers films — pour *« promener le miroir devant leur peuple »* (Sembène Ousmane), — le pouvoir de filmer était exclusivement réservé (en Afrique coloniale) aux Européens.

Les cinématographies d'Afrique sont nées, en majorité, peu après les indépendances. Leur émergence coïncide avec les engagements nationalistes et le projet panafricain des années 60-70. Le désir de filmer, justifié dès le début par la conviction d'affirmer une identité longtemps bafouée, confirme cette exception historique.

Si le mérite de son invention revient au Français Louis Lumière, le cinéma s'est développé parce qu'il y a eu des gens pour lui offrir un marché. Il s'est déplacé rapidement de la France vers les États-Unis d'Amérique, parce que le capital français ne lui portait aucun intérêt. Aux USA, il a trouvé l'argent, le marché, la capacité d'entreprise et d'accumulation du capital capable d'investir dans les films plus que partout ailleurs.

Parmi les autres formes d'expression, le cinéma est jeune. Malgré ses cent ans et son évolution « accélérée ». Il se cherche et nous l'explorons. Même s'il n'a pas la profondeur essentielle de la littérature, il n'est pas un simple divertissement découlant d'un art mineur.

La mode est destinée à se démoder, mais l'art ne fait pas bon ménage avec l'immédiateté ni la médiatisation. A quelque cinq petites années d'un nouveau millénaire, la commémoration *panafricaine* du centenaire du cinéma ne serait-elle pas l'occasion d'une vraie rencontre ? Celle de porter un regard lucide sur les trois dernières décennies africaines en interpellant l'image — esthétique sociale ou autre — que nos films donnent de nous-mêmes ; ne serait-ce pas aussi le moment de définir nos responsabilités devant les méfaits de nos *indécolonisables* gouvernants ?

> *« On ne peut avancer résolument que si l'on prend d'abord conscience de son aliénation. Nous avons tout pris de l'autre côté. Or l'autre côté ne nous donne rien sans, par mille détours, nous courber dans sa direction, sans, par dix mille artifices, cent mille ruses, nous attirer, nous réduire, nous emprisonner. Prendre, c'est également, sur des multiples plans, être pris. »* (Frantz Fanon.)

Une trentaine d'années nous séparent de la décolonisation. Comme si c'était hier ! Le bilan de l'Afrique est lamentable... Le goût amer laissé par les liesses des indépendances colle encore aux lèvres ! L'espoir demeure pourtant. A travers l'histoire des cinématographies africaines, pourrions-nous mesurer les chemins parcourus par nos peuples pour mieux peser les urgences du futur ?

Le cinéma (comme la télévision) est « déchiffrable » par toutes les couches de la population. Son intérêt est primordial dans la perception du monde des opinions publiques. Accessible aux analphabètes, aux arriérés, il est donc compris par ceux qui n'ont aucun moyen de lire, ni de communiquer avec la réalité sociale.

L'enjeu du cinéma comme art dépasse de beaucoup les paradoxes de la condition sociale : *miroir contradictoire du réel,* il recrée le monde en lui posant des questions et en lui proposant des approches audacieuses de compréhension de lui-même.

Testament (John Akomfrah). *Des enfants siamois sont séparés. Un homme s'enfonce dans la rivière. Une jeune femme est revenue sur les traces du passé...* Nous sommes à la recherche de nous-mêmes, dans les eaux troubles de la Mémoire.

Nous avons, Akomfrah et moi, l'âge qui sépare l'indépendance du Ghana de Nkrumah de l'Afrique du Sud de Mandela. Durant cette trentaine d'années, temps long et court à la fois, des hommes et des femmes d'Afrique ont réalisé des films immuables. Ils se sont intéressés, de diverses façons aux problèmes de leurs peuples. Mais ceux-ci ignorent leur filmographie...

Beaucoup de gouvernants d'Afrique n'ont jamais eu de projet, ni le réel désir d'œuvrer à l'émergence d'une cinématographie diffusée d'abord pour leur peuple. On entend ces « chefs » discourir sur le cinéma qui coûterait cher face aux priorités et urgences de la population... Pourtant, dans beaucoup de pays, il n'existe aucune infrastructure cohérente, ni sociale, ni scolaire, ni médicale !

Paris. Un jour de 1991, face à un « dinosaure » zaïrois, qui proclamait son ambition d'accéder à la présidence du pays, je n'ai pu m'empêcher de demander s'il pouvait citer un poète, un écrivain, un cinéaste africain dont il avait lu ou vu l'œuvre dans l'année... Sa réponse ? *« Ce n'est pas à l'ordre du jour... »* Voilà le théâtre des ombres, et les fantômes de nos illusions !

> *« Le poète ne sait que chanter ni pour qui*
> *ou bien du raffiné pour des gens qu'il méprise*
> *ou bien des pamphlets sonores pour un peuple qui ne sait pas lire*
> *Mais nous, les poètes*
> *que faire quand nous sentons notre gorge brûler*
> *Mon chant... Je ne sais pas à quoi il sert*
> *Et pourtant je ne peux pas l'enterrer. »* (Xavier Ramila.)

Puis, le poète, Homme essentiel, drapé des responsabilités que lui confèrent les dieux ancestraux, poing serré défiant le ciel, redit le serment des emblaveurs nyctalopes :

> *« Je refuse d'être la cendre,*
> *Je me veux le brasier couvant sous la cendre.*
> *Je refuse d'être le hanneton,*
> *Je me veux la guêpe à la morsure venimeuse.*
> *Je suis comme toi, l'érosion qui à la longue*
> *Fend la montagne. Si je trahis cette terre,*

Terre Kongolaise, terre africaine,
Que la foudre et le feu pulvérisent mes os. »
(Matala Mukadi Tshakatumba.)

Qui, dans l'Afrique des bien-pensants, aura le courage de jurer ainsi ? Mandela ! Ce nom résonne déjà tel *« le serment du nom et le nom du serment »...* Amandla ! Le pouvoir (le cinéma aussi) appartient au peuple.

Les cinéastes ne peuvent se dérober à la mission de parler au nom des leurs *(« les sans voix »).* Beaucoup d'écrivains et poètes d'Afrique n'ont-ils pas, souvent au péril de leur vie, produit une œuvre capitale en confrontant les hommes au devenir de leurs sociétés ?

C'est avec le cinéma que les maîtres et publicistes de la colonisation trouvèrent l'arme efficace de la propagande *(l'actuelle médiatisation de l'humanitaire n'en est pas loin).* Pour justifier la « divine mission civilisatrice », l'image filmée, dévalorisant le colonisé, va imprégner davantage les mentalités populaires des métropoles et poser les bases de l'humanitaire *(la colonisation était présentée comme telle),* de *l'afrophobie*, du racisme...

De nos jours, les divers regards que le cinéma occidental pose sur l'Afrique ont un peu évolué. Paradoxalement, c'est dans les films « européens » réalisés par des Africains que l'on retrouve les vieux clichés et préjugés, sous les grosses ficelles de la « comédie » ou du « conte ». Certains affirment que cela va de soi car leurs récits sont destinés au marché européen. Selon les exigences des producteurs, soutiennent-ils ! Certains auront raison de se dire : que l'Afrique finance donc ses propres films ! Les stratégies de productions ont bien sûr leurs lois. Celle de l'offre et la demande inclues...

Certains cinéastes, comme d'autres dans divers domaines intellectuels ou artistiques, acceptent la dévalorisation de **l'image culturelle de l'Africain**, soit parce qu'ils en rêvent une autre *(ou on leur en fait miroiter une dite « supérieure » !),* soit par inconscience ou abêtissement. Dans le rapport avec le public, à travers leurs films, les valeurs négatives l'emportent. Leur but est atteint (ou celui de leurs producteurs/distributeurs) : l'Afrique qu'ils montrent, et l'impression de réalité qui s'en dégage, correspondent à l'attente d'évasion, du rêve et des clichés de « leur » public.

Au fil des années, on a l'impression que les films africains des deux premières décennies prennent encore plus de valeur que les nouveaux. Le contraire aurait été souhaitable : si l'on tient compte des perfectionnements techniques, de la multiplication des sources de financement, du progrès de la formation, de l'élargissement de l'audience...

Les cinéastes d'Afrique devront se mirer dans le passé, et (re)**découvrir leur histoire du cinéma**. Beaucoup ont besoin d'être libérés d'une certaine façon de faire ce *« cinéma africain »*, pour se débarrasser des influences de la structure narrative et de l'esthétique coloniales ou ethnologiques.

> *« DÉCOLONISER, c'est construire un nouveau temps de liberté, un nouvel espace effervescent de créativité. Et cela exige un sacerdoce. Cela exige une vie. Cela réclame, exige le SACRIFICE suprême de sa vie. Abnégation totale. La mobilisation intégrale, l'investissement absolu de son énergie. »* (J.-M. Adiaffi Ade.)

L'Afrique s'enfonce dans ses sempiternelles crises. Les luttes politiques et sociales s'intensifient. Malgré les (re)démocratisations mises en place ici et là, les pouvoirs africains dépendent entièrement des « politiques africaines » de Washington, Paris, Bruxelles, Londres... Dans les palais de décisions de ces métropoles, on ne juge pas les gouvernants d'Afrique sur ce qu'ils font dans leurs pays, pour le progrès de leurs peuples et leur indépendance réelle. C'est sur les alliances extérieures qu'ils ont, que les puissances occidentales volent au secours, presque exclusivement, des régimes les plus inféodés aux intérêts étrangers les plus corrompus, les plus sanguinaires et les plus incapables.

> *« Un pays n'a pas d'amis. Il a des intérêts. »* (Charles de Gaulle.)

Si l'Afrique, par exemple, n'était pas ce qu'elle est, l'Europe occidentale serait-elle réellement ce qu'elle est ? L'Occident s'est historiquement construit avec l'apport de l'Afrique. C'est pourquoi, malgré les difficultés, les cinéastes d'Afrique ne doivent nourrir aucun complexe. Nous sommes capables d'enchanter le monde du cinéma avec des films frais, merveilleux et, surtout, humains.

> *« L'essentiel pour l'homme n'est pas ce que l'on a fait de lui ; mais plutôt ce qu'il fait de ce que l'on a fait de lui. »* (Jean-Paul Sartre.)

Notre exception historique est aussi, celle de l'Afrique tout à la fois araboberbère, noire et blanche, musulmane, païenne, chrétienne, amharique, swahili, zoulou, lusitanienne, anglophone et francophone, riche et pauvre, fertile et désertique, forestière et savaneuse, soumise et libre, vieille et nouvelle, américaine, caraïbe, européenne et aborigène... L'Afrique proche et éloignée d'elle-même, fraternelle et ennemie d'une frontière à l'autre selon les systèmes politiques de son histoire.

Célébrer le centenaire du cinéma, c'est pour l'Afrique, « panafricaine », établir une ébauche de cahier des charges pour les futures générations de cinéastes : leur laisser un mode d'emploi des boussoles qui magnétisent les consciences du monde et qualifient la gestion des choses artistiques ; leur donner le panorama débroussaillé et vrai de nos erreurs, de nos espoirs déçus, de nos concussions, de nos naïvetés, de nos corruptions, de nos faiblesses, de nos joies gagnées, de nos rêves, de nos amours de la narration cinématographique... Surtout, graver pour eux, sur les forteresses imaginaires de nos terres, le devoir de garder l'œil interrogateur sur les prédateurs de nos cités.

> *« Le griot africain a, du reste, une autre fonction : comme jadis le bouffon, le fou du roi, le prestige de son art lui vaut le privilège de faire impunément la critique satirique de ceux qui abusent de leur pouvoir. Entre l'art oral de la tradition et l'art écrit de la modernité africaine, il existe une continuité manifeste... »* (Albert Gérard.)

En cette fin du XXe siècle, l'Afrique créatrice doit « oser inventer l'avenir » (Thomas Sankara). Il nous faut explorer de nouvelles voies, établir des théories audacieuses, retrouver des structures narratrices proches de nos rêves, veiller sur la mémoire du peuple, et refuser de faire des courbettes pour deux sous à nos « gouverneurs de la famine ».

La longue route s'accomplit avec d'autres voies. Celles qui signalent les correspondances et terminaux sur la grande carte panafricaine. Aucune voie n'y est linéaire. Les clairières de l'histoire balisent l'itinéraire. Qui se targuerait de traverser la grande forêt en ligne droite, d'un trait ?

Vingtième siècle ! Les fins de siècles sont-elles toujours troublantes et inquisitrices ? Vingt siècles ! On pérore sur des progrès en tout genre... Mais qu'est-ce donc que ce XXe siècle finissant ? Une des réponses est sur les collines du Rwanda... A quoi nous servirait une « bamboula » subventionnée face à tant d'inhumanités inoubliables ? Célébrons donc la grandiose expression, en « plot point » triomphant, de notre impuissance, le paravent certifié de l'humanitaire vivace et sempiternel servi sur le plateau argenté du rêve de la recolonisation galopante...

Ce qui compte pour moi, homme du passé allant vers l'avenir, ce n'est point de m'attarder devant un mirage. Je dis partir. Voir. Agir. Prendre de l'âge. Être libre de la dignité gagnée sur les routes du monde avec les autres (fussent-ils non Africains). Le voyage forme la jeunesse, dit-on. Ce centenaire du cinéma en est donc un.

L'expédition est déjà entamée. Le choix a été fait de voguer sur le fleuve Congo de l'imaginaire, grande rivière bicéphale et polygame. Sur le fronton de ce récit, nous avons posé le panoramique de Bruxelles, capitale de l'Europe.

Nous sommes à cinq petites années du troisième millénaire... Combien vaut donc le cinéma sur la balance de ces vingt siècles ? Et l'Afrique dans tout ça ?

C'est dans l'espace de vision horizontale que s'incrustent, verticalement, les questions qu'exige de nous l'humanité. Qu'avons-nous fait de l'Homme ? Quels regards nous, d'Afrique, posons-nous sur nous-mêmes dans la mise à l'écran de nos récits ? Avons-nous le désir entier de donner du rêve et de la liberté au monde — dans une démarche artistique dénuée d'un quelconque opportunisme alimentaire ?

Le panafricanisme cinématographique, loin des collines rwandaises, prendra-t-il place à bord du grand voilier festif, et traversera-t-il ainsi aveuglément le tourbillon final de ce XXe siècle impétueux et imposteur ? Mais d'ailleurs comment fête-t-on un centenaire ? En créant la rencontre, la confrontation des théories, idées, consciences, idéologies, esthétiques... N'est-ce pas ?

A nous donc la pirogue tanguant sur le fleuve houleux... Il y a une rive que nous devons quitter, une autre à atteindre. Aucun transit ne vaut la peine dans un no man's land. Portons la « Mémoire » en bouée de sauvetage.

D'autres interrogations demeurent. Le propos n'est pas de vaticiner sur un quelconque futur de l'Afrique et de ses cinématographies.

Nous, hommes et femmes d'Afrique, avons dans ce laps de temps qui sépare le XXe siècle crépusculaire et le troisième millénaire qui se lève, le devoir urgent d'épouvanter les fantômes de l'histoire, et d'enrichir la Mémoire qui sera pour les générations de demain la malle de leur héritage.

Balufu BAKUPA-KANYINDA
Écrivain & cinéaste (Zaïre)

AN HISTORICAL EXCEPTION

1995. The celebration of the Centenary of cinematography. A celebration of « Memory ». A memory that defies time and has inherited the oral tradition of the griots.

Prior to independence, filming was almost exclusively a European privilege in Africa. The emergence of an African cinematography came with the nationalist commitments of the 60s and the necessity of asserting an identity for a long time mocked.

Thirty years later, in spite of the fact that cinema and television open new avenues to the understanding and questioning of reality, the films produced by African film makers are not widely broadcast or exhibited on the continent. Africans have little access to their films.

However, African film makers cannot escape their tasks : they have to speak and bear testimony for their people and rediscover the history of their cinematography. The first African films are in fact very valuable, even more than more recent ones which have benefited from technological improvement but do not always show a strong commitment to a fully independent art form. It is now necessary to get rid of all colonial and ethnological influences, to explore new avenues and find narrative structures and aesthetic forms that reflect the dreams and aspirations of Africa. Whatever the crisis the continent is going through, it has a lot to contribute internationally and its contribution in terms of cinema is unvaluable because African films offer a humanist and new approach.

The celebration of one hundred years of cinematography should be for the African film makers an occasion to discuss their mistakes and hopes, their weaknesses and joys, their dreams and the paths to the future with a critical and inquisitive eye.

It is crucial to cross to the next century with the benefit of the African memory and with clear views of the aims to reach.

CINÉMA ET LIBERTÉS EN AFRIQUE

Férid BOUGHEDIR

Que censure-t-on le plus dans les cinémas Africains ? A quel degré ces cinémas abordent-ils dans leurs thèmes la question des Droits de l'Homme ainsi que celle des libertés individuelles ou collectives ?

Ces questions méritent plus que jamais d'être posées en ce début des années 90 qui voient l'effondrement des grands « systèmes » idéologiques du XXe siècle, et la montée, un peu partout et bien entendu en Afrique, des valeurs de la Démocratie et ses corollaires, le respect de l'individu, le respect des Droits inaliénables de la personne humaine. Abordant le domaine particulier du cinéma en Afrique, force est de constater qu'à l'exception de deux pays (l'Égypte et l'Afrique du Sud) où le cinéma est réellement constitué en **industrie**, les autres pays en sont toujours, plus de 30 ans après leur indépendance, à abriter dans le meilleur des cas un cinéma de type artisanal, un cinéma de « prototypes », certes de plus en plus reconnu et fêté dans les festivals internationaux, mais dont la principale caractéristique reste l'absence d'un véritable marché de diffusion sur le continent africain, où les écrans sont dans la majorité des cas réservés à la rentabilisation des films étrangers.

Or, on ne censure véritablement que ce qui risque d'avoir une large diffusion, ce qui risque « d'atteindre les masses ».

C'est pourquoi il faut paradoxalement reconnaître que les jeunes cinématographies africaines subissent, toutes proportions gardées, moins souvent la censure qu'ailleurs, et surtout que cette censure est la plupart du temps sans commune mesure avec celle bien plus stricte que subissent les télévisions du continent qui, elles, pénètrent directement dans les foyers.

A quelque chose malheur est bon ? Privés de marchés et de publics larges, et donc échappant relativement au contrôle direct et intéressé du **politique** comme du **mercantile**, les jeunes cinéastes africains ont su dans le meilleur des cas « faire de pauvreté vertu » : en s'éloignant de l'appât du gain facile, ils ont choisi de réaliser de préférence des **films d'expression**, des **films d'auteur** à la qualité artistique croissante et qui, en l'absence d'un véritable pluralisme de communication dans la plupart des pays concernés, ont souvent joué le rôle de « voix des sans voix » voire d'« image vérité » non déformée par les propagandes gouvernementales ou antigouvernementales pour des peuples de plus en plus privés, et de façon toujours plus inégalitaire, de leurs propres images.

1 — CENSURE ET CINÉMA : LE POLITIQUE, LE SEXUEL... ET LE RELIGIEUX

Si l'on devait dresser un tableau des cas de manifestations d'une forme directe de censure (un tableau des différentes formes d'**autocensure** étant bien évidemment plus difficile à réaliser) à propos des films du continent africain, on s'apercevrait que les thèmes ou images qui en ont souffert concernent le plus souvent, comme dans les autres censures cinématographiques du monde, essentiellement le **POLITIQUE** et le **SEXUEL**, mais avec une nette prédominance pour le premier domaine :

a) La critique des classes au pouvoir et des différentes formes de « néo-colonialisme »

- Au Sénégal

• Le film ***Xala*** de SEMBÈNE Ousmane (1974) — une satire au « vitriol » des nouvelles bourgeoisies nationales au pouvoir en Afrique et de leur dépendance vis-à-vis de l'étranger — a subi 12 coupures de la part de la censure sénégalaise (dans les autres pays, il est passé en version intégrale).

• Le film ***Ceddo*** (Le rebelle) (1976), du même SEMBÈNE Ousmane, a subi une censure plus insidieuse, en restant longtemps bloqué pour... des raisons d'orthographe, le président de la République de l'époque affirmant que ***Ceddo*** devait s'écrire avec un seul D.

• Le film ***Kaddu Beykat*** (Lettre paysanne) de la cinéaste Safi FAYE a été bloqué également pour son point de vue « économique : le film critique l'indifférence de la classe au pouvoir vis-à-vis du sort des paysans (dont on ne se rappelle l'existence qu'au moment des élections) mais il critique aussi le choix de la « monoculture » de l'arachide qui leur est imposée pour l'exportation vers l'Europe.

• Le film ***Camp de Thiaroye*** (1988), co-réalisé par SEMBÈNE Ousmane et Thierno SOW, qui dénonce le massacre par l'armée coloniale française d'un bataillon de tirailleurs sénégalais réclamant leur solde, n'a pas été interdit en Afrique, mais aurait subi une censure indirecte... en France, où aucun festival, ni aucune salle de cinéma, ne l'ont programmé malgré son Grand Prix du Jury au Festival de Venise (de même, le cinéaste mauritanien Med HONDO estime avoir subi une forme de censure économique pour la première distribution de trop courte durée en France de son film ***Sarraounia*** (1987) qui dénonce le même type de massacres coloniaux, et a vu à plusieurs reprises des centres culturels français en Afrique intervenir pour faire annuler des projections de son premier film, ***Soleil ô*** (1970), à bien des égards un virulent pamphlet contre le néocolonialisme).

Cependant, force est de constater que ces cas restent exceptionnels dans les cinémas d'Afrique sub-saharienne, où le 7e Art « bénéficie » (!) le plus souvent d'une relative indifférence de la part des censures en place, même quand il ne se consacre pas à l'héritage de la tradition et s'attaque directement à la chose politique, comme cela a été le cas pour ***En résidence surveillée*** du regretté Paulin VIEYRA (Sénégal 1981), ***Desebagato*** d'Emmanuel SANON (Burkina Faso, 1987), ***Ironu*** de François Sourou OKIOH (Bénin, 1985), ou ***Petanqui*** de Yeo KOZOLOA (Côte-d'Ivoire, 1983), tous projetés sans encombre à notre connaissance.

- En Égypte

Le film ***Le Moineau (Al Osfour)*** de Youssef CHAHINE a été longtemps interdit parce qu'il attribuait en partie à la corruption d'une partie de la classe dirigeante le désastre qu'a été la défaite de l'Égypte lors de la « Guerre des Six Jours » de Juin 1967. Avant lui, son compatriote Tewfik SALEH avait critiqué le régime nassérien, notamment dans ses films ***Les Rebelles*** (1966) et ***Maître Bolti*** (1968), tous deux mutilés par la censure, ce qui avait poussé le cinéaste à s'exiler en Syrie puis en Irak.

Parmi les représentants de la « nouvelle vague » égyptienne apparue dans les années 70, ATEF EL TAYEB a eu des démêlés avec la censure pour son film ***L'Innocent*** (1986), qui dénonce les mauvais traitements que fait subir l'Armée à certains « bleus ».

- Au Maghreb

• Les films qui critiquent les classes au pouvoir (ou qui, dans leur contestation des inégalités et des injustices, sont ressentis comme tels par les gouvernements) sont relativement nombreux. Parmi ceux qui ont eu à faire avec la censure :

Au Maroc

Les Mille et une mains (Grand Prix du FESPACO 1973) et ***La Guerre du pétrole n'aura pas lieu*** (1975) de Souhel BEN BARKA, qui dénonce les intérêts de la bourgeoisie nationale liée avec l'étranger.

Alyamalyam d'Ahmed el MAANOUNI (1978) pour une brève scène évoquant la prostitution d'une mineure suite à l'exode en ville de familles paysannes très pauvres.

En Tunisie

Les Ambassadeurs de Naçer KTARI (1976) : suppression du dialogue d'un ouvrier français faisant l'éloge du parti Communiste.

Soleil des hyènes de Ridha BEHI (1976) : refus d'attribution de l'autorisation de tournage pour un sujet « qui assimile le tourisme à une forme de néocolonialisme » (le film sera finalement tourné au Maroc).

Les Sabots en or de Nouri BOUZID (1989) a eu, comme la plupart des films produits par Ahmed ATTIA (l'un des producteurs les plus courageux du cinéma tunisien), des démêlés directs avec la censure. Plusieurs coupes dans des scènes de torture policière subie par un militant de gauche, et dans une scène d'amour.

Bezness du même Nouri BOUZID (1992) s'est vu retirer la subvention (déjà accordée) du ministère de la Culture, et son autorisation de tournage parce qu'il montrait (comme dans le cas de ***Soleil des hyènes***) certaines retombées (jugées négatives) de l'industrie touristique sur la société tunisienne.

En Algérie

Les bonnes familles de Djaafar DAMERDJI (1972) qui dénonce « l'usurpation du pouvoir par une nouvelle bourgeoisie », n'a jamais été projeté.

At tarfa (La corde) de Hachemi CHERIF (1972), qui révèle « la lutte des classes à l'intérieur de la société algérienne », n'a jamais été distribué lui non plus, à notre connaissance.

Enfin, un peu partout en Afrique, et toujours dans le domaine politique, les documentaires d'actualités subissent très souvent des « recyclages » et des « retouches » tendant à faire disparaître les visages des personnages politiques aujourd'hui destitués ou en disgrâce.

b) Sexualité et nudité : quelques tabous

- *En Afrique subsaharienne*, les censures semblent bien moins puritaines qu'au Maghreb sur le plan de la nudité et de la sexualité, bien que d'une façon générale, les films soient assez pudiques à ce sujet.

Ainsi, en Côte-d'Ivoire, le film de Désiré ECARE ***Visages de femmes*** (1985) n'a pas dérangé les autorités pour sa scène d'amour physique très explicite (qui aurait soulevé un tollé chez les censures maghrébines), mais pour une phrase plus « politique » proférée par l'héroïne qui déclare : « avec mes seins et mes fesses, je peux faire tomber le gouvernement ! ». Dans le même pays, les films de Henri DUPARC ***Bal Poussière*** (1988) et ***Le sixième doigt*** (1990) utilisent la nudité et la sexualité sur le ton de la comédie, allégrement paillarde !

La nudité féminine est souvent présente dans les films de « ténors » comme Souleymane CISSE ou SEMBÈNE Ousmane, sans soulever de problèmes particuliers. Au Maghreb par contre, la vision de la nudité, l'évocation directe de la sexualité « hétéro » ou « homo » dans les films locaux (alors qu'elle est tolérée dans les films étrangers !) fait souvent réagir les censures locales. En Algérie et au Maroc, nous ne connaissons pas d'exemples de films nationaux coupés pour évocation de la nudité ou de la sexualité (sinon des cas d'autocensure comme le cas du film ***Vent du Sud*** de Slim RIAD où le réalisateur nous a déclaré avoir lui-même décidé de couper un plan montrant la poitrine nue de l'héroïne, avant le passage du film à la Commission de censure). Par contre, dans le cinéma tunisien, considéré souvent comme plus audacieux que ses voisins, il y a quelques exemples édifiants :

- Le film ***Sous la pluie de l'automne*** d'Ahmed KHECHINE (1969) a été amputé d'une scène montrant un homosexuel en train de danser dans un café pour hommes.
- Le film ***L'Homme de cendres*** de Nouri BOUZID (1986) a subi des coupes dans sa description de la crise d'un jeune homme qui a été violé dans son enfance et qui depuis a des doutes sur sa sexualité, et la suppression d'un plan comportant une « étoile de David » peu après le bombardement israélien de 1985.
- Le film ***Halfaouine*** (1990), de l'auteur de ces lignes, pourtant autorisé par la censure, a déclenché 5 jours de débats contradictoires à l'Assemblée Nationale tunisienne demandant (sans succès) sa possible interdiction, à cause de quelques apparitions de nudités féminines dans les scènes de « hammam ». Le film avait déjà auparavant battu plusieurs records d'audience populaire, ce qui explique sans doute l'inquiétude *« a posteriori »* de certains députés voyant que ce film en particulier parvenait, lui, à « atteindre les masses » sur une grande échelle.

- Le film ***Fatma 75*** de Selma BACCAR (1978), un portrait de la femme tunisienne à travers les âges, a été interdit de diffusion à cause d'une scène d'éducation sexuelle faite au tableau dans une classe de filles.

La véritable raison de l'interdiction serait la non-conformité du film à la vision officielle de l'émancipation de la femme.

De fait, l'évocation de la sexualité et de la pseudo « atteinte aux mœurs » est souvent utilisée comme prétexte pour masquer une censure politique ; cela a été le cas en Tunisie pour ***Les Sabots en or*** (voir plus haut) et pour le premier court métrage de Ridha BEHI ***Les Seuils interdits*** (1972) qui, en relatant le viol d'une touriste allemande par un jeune chômeur tunisien pendant qu'elle visitait une mosquée, osait affronter plusieurs tabous, économiques, sexuels et même le tabou religieux qui va faire l'objet du paragraphe suivant.

c) Une valeur en hausse : la censure religieuse

Une forme de censure non institutionnelle est actuellement en train de gagner du terrain, notamment dans les pays d'Afrique du Nord, parallèlement à la montée de l'intégrisme religieux, les critères de ce mouvement idéologique prenant peu à peu le pas sur les critères « politiques » classiques.

Cette évolution n'est pas seulement propre à « l'Islamisme » comme voudraient le faire croire de façon souvent fantasmatique certains médias européens, mais au développement de toutes les formes d'intégrisme religieux : il est symptomatique de voir qu'en France on est passé des attentats « pour raisons politiques » contre les cinémas projetant ***La bataille d'Alger*** de Gilles PONTECORVO dans les années 60, à des agressions « pour raisons religieuses » contre des cinémas projetant ***Je vous salue Marie*** de Jean-Luc GODARD, puis à un attentat pour les mêmes raisons, mais causant mort d'homme, pour ***La dernière tentation du Christ*** de Martin SCORCESE.

En Égypte, une nouvelle forme de censure « corporatiste » s'était déjà abattue sur Youssef CHAHINE, emprisonné sur plainte de l'ordre des avocats pour avoir produit ***L'Avocat*** de Rafaat el MIHI (1985) décrivant un homme de loi corrompu. Ce sont aujourd'hui les groupes religieux qui l'attaquent à cause de son court métrage ***Le Caire vu par Youssef Chahine*** où il évoque entre autres l'existence des intégristes.

En Algérie, les Islamistes avaient obtenu la fermeture totale d'une cinémathèque étatique en province, accusée d'avoir projeté un film « immoral », et sérieusement perturbé le tournage du film de Mahmoud ZEMMOURI ***De Hollywood à Tamanrasset*** (1990) tout en continuant à couper les câbles d'antennes paraboliques de télévision accusées de faire pénétrer des images immorales dans les foyers. Aujourd'hui, même si elle relève de groupes non gouvernementaux, cette nouvelle censure pour motifs « religieux » finit par exercer son influence sur la vie quotidienne de personnes non extrémistes, et par imprégner pour des motifs « préventifs » l'inconscient des censeurs gouvernementaux qui tiennent de plus en plus compte de ces critères d'ordre « religieux ».

2 — DROITS DE L'HOMME ET CINÉMA AFRICAIN : UN DIALOGUE TOUJOURS FÉCOND

Les cinémas africains éclos dans les années 60, à l'ère de la décolonisation et faisant leurs premiers pas sous le régime du parti unique qui a le plus souvent succédé aux indépendances politiques, ont très vite, en tant que « voix des sans voix » fait de la défense des Droits de l'Homme un de leurs credos mais à une nuance près : il était bien entendu permis et recommandé de fustiger les atteintes aux Droits de l'Homme survenues durant la colonisation, et plus délicat d'évoquer celles exercées durant l'époque présente. Le premier court métrage important ***Borom Sarret*** (1963) et le premier long métrage d'Afrique noire ***La Noire de...*** (1966), tous deux réalisés par le Sénégalais SEMBÈNE Ousmane et tous deux situés à l'époque qui suit l'indépendance, sont tout entiers consacrés aux Droits de l'Homme africain. Dans le cas de ***La Noire de...*** (qui remporta le TANIT D'OR des premières journées cinématographiques de Carthage), il s'agit plus précisément des Droits de la Femme, à travers le portrait d'une domestique sénégalaise traitée comme une esclave par ses patrons coopérants français qui la « transplantent » avec eux en Europe où elle finira par se suicider. La question spécifique des Droits de la Femme africaine est depuis ce film devenue une constante dans les thèmes de la plupart des cinémas africains. La description de la condition des paysans, et celle des nouveaux prolétaires que l'exode rural ramène vers les villes, face à des bureaucraties sourdes et inefficaces et à des régimes où la police est trop souvent au service des puissants, courent en filigrane dans un très grand nombre de films africains situés à l'époque contemporaine. Par contre certains autres films, situés à l'époque coloniale, utilisent visiblement le passé pour suggérer, à l'abri de la censure, que bien des manquements décrits se perpétuent après les indépendances.

Un des pires manquements de la charte universelle des Droits de l'Homme, la torture pour délit d'opinion politique, si elle est abondamment décrite dans les films situés à l'époque coloniale (***Décembre*** de l'Algérien Mohamed Lakhdar HAMINA (1972), ***Le Défi*** du Tunisien Omar KHLIFI (1985) et bien d'autres) est rarement évoquée pour l'époque contemporaine. Elle l'est en particulier dans deux films très courageux ***Les Sabots en or*** du Tunisien Nouri BOUZID (1989, déjà cité) et ***Allah tantou*** du Guinéen David ACHKAR (1991), qui parlent tous deux d'expériences réelles, subies par le cinéaste lui-même dans les années 70 dans le cas du premier film, et subies par le propre père du cinéaste sous le régime d'Ahmed Sékou TOURÉ dans le cas du second.

3 — LA LUTTE POUR LES LIBERTÉS CINÉMATOGRAPHIQUES : ÉLOGE DE LA RUSE... ET DE LA STRATÉGIE

Nous l'avons dit : devant ce phénomène épisodique qu'est le cinéma africain, les pouvoirs publics ont tendance soit à sous-estimer son importance, soit au contraire à considérer qu'il doit être le reflet direct des positions gouvernementales, et de là, à exagérer les effets possibles des éventuelles déviations de cette ligne « officielle ».

Dans ce dernier cas, le cinéaste qui se veut « la voix des sans voix » doit, souvent (pour reprendre le titre d'un ouvrage célèbre du grand écrivain arabe AL JAHEDH) se pencher sur « Le livre des ruses » et élaborer une stratégie pour contourner les blocages possibles, et parfois prouver « sur le terrain » à ses propres pouvoirs publics que leurs craintes quant aux effets du cinéma sont infondées et leur conception de la censure cinématographique, dépassée.

Deux exemples célèbres, l'un en Afrique subsaharienne : ***Finye*** (Le vent) du Malien Souleymane CISSE (Grand Prix à CARTHAGE 1982 et au FESPACO 1983) et l'autre au Maghreb : ***Omar Gatlato*** de l'Algérien Merzak ALLOUACHE (1977), ont prouvé la nécessité de cette stratégie, qui doit utiliser toutes les contradictions des systèmes en place pour parvenir à l'essentiel : la vision du film en version intégrale par son public d'origine.

Finye, inspiré partiellement d'événements réels, décrivait entre autres une révolte d'étudiants contre les autorités militaires, sujet éminemment censurable à l'époque. Pour éviter cela, le réalisateur a dû utiliser la carte du « prestige extérieur » : comme il n'existe pas de laboratoires au Mali, le négatif, développé en France, était à l'abri des ciseaux de la censure. Une fois le film terminé, le cinéaste décida de ne pas le projeter dans son pays avant qu'il n'ait fait carrière dans les festivals internationaux : or, sa seule projection au Festival de Cannes déclencha dans la presse européenne un nombre d'articles tels que les autorités n'en avaient jamais obtenu en une seule fois à l'étranger pour leurs activités politiques, leur faisant d'un seul coup saisir l'importance du cinéma (alors négligé) pour l'image de marque de leur pays. Le film ***Finye*** devenait intouchable, il fut donc projeté au Mali sans coupures, déclenchant un triomphe populaire sans précédent. La morale de cette aventure ? Elle est relatée par Souleymane CISSÉ lui-même, qui dit qu'après cela, les ministres étaient venus le voir officieusement pour lui dire : *« Ton film nous a soulagés. Avant, nous pensions que montrer des choses* *pareilles pouvait provoquer des émeutes. Tu nous as prouvé qu'il n'en était rien.* »

Ainsi, par la grâce d'un seul film, la censure avait reculé au Mali, laissant la porte ouverte pour d'autres films, tout aussi courageux, comme ***Nyamanton*** (La leçon des ordures) de Cheick Oumar SISSOKO (1986), ***Ta dona*** d'Adama DRABO (1991) et bien d'autres.

En Algérie avant ***Omar Gatlato***, il n'était implicitement possible de ne filmer que deux grands sujets : la lutte pour l'indépendance, puis, à partir de 1972, la « révolution agraire décidée par le gouvernement », les cinéastes se « débrouillant » pour y glisser malgré tout quelques préoccupations personnelles, comme cela a été le cas pour ***Le Charbonnier*** de Mohamed BOUAMARI ou ***Noua*** de Abdelaziz TOLBI (1972).

Voulant parler de ce qui n'était pas permis (la démobilisation politique de la jeunesse algérienne, son oisiveté, le fossé entre les sexes régnant dans une société particulièrement puritaine), Merzak ALLOUACHE obtint son autorisation de tournage en présentant ***Omar Gatlato*** comme un simple film comique. La vérité qui se dégageait du film lui valut de battre à sa sortie tous les records d'affluence, prouvant ainsi aux autorités algériennes qu'on pouvait parler du présent et de la vie de tous les jours, sans être forcément sur les rails du « point de vue officiel ». Le film ouvrit lui aussi la porte à d'autres films d'inspiration analogue sur l'Algérie au quotidien, depuis ***Un toit, une famille*** de Rabah LARADJI (1980), jusqu'à des films plus récents, comme ***Ombres blanches*** de Saïd OULD KHALIFA (1991) ou ***Automne, octobre à Alger*** de Malik LAKHDAR HAMINA (1992).

Dans le cas de ***Finye*** comme de ***Omar Gatlato***, les publics africains, qui aspirent à plus de libertés, ont prouvé par leur accueil enthousiaste qu'ils savaient parfaitement reconnaître la vérité plutôt que la propagande, surtout quand elle est servie par un artiste de talent, et en obtenir... un soulagement, voire une forme de « catharsis ».

Nous laissons aux colloques et séminaires spécialisés (tout comme aux censeurs cinématographiques qui existent encore dans le monde) le soin de continuer à se poser la question essentielle de ce débat : LA LIBERTÉ D'EXPRESSION AU CINÉMA, FACTEUR DE SUBVERSION OU CATHARSIS ?

Pour notre part, nous terminerons par deux citations. L'une ancienne, de l'écrivain Beaumarchais : *« Sans liberté de blâmer, il n'est point d'éloge flatteur. »* L'autre, contemporaine, du chanteur Bob Dylan : *« Sans liberté de parler, on est moins que rien du tout. »*

En Afrique, comme ailleurs, le cinéma peut être l'art de la fantaisie et de l'imaginaire, mais il est aussi l'art réaliste par excellence : dans ce cas, il doit se nourrir de vérité et de liberté.

Férid BOUGHEDIR
Réalisateur tunisien

CINEMA AND FREEDOM IN AFRICA

Contrary to television productions, films are not drastically censored in Africa partly due to the fact that they don't benefit from good distribution in their own territory. It is also to be noticed that African film makers deprived of markets and working independently from government structures have often chosen to express themselves vigorously in favour of their own people and against the establishment.

Just as in other parts of the world, the areas of censorship are mainly politics, sex and religion. Critical views about the elite in power and aspects of neocolonialism have for example been censored in Sembène Ousmane's ***Xala, Ceddo*** (though it was officially censored for reasons of linguistics) and ***Le camp de Thiaroye***. Apart from some other notorious cases like Safi Faye's ***Kaddu Beykat*** and Med Hondo's ***Sarraounia*** and ***Soleil ô*** most sub-Saharian films are not often censored.

Egyptian and Maghreban films critical of the elite in power are relatively many and the axe of censorship has been active against them.

As far as sex is concerned, sub-Saharian Africa appears less puritanical than the countries of the Maghreb : for example ***Visages de femmes*** by Désiré Ecaré and Duparc's ***Bal poussière*** and ***Le sixième doigt*** did not upset the censors while Ahmed Khechine's ***Sous la pluie d'automne***, Nouri Bouzid's ***L'homme de cendres*** and other films have been amputated of some « shocking scenes ».

However, religion is the privileged terrain of censorship especially in the countries of North Africa with the rise of integrism.

African films have been made in defence of human rights. Sembène Ousmane's early films ***Borom Sarret*** and ***La noire de...*** discuss this important issue. Women's rights are also a favourite and constant theme of African films. Torture used against people because of theirs political opinions is not often discussed except in films set in the colonial period. Only two films makers, Nouri Bouzid ***(Les sabots en or)*** and David Achkar ***(Allah Tantou)*** discuss a direct or indirect contemporary experience of torturing.

Most of the time African film makers try to escape censorship by using external pressure or by the use of humour and comedy.

As Bob Dylan says : « Without freedom of expression, we are less than nothing. » However it is still to be debated whether freedom of expression in film making is subversive or cathartic.

AFRICAN FILMS : A RETROSPECTIVE AND A VISION FOR THE FUTURE

N. Frank UKADIKE

The story of African films speaks to the experience of African nations, and continues to represent many present-day situations. In its historical and cultural milieu, African film structures have been created in the spirit of « alternative » cinema, which, simply put, deconstructs dominant cinemas by expressing views of people who are considered as « other ». First and foremost, African cinema aspires to « authenticity ». That is, subjects marginalised by mainstream cinematic practices are always confronting their « otherness » by applying indigenous standards to the subjugating dominant cinematic codes, thereby creating new identities, histories, and cultures. The uniqueness of this cinema, the « Last Cinema » — in Clyde Taylor's terms[1], lies in the ways it has alway questioned film language and repostulated filmic-aesthetic discursivity.

I want to present an overview of African cinema by tracing some of its vital trends and manifestations both as responses to the dominant (American, European-East and West) film practices, and as expressions of national cultures, politics, and aspirations. I shall look at African cinema as a social force and examine how its methods, based on the intense scrutiny of reality, have created a « people's media » that

1. Clyde TAYLOR, « Africa the Last Cinema ». In Renee Tajima, ed. *Journey Across Three Continents* (New York : Third World Newsreel, 1985), pp. 50-58.

has emerged as a tool for empowerment and enlightenment — decolonising the mind.

A BRIEF HISTORIC OVERVIEW

Ngugi wa Thiong'o, critic of imperialism, notes that African writers are the « surgeons of the heart and souls of a community »[2]. In the same manner, the Malian traditionalist, Hampaté Bâ, states that oral tradition is « the great school of life », the sculptor of the African soul[3]. Before the emergence of African cinema, there already existed liberationist literatures that attacked imperialism, thereby exposing the malicious distortion of African cultures and histories by colonial ideologies. From this perspective Ousmane Sembène, already a well known novelist with a passion for truth, turned to film making with an avowed determination to make the search for African identities a *sine qua non*. It is here that the quintessential African cinema originates, that is, through depictions debunking the mythical presentation of Africa à la Hollywood films, the fantastical fragmentation of identities, or, the subject's lack of cultural identity found in Western racist writings symptomatic of such « geniuses of racism » (as Ngugi wa Thiong'o calls them) as Rider Haggard, Nicholas Monserrat, Joseph Conrad, Etherelda Lewis, Elspeth Huxley[4].

The inception of African cinema is an historical phenomenon entrenched in the revolutionary struggles of the world's peripheralised peoples. Exemplified by the growing nationalist movements of the 1960s as Roy Armes puts it, the « omens seemed good for Africa » : the Cuban success in « resisting the CIA-backed Bay of Pigs invasion in 1961 » ; Algerian independence in 1962 after eight years of war with

---

2. NGUGI wa Thiong'o, *Decolonizing the Mind : the Politics of Language in African Literature* (Nairobi : Heinemann, 1986), p. IX.
3. HAMPATÉ BA, « The Living Tradition », in Joseph Ki-Zerbo, ed., *General History of Africa Vol. 1 : Methodology and African Prehistory* (Paris : UNESCO, 1981), p. 168.
4. NGUGI wa Thiong'o, *Decolonizing the Mind*, p. 18.

France ; « the Vietnamese success against seemingly impossible odds and overwhelming US military power » ; and the pan-Africanist movement spreading across the US to the West Indies[5]. There followed the decolonisation of the continent during this period (except for the « Portuguese territories » of Angola, Mozambique, Guinea-Bissau, Guinea-Conakry, and white-controlled areas of Rhodesia-Zimbabwe, South Africa, and South West Africa-Namibia). There was no film made in Africa by an African except for the student production in Paris of ***Afrique-sur-Seine*** (Africa on the Seine, 1955) by the late Paulin Soumanou Vieyra, Mamadou Saar, Robert Cristan and Jacques Melo Kame). Although the film is experimental in mode, it exhibited authenticity, understanding, and appreciation of the indigenous characteristics of the African sensibility which Western film makers have intentionally and repeatedly ignored. No other African film emerged until 1962, when Niger's Mustapha Allasane made ***Aouré*** (Wedding), which dealt with an African marriage. It was, however, ***Borom Sarret*** (1963) by Senegal's Ousmane Sembène, centring on the theme of cultural, social and economic exploitation, that became the first African film seen by paying guests.

Prior to the 1960s, sporadic film production initiatives in Africa epitomized the continent's patterns of colonisation. Thus, French benevolence, while paternalistic, was instrumental in establishing production facilities, which later introduced Africans to the rudiments of film production. The British Colonial Film Unit also left a number of production facilities. These, however, were more destructive than productive since the British were really not interested in training Africans in the movie-making process, but rather produced what they called « instructional film », intended to raise the primitive African to a higher standard of culture »[6]. British films made for the colonies with colonialist hegemonic intentions propounded and ratified imperialist ideals. They were not only paternalistic in nature but recalcitrantly derisive of African

---

5. Roy ARMES, *Third World Filmmaking and the West* (Berkeley : University of California Press, 1987), p. 88.

6. « Films for Africans » (author n.a.) reprinted in *Sight and Sound*, vol. 12, p. 43.

culture and traditions. For example, ***Daybreak in Udi*** (1948) presented Africans in need of civilising by the white man, one white man, who is a British District Officer. In ***Men of Two Worlds*** (1944) the perennial subject of African witchcraft is depicted. In all circumstances, it was customary to elevate British tradition to the status of preternatural creation, as opposed to « mysterious » Africa, which was depicted as immersed in superstitious beliefs, fear and uncertainty. Similarly, for African countries under the control of Portugal, Portugal's imperialist policies were no less virulent and devastating than those of Britain and France. Implicit in this imperialism was also an unholy alliance between colonialism and Christianity, forming a formidable partnership in the mission of fracturing what were once resilient traditional cultures and societies.

With the increase of national consciousness, African nationalists and film makers could no longer sit on the fence, but increased their inquiries about imperialism and its place in Africa. For instance, Africans began to notice the contradictions between platitudinous Christian pronouncements and the actions of the missionaries who aligned their evangelism with the political policies of the colonizers[7]. In this policy, to colonise is to « educate », and justification for occupying Africa becomes a more important concern than cinematic exploration of the continent for meaningful understanding of its peoples and cultures. It is only after independence that the oppressive logistics of imperialism began to be investigated in cinema from an African perspective.

FROM CINEMATIC CUL-DE-SAC TO DIVERSITY AND PROMISE

Denying Africans the right to test their natural cultural heritage in exercising their human rights typifies what Amil-

7. See Edward BERMAN'S excellent essay, « African Responses to Christian Missionary Education », *African Studies Review*, n° 3 (December 1974) pp. 527-540.

car Cabral had termed the « apparent paradox of struggle and colonial domination »[8]. He notes that resistance to domination was at first championed from within a « social class » of people, themselves products of colonialism. This resistance gave rise to the

> *first important steps towards mobilizing and organizing the masses for the struggle against the colonial power. The struggle reflects the grasp of a complete identity, generalizes and consolidates the sense of dignity, strengthens the development of political conscience, and derives from the culture of the masses in revolt one of its principal strengths*[9].

It is from this perspective that Ousmane Sembène, an indefatigable personality, who indelibly stamped Africa on the cinematic map of the world, emerged. His concern for teaching ordinary people « to consolidate the general sense of dignity », in Cabralian terms, forced him to switch from writing in foreign languages to film making. During his journey across Africa, Sembène was surprised to notice that his novels were conspicuously absent from the bookshelves. He understood this to mean that literature written in foreign languages was not the best way to communicate with the peasants, the most vital populace for any successful revolution. Sembène, moreover, was concerned with the use of film as a tool of liberation, as a means of presenting a positive image of Africa in contrast to the savagely-distorted foreign filmic representation of Africa.

Tarzan jungle melodramas and demeaning stereotypes of Africa had reigned supreme on the silver screen for 68 years before Sembène made his film ***Borom Sarret***. This film and other early films signalled the urgency of combating the pernicious distortions and demeaning stereotypes proffered in Hollywood films where sometimes the chimpanzees were presented as more intelligent than the Africans. As Stuart Hall expresses it, « expropriation of cultural identity cripples and deforms »[10]. If its silences are not resisted, they produce, in

---

8. Amilcar CABRAL, « Identity and Dignity in the National Liberation Struggle », *Africa Today*, vol. 19 (Fall 1972), p. 47.

9. Amilcar CABRAL, « Identity and Dignity », p. 47.

10. Stuart HALL, « Cultural Identity and Cinematic Representation », *Framework*, n° 36, p. 71.

Fanon's vivid phrase, « individuals without anchor, without horizon, colourless, stateless, rootless — a race of angels »[11]. To write one's history means inscription of authority and power ; the lack of it sustains the helplessness which Hollywood capitalises on to create its cinematic construct of the other.

Borom Sarret is a short film, only twenty minutes long. But its importance in the history of African cinema cannot be challenged. Its deliberate allegorical posture reveals filmic treatment of microcosmic situations, although in embryonic forms, and provides important topics which became issues that Sembène and African film makers have later emphasized in greater dimensions, for example, the contrast between the urban poor and the urban rich of Dakar, and « the disappointment of being colonized »[12].

The first decade of African cinema evidenced primary concern to illustrate African history with utmost intensity and to provide information and education to the viewer. But with time, what looked like a total attack on colonialism shifted to encompass all aspects of African reality, and this tendency introduced not only thematic proliferation, but also innovation based on aesthetic pluralism. With the emergence of the « new breed » of African film makers, in the 1980s, we witnessed a kind of tolerance never expected of African Cinema — « quasi-democratisation » of production strategies no longer bound by dogmatic principles that first linked cinema with the politics of decolonisation. Neocolonialism, coupled with the monstrosities of the ruling African oligarchs — from state to state since independence — have relegated Africa to what Jean-Paul Sartre terms a « simulacrum of phony independence »[13]. It has contributed to the continent's worst economic decay in the '80s into the '90s, with most countries mortgaging their economies to the International Monetary Fund and the World Bank. Some countries now spend up to one-third of their GNPs to service their loans (debts). Un-

11. Frantz FANON, *The Wretched of the Earth*, p. 176. As quoted in Stuart Hall, « Cultural Identity », p. 71.

12. For fuller discussion of the issues raised in this article, see my book, *Black African Cinema* (University of California Press, 1993), forthcoming.

13. Jean-Paul SARTRE, see the Preface, *The Wretched of the Earth* by Frantz Fanon, p. 10.

der this economic quagmire, government subsidy of film production is now a mirage. There is limited space here to discuss this issue in detail. I hope the discussion of some important films below will illuminate the promise and diversity of the film practices in a continent once considered a cinematic cul-de-sac.

HISTORY, POLITICS, AND CULTURE : TOWARD AN AESTHETIC MANIFESTO

Debates on the prerogatives of African Cinema have always revolved around the rhetorical cycle of damnation to profound judgment and practicability. Although African film practice has enormously diversified to promote individual agendas, this difference has not weakened the earlier affirmations proffered in the 1975 Algiers Charter and the 1982 Niamey Manifesto which stressed the interrogation of production processes[14]. In this vein, cinematic practices translated into profound testimony to the people's experience, reflecting efforts at self-definition.

From a general critical perspective, therefore, African cinema can be seen as recoding the conventional film form, bringing to it a range of new references recyclable as « raw materials » for a new synthesis. It is from this position that we find that film makers have managed to inscribe African cinema's seal within the repertory of world cinema. The main attribute of this endeavour derives from the use of film to explore cultural identity and to give expression to the conflicts of a troubled continent, bringing to knowledge the unprecedented historical transformation of cataclysmic political, social and cultural change.

Stuart Hall describes the presentation of cultural identity

---

14. Realising that film and politics are interwoven, African filmmakers' primary concern focused on the use of film as a tool for development, and for stressing the history and culture of African people. This position is detailed in their Charter and Manifesto.

in cinema as « constructed through memory, fantasy, narrative and myth »[15]. This means of representation, selectively appropriated in deconstructive terms, is central to African cinematic construction. For an example, in ***Soleil O*** (1969) directed by Mauritania's Med Hondo, the inhuman treatment of African and Arab immigrants in Paris serves as the basic subject, but by interweaving a series of character studies, the film maker constructs allegories of African life in a neocolonial setting.

Thus, allegory forms the basis for a register of social concerns : here the political and historical coalesce with sociological and cinematic teleology into ideological discourse. In one of the most powerful sequences, Med Hondo changes the Christian meaning of the symbol of the cross by reversing it onto a sword. In doing so, he dichotomizes the cultural polarities signified by the white man's symbol of ideology (cross/Christianity/salvation/hope), and Africa's adoption of the Christian religion which he sees as a « violent » and unwelcome intrusion onto Africa's social fabric. (In like manner, the church sequences in ***Heritage Africa*** (1989), offer an insight into what one might call the biblical message of subservient memory that is indicative of Christian worship and education.)

This critique of religiosity was vehemently illustrated in another African film, ***Ceddo*** (1976) by Ousmane Sembène. This film, which denounces syncretic religions, is most powerful in its use of the flash-forward technique when, at one point, the shot of a priest looking up in prayer dissolves into an image of a spinning cathedral dome. This shot, which serves as a transition device, completely removes the viewer from the village location of the film and introduces a new perspective. As a result of what happens, this sequence proposes Sembène's prophetic vision of hybridised African culture. It shows a Catholic Mass infused with African cultural symbols : the cowrie is used to construct the sign of the cross ; a bishop is a committed ***Ceddo*** (a heathen by Christian and Islamic conception) adorned with a magnificent ceremonial Catholic bishop's mitre laced in cowrie, holding the Samb

15. HALL, « Cultural Identity », p. 72.

(earlier shown as a symbol of tradition), and the hymn is reinforced with the sound of African drums. All African cultural symbols in this sequence under normal circumstances would be condemned by the missionaries as diabolical. This sudden and unexpected jump in time and space is designed to illustrate Africa's « fitful process of shifting from one set of rules to the other » when « loyalties are stretched between commandments of the *Bible* and [*Koran*], and obligations to the ancestors »[16]. The film's structure is replete with comic undercurrents. It stings with satire carefully crafted for impact. The message, thus crystal clear, affirms ***Ceddo's*** acerbity as iconoclastic, devastatingly anti-religious, and deeply sensitive to Africa's emancipation. Although Islam is the main focus of attack, the structure of this sequence makes clear imperialism's disruption of African culture. In this vein, juxtaposition of opposites (common in all Sembène's films), as in the case when a Ceddo, now a Catholic bishop, celebrates Mass and gives Holy Communion to a Muslim imam, is used to give credence to the Africanist dictum of cultural decolonisation.

Subject matter has always been indispensable culturally, historically, and ideologically to African cinema. In addressing the multiple strands of African cultures, the illustrations shown above exemplify trenchant political critiques expressing Africa's dual perspectives of traditionalist/alien values. The films of this period focused on the dichotomies between tradition and Western values, colonial and neocolonial perversity, with an avowed determination for reeducation. This quest for freedom and identity with all of its inherent polarities and contradictions has inspired innovation and diversification in this cinema. Here we also find that the audacity of the themes is as strong as the acerbity of their tone.

The second achievement of African cinema lies in its commitment to what Teshome Gabriel calls « social art »[17]. In a

---

16. Blaine HARDEN, *Africa : Dispatches from a Fragile Continent* (New York W.W. Norton and Company), p. 18.

17. See TESHOME Gabriel, « Towards a Critical Theory of Third World Film », in Jim Pines and Paul Willemen, ed., *Questions of Third Cinema* (London : BPL 1988), pp. 30-50, especially sections addressing culture and cinematic practices and reception.

sincere, deeply-felt respect toward treatment of theme, character and situations, and particularly toward spectators, African cinema constructs provocative, authentic and reflective analyses of Africa beyond socio-cultural parameters. Hence, rather than positing a single African cinema (as misconstrued by Western analysis), African cinema embodies a plurality of works as diverse as the people and cultural federations it represents.

Thus we find a profuse selection of films from Senegal, the biting satirical drama, ***Xala*** (1974) ; and the Burkinabe film imbued with oral tradition and filmic poetry, ***Wend Kuuni*** (The Gift of God, 1982, by Gaston Kaboré) ; from Mozambique, the revolutionary folk epic ***Mueda : Memory and Massacre*** (Ruy Guerra of Cinema Novo fame, 1979) ; from Mauritania, the musical drama, ***West Indies*** (1979) and ***Sarraounia*** (1987) by Med Hondo ; and from Ghana, preoccupation with the richness of memory and history, ***Heritage... Africa.***

Closely related to this aspect of inquiry is the third factor that emerges from a consideration of film style, marked as it is by recoding and transformations as offsprings of cultural manifestations that have shaped individual creative impulses. A handsome display of works, varying in scope and creativity, have merged from individual efforts out of a concern for exploring the ties between the individual and the collective, and for decolonising and reasserting African identity. Black African film practice emerged from these societal and political differences and concerns as a questioning cinema with a need to develop alternative forms and narrative patterns, and polyphonic rhythms that express the African experience, relating it to the colonial past and perspicuously to the neocolonial present. Hence, most works by African directors are activist films. They provoke thought and instigate action. In the '80s, however, some directors for economic reasons have compromised activism. Either for sheer desire to elevate cinema to the level of industry, or for the sake of reaching Western consumers, they have pandered to their tastes.

In ***Finzan*** (1990) Cheick Oumar Sissoko of Mali explores women's issues — principally the problem of male domination. The story is about women's enslavement, about unity and courage, and about traditional versus Western values. Aspects of depicted male domination include forced or arranged marriages and lack of respect for women after they embark on a collective struggle that frees villagers from their government's arbitrarily imposed price control. In this film structure which is more episodic than sequential, the viewer discovers Fili, a beautiful young girl who had come to the village from the city but had not been excised. Excision, variously called « clitoridectomy », or « female circumcision », is a controversial issue and taboo in some places. Both African and Western analysts have interpreted this practice as « mutilation of female genitalia », and some (Western analysts) have called the practice barbaric. But in Bambara culture and other African cultures, excision is often considered an all-important and highly valued custom — but the practice is now being questioned. Within academia for example, in regards to how the practice is viewed, dissension is still very hot and heavy — even among African scholars trained in African universities and those trained abroad — in Western, Eastern and other Third World institutions of higher learning. This split was confirmed by the panel that addressed this issue at the conference on « Women in Africa and the African Diaspora : Bridges Across Activism and the Academy », held at the University of Nigeria, Nsukka, Summer, 1992.

Indeed, Western women were quite mesmerised by the charged tension between African women split by traditionalism and Westernism but whose positions, I would argue, were logical in the manners that they were presented, whether for, or against the practice of excision. Perhaps the Westerners learned from the African women who understood the ramifications of their opposing perspectives. Sometimes antagonistic, the issue was discussed without condescending to reductionist diatribe, insult and degradation, in a word, ethnocentrism. I make it clear that I am not here advocating a continuation of this practice, rather making it known that the issue is not to be simplified because of its complexity and controversial nature. The subject should not be approached from an imperialistic perspective or filmed in reductionist ethnographic vérité « which represents the peoples who practice it as backward, misogynist, and generally lacking in humane and compassionate inclinations »[18].

After hearing the discourse of the subject from African women, one begins to wonder if the removal of a woman's clitoris (note I did not say mutilation) in order that she be « accepted » in the community also destroys the « pleasure centre » of her body, although I am not sure if the majority of African women equate the clitoris with « pleasure centre ». It is also oppressive since one of the reasons given for excision in the African culture is that it was thought to be a proper way of guarding virginity as well as discouraging extramarital intercourse and insatiable sex drive. Again, I am not sure if cutting off the clitoris means taking away a woman's sexuality or pleasure, or if it has ever attained the intended objective since African women who have performed this ritual are also known to be sexually active, sometimes promiscuous and, needless to say, experience sex as a pleasurable activity. However, as presented in ***Finzan***, excision is injurious and repugnant. Fili fears haemorrhaging to death as her mother did, which was the reason she was spared the ritual in the first place when she was young. But as I mentioned before, excision is endogenous to Bambara culture. And as was evident at the Nsukka conference, there are traditionalists of African culture, in this case, well-educated women who argued that if one continues to infringe upon aspects of traditional culture, the time will come when a pattern of life disappears.

I have argued that Sissoko used ***Finzan*** to convey his own feelings on the complex status of African women, but because of the controversial nature of this subject and for clarity's sake, I will use specific examples from my previous analysis of ***Finzan*** to buttress my point[19].

As with any other society, some aspects of Bambara culture considered positive may, with time, be viewed as nega-

---

18. See Françoise LIONNET'S provocative essay, « Dissymmetry Embodied : Feminism Universalism and the Practice of Excision », *Passages 1* (1991), p. 2.

19. For an in depth analysis of Finzan, see « New Development in African Cinema », in *Black African Cinema.*

tive. President Abdou Diouf of Senegal has made a passionate appeal regarding this matter when he states that :

> *Female « excision » is a subject that is taboo... But let us not rush into the error of condemning it as uncivilized and sanguinary practices. One must beware of describing what is merely an aspect of difference in culture as barbarous. In traditional Africa, [excision] evolved out of a coherent system, with its own values, beliefs, cultural and ritual conduct. They were a necessary ordeal in life because they completed the process incorporating the child in society. These practices, however, raise a problem today because our societies are in a process of major transformation and are coming up against new socio-cultural dynamic forces in which such practices have no place or appear to be relics of the past. What is therefore needed are measures to quicken its demise. The main part of this struggle will be waged by education rather than by anathema and from the inside rather than from the outside. I hope that this struggle will make women free and « disalienated », personifying respect for the eminent dignity of life*[20].

There is ample room from this policy statement for us to agree or agree to disagree. It is interesting how President Diouf challenges us with the task of handling the issues and becoming informed as never before about African social systems, beliefs and thoughts. In like terms, through constructive criticism the relevance of cinematic structure can be tied to its ability to inform the viewer of important socio-cultural issues such as excision, which is prone to disdain and misinterpretation.

The point is, did the manner in which this issue was presented in the film provoke intelligent inquiry capable of challenging received assumptions about the practice — from both African and Western perspectives ? Or is the film capable of initiating constructive dialogue around President Diouf's pedagogical summation and that of African women at the Nsukka conference who agreed to disagree by making

---

20. Abdou Diouf, in Olayinde KOSO-THOMAS, *The Circumcision of Women : A Strategy of Eradication* (London : Zed, 1987) p. 27. Also quoted in *Black African Cinema.*

it clear that the issue is more complicated than suggested by Western analysis ? Unfortunately, the answer is no, but Sissoko is not to be crucified either. The film was able to present an African way of life even if the technique was quite deficient and not quite instructive. It is also interesting that the film digresses from normal patterns of revelation and signification ; ***Finzan*** is an ambitious film, daring in its ability to question the cultural practice of excision. This implies that diversity and not homogenisation is the quintessence of African cinema. And if images may refrain from being an imitation of culturally normative ideals (freedom of expression), then ***Finzan*** proves that no one film is « representative ». Therefore, aesthetic and thematic proliferation, while essential in nurturing this explosion of representational endeavour, also suggests that to attain maturity, « practice makes perfect », an old African adage designating integrity, merit and excellence.

TOWARD UNDERSTANDING, THEORY AND PRACTICE

Stressing the diversity of African cinema, I have implied that the very notion of Africa's problematic emancipation demands a cultural practice expressed in forms commensurate with the cultural specificities of the producing nations. In this regard, applying this principle to African film practice, we find that certain cultural codes are inevitably employed to subvert the dominant mode of production aimed at acquiring a sense of identity and national transformation to achieve, in Haile Gerima's term, « Triangular Cinema »[21]. Stating that commercial Hollywood cinema is « disconnected from any community of people », Gerima has strongly argued that « triangular cinema » is ideologically circumscribed and culturally linked with the masses. While the commercial director is

21. Haile GERIMA, « Triangular Cinema, Breaking Toys, and Dinknesh vs. Lucy ». in Jim Pines and Paul Willemen, ed., *Questions of Third Cinema*, p. 68.

not liable to any accountability, African cinema takes a definitive stance, hence : « the battle for ideas and values must be waged through the intensification of complimentary critical and analytical cultural interaction that links the film maker, the audience/community and the activist/critic »[22]. This interaction is germane to African films since their narrative structure is indebted to *griot* art — the oral storytelling technique. The exponents, the carriers or this tradition, have always linked the values and interpretation of their work to continuity of interaction between the artist and the masses. There is a clear indication here that African film makers aspire for autonomy by not canonising Western standards. Is it then impossible to evaluate African film on its own terms ?

African cinema is inflected by « hybrid » cinematic convention formulated under the auspices of two conventions — the dominant cinematic tradition and the « living tradition » of the oral story teller. The latter emanates from the distinctive characteristics of dynamic cultural polyphonic codes : folklore, symbols, idioms and mannerisms. As integral components of oral tradition, these codes are integrated into the standard structures of the dominant conventions for a new expressive purpose (hence the notion of Africanised film language). From this perspective I contend that it is necessary to explore this unique merger. To ignore African oral tradition, its highly innovative storytelling techniques, and its quintessential role in African film practice is reprehensible.

African film makers have consistently accused critics (especially non-African critics) of being contemptuous toward their films. They argue that Western critical canons usually impede understanding by not recognizing numerous hard-earned individual accomplishments. In so far as there are differences in culture, and since African cinema aspires toward goals distinct from the Hollywood agenda, it is important not to impose standards. In this sense, a critical understanding of African cinema through African eyes is intrinsic for us to even begin to speak about evaluation of African cinema. An example is the notion of hegemonic art, the idea that early African art is considered by Western critics as « primitive art »

---

22. Haile GERIMA, *Triangular Cinema*, p. 68.

while European art of the same period is referred to as « classical art ». This notion is now defunct because of Third World revisionist histories and cultural theories that have mounted challenge to the malicious distortion indicative of the reductionism that Edward Said termed « spurious scholarship »[23]. If African cinema is a rare and specialised, and not an industrialised art form, it is because of the social, political and economic circumstances regulating production. And if the most valid African art has been put at the service of the people — communicating directly with utmost sincerity — would it not make sense that judgement of African cinema must also address the needs, politics and values as they relate to African reality ?

Mbye Cham has remarked that :

> *Although African filmmaking has come a long way in quality, quantity and infrastructure since its shaky beginnings, little has changed over the last [three] decades of its history in terms of production, distribution, exhibition... In spite of government intervention in some countries to create parastatal institutions to enhance their film industry and in spite of efforts of individual filmmakers to organize in order to more effectively promote their craft, the African film industry continues to be plagued by a chronic lack of capital, equipment, production facilities and effective distribution and exhibition channels, nationalization decrees notwithstanding*[24].

Any critical theory of African cinema must confront the truth of African life, its art — as lived and practised. However, I will make clear that some Western theories are also important. I have appropriated aspects of theories by André Bazin, Antonio Gramsci, J. Vansina, Louis Althusser and so many others that can be used to illuminate the African experience. However, it is not right to canonize hegemonic theories at the expense of theories originating from African

23. Edward SAID, « Spurious Scholarship and the Palestinian Question », *Race and Class*, Vol. 29, n° 3 (1988), pp. 23-39.

24. Mbye B. CHAM, « Film Production in West Africa », in John D. Downing, ed., *Film and Politics in the Third World* (New York : Autunomedia, 1987) p. 13.

cultural traditions. The work of a number of Third World critics is indeed indispensable : Frantz Fanon, Ngugi wa Thiong'o, Teshome Gabriel, Aimé Césaire, Kobena Mercer, Amilcar Cabral, Stuart Hall — to mention a few — speak in diverse voices, but with the same goal in mind — truth and knowledge.

If we should comprehend these voices it seems to me that we must then work to discover why, for a long time, Africa was pushed to the periphery, and eminent voices were silenced from the outside. This disadvantage is injurious to development on the intellectual, political and economic spheres. As it affects film production in the continent, the situation itself speaks of marginalisation — « last cinema ». This problem, connected with underdevelopment, is also the result of intercontinental capitalism. To put issues in perspective, we question the present day voice of Africa which, though against colonialism and imperialism, is voiceless in many ways. With the demise of Communism, Africa, like other Third World countries, now finds itself under a recolonisation process led by the « big three », the US, Britain and France. This recolonisation is also made possible by the inability of Africa's leaders to question the unconventional wisdom behind Western-imposed austerity measures. The measures, while supposedly aimed at revamping dwindling economies, are counter-productive, and needless to say, have inflicted heavy doses of pain on the Third World populace.

Slapped with political and economic sterility, from colonial to the neocolonial present, African cinema has eschewed escapism, a Hollywood luxury it cannot afford. This coalition of forces, which, despite their limited resources, has produced some of the world's finest films which we can honour as paragons of liberation. We might add that African films might as well be evaluated by the aforementioned criterion which, we noted, revolves around the truth of the people's struggles. It is important for us to know that although film structure might exhibit dominant cinematic conventions, infused with African cultural symbols and communication codes, it not only Africanises the film language itself, but also conveys realities in the purest Africanist interpretation.

CONCLUSION

The cinema in Africa awakens African consciousness, to discover the truth of their lives, constituting a powerful and invaluable tool for communication and education. One of the first goals of the pioneers of African films was to create works that were not only for Africans but also of Africans. The « experimental » interludes of the '60s and '70s exemplified a cinematic trend with film as cultural and political practice ; the motivational force centred on cinematic examination of Africa in totality. Filmmakers assumed the responsibility of showing the true photographic image of Africa, which has been victimised by colonial, racist, and Hollywood caricatures. In the movies, from ***Missionaries in Darkest Africa*** (1912) and the ***Tarzan*** films of the 1940s, to ***Out of Africa*** (1986) and ***Gorillas In the Mist*** (1988), Western movie makers continue to construct a most superficial and ludicrous image of Africa and black people.

To effect the restoration of African pride and dignity, African film makers' systematic response resulted in a new mode of address — the creation of an indigenous cinematic aesthetic that places art not only in the service of the people, but also makes it answerable to their own political and cultural needs. Hence, in the first decade or so of African cinema, a vigorous attempt was made to give didacticism preference over entertainment. This reeducation strategy aimed at transforming society was reinforced by thorough scrutiny — films examining all facets of life widened their scope to become truly « engaged » and introspective. In this case, the questioning of oneself becomes synonymous with the questioning of society.

If the 1960s and 1970s were the most apparent manifestation of this feeling, the '80s interrogated screen representation in correlation with aspects of film history and sociopolitical history, reflecting shifts in the economic sphere. Thus, in recent years, innovative film works of historical, cultural, political, and aesthetic significance, as both ideological and economical practice, have emerged from both pioneer and « new breed » African filmmakers. The '80s undoubtedly provided a more conciliatory rendering. For instance, Ousmane Sembène, a champion of the didactic tradition, while acknowledging that « cinema is a cultural industry », does believe that profitability ensures entrepreneurial growth. Implying that the success of the African film industry is to be measured not only by a romantic patina of imitative art but also by culturally inspired artistic innovation and philosophy, he argues for « finding of people and organizations who can effectively distribute African films »[25].

Regarding the perennial problem of distribution and exhibition in 1980s black African film practice, filmmakers are striving for cinema as an industry by envisaging an entertainment function for films, eschewing the heavy-handed didacticism of the 1960s and 1970s.

Many of the films produced under this new strategy still remain within the overall prerogatives of the black African production « code », maintaining « the sincerity, dedication, and commitment that draws their works into the considerations of art and social thought »[26]. While films like ***Black Girl, Xala, Soleil O, Baara*** and ***Harvest : 3000 Years*** are highly didactic and are placed first in the service of addressing the African audience, such films as ***Yaaba, Love Brewed in the African Pot, La vie est belle, Faces of Women*** and ***Les Coopérants*** are among the new African films that address African issues while also exhibiting concern for viewers outside the continent.

The concern to internationalise black African cinema to accommodate outside viewership for wider coverage and financial remuneration is also reflected in the structure of new African films. For example, while the question of which language to use in films is still hotly debated, an emphasis on image over heavy-handed dialogue is becoming increasingly acceptable. The multiplicity of African languages and dialects coupled with the high cost of dubbing in various languages contributed to the privileging of the image over dialogue, which in turn encourages reception across the boundaries.

---

25. Ousmane Sembène, cited in « Film Festival Host », *West Africa*, 23 March 1987, p. 559.
26. Clyde TAYLOR, « Africa, the Last Cinema », p. 50.

This strategy worked well in many African films, and seems to be the norm since it has been emulated by African filmmakers. Contrary to internalising black African cinema however, there is also the urge for externalisation. With the incoming second wave of African filmmakers, the '80s ushered in what I have described as « digressive trends ». Within this diversification is a « quasi-democratisation » of experimental interludes, with structures exemplified by such new films as ***Yaaba, Bal Poussière, Yeelen, Finzan*** and ***La vie est belle***, each in its own way confronts the traditional paradigms — for example, structures exemplified by such films as ***Heritage... Africa, Sarraounia*** and ***Camp de Thiaroye***, all of which were made in the late '80s.

Despite this remarkable improvement, distribution and exhibition problems remain the biggest obstacles since many important African films remain inaccessible to Africans. In this regard, the crucial task before Africa is economic liberation, which will in turn stimulate a liberated cinematic culture. If not for the purpose of consolidating the gains already made taking into account the hybridity of films that combine direct (dominant) conventions and indirect (alternative) work on cultural and cinematic codes, African cinema can be seen as transcending its limitations. This argues for the greater purpose of forging an understanding of its configurations and peculiarities. The critical practices inherent in the films themselves are no doubt their greatest assets, and as a result foster the complete appreciation of the concept of African cinema. For the hallmark of its particularities, probing this cinema's distinctiveness also means having a sufficient idea of how to decipher it in its own terms. This is to say that the reality it tries to uncover is the reality of what cinema has become in contemporary Africa — a demand for new methods of reaching the depth of things.

N. Frank UKADIKE

N. Frank Ukadike teaches film and cultural studies in the Department of Communication and the Centre for Afroamerican and African Studies, University of Michigan, Ann Arbor. He is the author of ***Black African***

Cinema *(University of California Press, forthcoming 1993). He is also at work on a book entitled* ***A Questioning Cinema : Conversations with Black African Filmmakers.***

REMERCIEMENTS

Ce texte a déjà été publié dans la revue *Critical Arts*, a journal for cultural studies, vol. 7, nos 1 et 2. L'auteur et l'éditeur nous ont gracieusement autorisé à le reprendre.

FILMS AFRICAINS : RÉTROSPECTIVE ET VISION D'AVENIR

Le cinéma africain qui continue à donner beaucoup à voir sur les situations actuelles du continent aspire à l'authenticité et est unique par sa façon de mettre en question le langage et l'esthétique filmiques conventionnels. C'est une force sociale, un média qui s'adresse au peuple et a été utilisé pour décoloniser les esprits et éveiller les consciences.

Le cinéma africain, né au milieu des luttes pour l'indépendance, a sa source première dans la quête d'une identité africaine.

Pour les pionniers du cinéma africain des années 60 et 70, le film était un exercice culturel et politique. Les cinéastes montraient la vraie image de l'Afrique qui avait été victimisée par les caricatures hollywoodiennes entre autres.

A son début informatif et éducatif, le cinéma africain a peu à peu évolué vers une nouvelle esthétique qui lui est propre et qui non seulement place l'art au service du peuple mais en fait le garant de sa dimension politique et culturelle.

Plus didactiques que divertissants les premiers films exploraient tous les aspects de la vie et s'engageaient dans la voie introspective.

Dans son intention d'explorer l'identité culturelle et d'exprimer les conflits d'un continent en émoi, le cinéma africain a examiné les représentations à l'écran et a défini de nouveaux codes. Des films très innovateurs sur les plans historique, culturel, politique et esthétique ont vu le jour avec de nouvelles stratégies de production qui défiaient les difficultés économiques du continent.

Art social, le cinéma africain est un cinéma où l'audace des thèmes le dispute à l'âpreté du ton. Il questionne tout, en développant des modèles narratifs nouveaux qui expriment l'expérience africaine par rapport au colonialisme et au néocolonialisme. De ce fait, il incite à la réflexion et à l'action.

D'autre part, il se nourrit de la tradition cinématographique mondiale et de ses codes en même temps qu'il intègre la tradition vivante du conteur avec ses propres codes culturels. La fusion de ces deux influences donne un langage cinématographique africanisé, pas toujours reconnu à sa juste valeur par les critiques non africains, mais qu'il faut apprendre à déchiffrer dans ses propres termes.

Un nouveau courant de films africains qui cherchent à intéresser un plus large public se fait jour et le souci d'internationalisation se reflète dans la structure de ces films où l'image tient une place privilégiée et où le dialogue tend à s'effacer.

Cependant le film africain reste peu accessible aux Africains en raison de difficultés de distribution et d'exploitation. Seule une libération économique du continent pourra permettre de résoudre ce problème et d'assurer la survie de ce cinéma hybride à la recherche de nouvelles méthodes pour atteindre le fond des choses.

LE CINÉMA AFRICAIN DANS LE MONDE : ÉTAPE OU ÉTAT D'ENFANCE ?

Samba GADJIGO

En 1966, grâce à la foi et à la persévérance du Tunisien Tahar Cheriaa, Carthage a abrité la première réunion interafricaine consacrée à une réflexion collective sur le statut, les spécificités et les problèmes qui se posent au cinéma « africain ».

Les premières « Journées cinématographiques de Carthage » ont réuni des professionnels et critiques du 7e art venus de tous les horizons africains mais aussi du monde entier. Cette « décennie des indépendances » était, faut-il le rappeler, un moment crucial dans la destinée politique, économique et culturelle des pays africains ; « il faut réussir ou tout casser » (make it or break it) ; il fallait réussir sur tous les plans ou engager le continent dans une nouvelle ère de souffrance. La montée des drapeaux en Afrique a été un moment d'euphorie ; très haut en couleurs. Ainsi, trois ans après Carthage, en 1969, cet enthousiasme s'est traduit par une autre rencontre cinématographique africaine ; c'est la « première semaine du cinéma », tenue à Ouagadougou, à l'initiative de quelques cinéastes de la région. Ces deux événements cinématographiques étaient une profession de foi : le cinéma africain est né d'un accouchement très douloureux et l'enfance a été prolongée et difficile. Il pourrait, comme Soundjata, s'arcbouter et se tenir sur ses pieds ou ramper le reste de sa vie, condamné à un état d'enfance végétative permanente.

Certes, aujourd'hui l'Afrique a produit de grands cinéastes. Leurs œuvres ont franchi les frontières nationales et continentales et sont célébrées à San Francisco, New York, Amiens, Cannes et Montréal.

En cette année marquant l'anniversaire du premier centenaire du 7e Art, il est tout à fait opportun pour l'Afrique de faire un bilan de ses activités cinématographiques pour mesurer d'une part le chemin parcouru, et d'autre part évaluer sa place dans le cinéma mondial.

Il ne s'agira pas ici d'offrir une simple liste du nombre de cinéastes africains pays par pays ou région par région ou d'énumérer les œuvres qu'ils ont réalisées durant ces trente dernières années, c'est-à-dire depuis la réalisation de ***Afrique-sur-Seine*** en 1955. Il ne s'agira pas non plus de glorifier les innovations artistiques réussies par Souleymane Cissé ou Ousmane Sembène. Ce qui nous intéresse ici ce ne sont pas les particularités du cinéma africain mais ce qui le lie au cinéma mondial.

Depuis la révolution industrielle européenne, le système de production et de consommation capitaliste a atteint une telle dimension planétaire qu'aujourd'hui la Banque Mondiale est capable de déterminer à quel prix le paysan de Bantan Tinty doit acheter un poisson sec au prochain marché hebdomadaire. Sous l'effet de la dévaluation du Franc CFA le 11 janvier 1994, le berger de Bolibana (petit village malien sur la Falémé) a augmenté le coût de ses services parce qu'un verre de Saddam lui revient plus cher. C'est que ce système capitaliste n'a pas affecté que notre vie matérielle : « Quand le bras est faible, l'esprit court de grands risques. »

Jusqu'à notre univers mental s'en trouve affecté. Je ne parle pas d'arrêter le véritable progrès. C'est l'abâtardissement de nos symboles et de nos valeurs de référence que je déplore. Le cinéma (et récemment la télévision), nouveau véhicule idéologique né de la compétition capitaliste, a pénétré toutes les sphères de notre existence quotidienne : en effet, refusant de se confiner dans « les salles de projection », le film se trouve aujourd'hui comme moyen d'éducation dans les écoles, comme moyen de perfectionnement dans les usines, dans les hôpitaux et comme moyen de propagande dans les maisons de partis. Grâce aussi à l'invention du générateur électrique, le cinéma a pénétré nos villages les plus reculés.

Eu égard à la diversité des cultures qu'il reflète, et à la multiplicité des valeurs artistiques qui le conçoivent, quelle approche serait adéquate pour analyser le cinéma dans le contexte mondial et évaluer la place que l'Afrique y occupe ? Autrement dit, par quels critères universels peut-on évaluer le cinéma africain pour déterminer la place qu'il occupe dans le cinéma mondial. La question à poser est la suivante : qu'y a-t-il de commun entre les films du Japonais Kaneto Shinto, ceux du Sénégalais Djibril Diop Mambety, ceux du Thaïlandais Luk E-San et les mégaproductions de Hollywood ?

Comme l'a noté Thomas Gubak dans la préface à l'étude de Janet Wasko (***Movies and Money***, 1992), un déséquilibre inexplicable caractérise les études consacrées jusque-là au cinéma. La plupart se limite à l'aspect esthétique, théorique, ou au problème des genres. D'autres études traitent également du cinéma sur le plan historique et l'analysent comme document social. En d'autres termes, la plupart des études ne considèrent le film que sous son aspect textuel. Cependant, dès 1908, une décennie seulement après la naissance du cinéma, Charles Pathé a, par la pratique de la location de salles de projection et de distribution de films au grand public, défini le caractère « industriel » du cinéma, c'est-à-dire, selon Le Robert, « un ensemble d'opérations qui concourent à la production et à la circulation des richesses ». Ces « opérations », c'est bien sûr les opérations financières qui entrent en jeu dans le processus de production, de distribution et de consommation de tout produit manufacturé. La finance est donc le premier critère universel.

Mais il y a aussi un second caractère universel du film ; comme industrie de production d'images, il est, plus que tout autre moyen de communication et d'expression, un instrument idéologique de première importance, de par l'empire grandiose que l'image exerce sur l'être humain. En effet, comme moyen de communication, l'image ne représente pas le monde simplement pour le reproduire. Comme l'a déjà fait remarquer Bill Nichols, l'image est un moyen de communication dont le but principal est de mener à une forme de compréhension conçue comme instrument dans notre lutte quotidienne pour déterminer nos vies et former nos sociétés. Ainsi, ce que tout film offre, c'est une perception du monde médiatisée par un ensemble d'images déjà organisées pour nous par le cinéaste. Il est aussi évident qu'en tant qu'être social, tout cinéaste s'adresse à nous selon une certaine position politique et sociale. Ainsi selon Nichols, l'image, comme produit social, relève du domaine de la culture et non de la nature. Selon cette perspective, le cinéma c'est l'image qu'une société construit d'elle-même ou d'une autre société pour perpétuer sa propre survie et assurer l'ordre établi.

C'est dire que toute appréciation globale de la place que l'Afrique occupe aujourd'hui dans le domaine de la production cinématographique mondiale requiert une double approche : il s'agira d'abord de replacer notre cinéma dans le contexte de l'ordre politique et économique mondial et ensuite de voir comment une telle position se traduit pour l'Afrique dans le domaine de l'ordre culturel.

Pour parvenir à une évaluation objective de l'état présent du cinéma africain dans le monde, il convient d'abord de se rappeler que le septième art est à la fois le produit et l'expression de la révolution industrielle européenne de la fin du XIXe siècle. En effet, comme le rappelle Roy Armes (1987), l'invention du cinéma en 1895 précisément eut lieu au moment où la compétition capitaliste était à son apogée et où les Européens étaient présents partout dans le monde, y compris en Afrique. Rappelons quelques dates en ce qui concerne l'Afrique : en 1904 l'AOF a été établie, suivie en 1908 de la création de l'AEF. En 1908 la Tunisie est aussi devenue protectorat français, le Maroc en 1912. De son côté, l'Angleterre procédait à l'unification du Nigeria en 1914, après la conquête du Soudan en 1898. Ainsi, dès 1900, l'Afrique occidentale française a vu la projection à Dakar du premier film venu de France, ***l'Arroseur arrosé*** de Louis Lumière. Cette projection comme on le voit, a eu lieu au moment où la France mettait sur place les structures politiques et administratives qui allaient assurer sa domination totale sur ses colonies d'Afrique occidentale et équatoriale. Le même scénario se répétait également dans les colonies belges, britanniques et portugaises.

Mais indépendamment des zones d'influence européenne, toute l'Afrique a été touchée par la présence du cinéma.

Comme Lizbeth Malkmus et Roy Armes l'ont fait remarquer, ce n'est pas un hasard si la présence et le développement du cinéma en Afrique ont un rapport direct avec la présence et le développement du système colonial européen.

L'AFRIQUE, UN MARCHÉ POUR L'EXPLOITATION DU CINÉMA EUROPÉEN

Ainsi, comme l'historien du cinéma G. Sadoul le notait, jusqu'en 1960, c'est-à-dire jusqu'à la fin officielle du régime colonial, l'Afrique n'a produit aucun film. Cette absence marque donc au départ un retard de soixante-cinq ans sur le reste du monde en matière de cinéma. Une précision : par absence je veux dire qu'aucun Africain n'a écrit, photographié et édité de film en langue africaine. Mais comme on l'a vu, des films européens étaient présents en Afrique et les Africains étaient déjà sujets de cinéma pendant toute cette période. Sans entrer ici dans des détails connus, disons que l'Afrique était devenue un marché pour l'exploitation du cinéma européen alors que des films tournés en Afrique par les Européens servaient à légitimer et à maintenir cet état de fait. A titre d'exemple, prenons le cas des colonies françaises. Il est vrai que jusqu'en 1928, il n'existait aucune réglementation régissant la production de films sur les territoires de l'AEF et de l'AOF. Mais comme le rappelle Manthia Diawara, l'invention du son en cette année a provoqué une intervention immédiate des autorités coloniales. En effet, anticipant le potentiel subversif que pourrait représenter la production de films par des Africains et en langues africaines, la France impose le « décret Laval » en 1934. Par ce décret, le ministre des Colonies (Pierre Laval) imposait l'obtention préalable d'une autorisation officielle à quiconque voulait produire un film dans les territoires français. Ce décret a permis à la fois de censurer le contenu des films faits par les Européens et d'exclure les Africains de la pratique du cinéma.

L'histoire de Vieyra et de ses amis de l'IDHEC est bien connue. Ainsi, le premier film fait par des Africains a dû être réalisé en France car le groupe de ***l'Afrique-sur-Seine*** ne pouvait pas obtenir de permis de filmer sur son propre continent.

Pendant ce temps, l'Afrique toute entière était devenue matière de cinéma, de même qu'elle était devenue matière exotique pour des écrivains comme Joseph Conrad, Pierre Loti, André de Maison, Ernest Psichari et André Gide. Pendant que le décret Laval remettait la naissance du cinéma africain aux calendes grecques, et tentait d'étouffer des films dits subversifs tels que ***Afrique 50*** et ***Les statues meurent aussi***, notre image en tant que continent continuait d'être construite par des cinéastes européens. Clyde Taylor a bien caractérisé cette situation d'« anxiété existentielle ». Nos cultures, nos identités, nos êtres ont été réduits à des caricatures non seulement pour satisfaire aux fantasmes du public occidental mais aussi et surtout pour justifier notre domination politique, le pillage de nos ressources naturelles et la mise à sac de nos ressources humaines. Rappelons des films tels que, ***Tarzan the Ape Man, Stanley and Livingstone, La Croisière noire*** et ***Bozambo***. Tandis qu'on réduisait l'ensemble de notre continent à un vaste chantier d'extraction minière et de production agricole, les caméras des ethnologues nous transformaient en objets de curiosité pour consommation occidentale.

Si à l'origine, les populations européennes expatriées en Afrique constituaient l'audience visée par les premières projections, très tôt en effet le cinéma devient un moyen de distraction populaire dans les centres urbains. De ce fait, comme le montrent des statistiques dressées par Paulin Soumanou Vieyra dans son étude *Cinéma Africain : des origines à 1973*, de nombreuses salles de projections ont été créées à l'intention des indigènes, en plus de celles réservées aux expatriés et à l'élite intellectuelle locale chez qui le colonisateur cultivait ses goûts et ses valeurs. De même que dans tous les autres domaines, l'Afrique devient alors un vaste marché pour l'industrie cinématographique européenne. Ainsi par exemple, à partir de 1926, la France établit un monopole exclusif de la distribution cinématographique en Afrique par l'intervention de la COMACICO et de la SECMA, filiales des compagnies COGECI[1] et Importex, toutes deux basées à Monaco. Notons aussi que ces deux filiales étaient également propriétaires de près de 80 % des salles de cinéma dans les 14 colonies françaises.

Ce contrôle du secteur de la distribution par des compagnies étrangères est à l'origine de tous les maux dont souffre le cinéma africain aujourd'hui. Tahar Cheriaa l'a résumé, « Qui tient la distribution, tient le cinéma. » En effet, et ce sont là des faits connus, l'industrie cinématographique est une structure tripartite : production, distribution et exploitation. Il est aussi connu que dans cette structure, le secteur de la distribution jouit du plus grand pouvoir ; pour obtenir des garanties de distribution (accès aux consommateur) le producteur doit toujours céder des droits au distributeur, tandis que ce dernier ne doit aucune concession au propriétaire de salle de projection ; ce qui place la distribution au cœur de l'industrie du cinéma. La domination des pays africains par les compagnies françaises, anglaises, belges et portugaises est de ce fait la cause majeure de la situation désastreuse que nous avons connue pendant toute la période coloniale. Pendant que par des décrets ministériels on étouffait dans l'œuf la créativité des Africains, des millions de francs collectés chez les cinéphiles allaient alimenter le développement des cinémas européens. A supposer même que quelques films aient été créés pendant cette période, cette production se serait annulée d'elle-même, faute de débouchés sur le marché de consommation. Ainsi, pendant toute la période coloniale, nous ôta-t-on toutes chances de développer une industrie cinématographique, de même qu'on nous ôta la possibilité de manufacturer nos phosphates, notre café, nos arachides et notre uranium.

Pendant ces 65 ans de notre sommeil, une véritable révolution s'est produite dans le monde en matière de cinéma. Sous l'effet de l'affaiblissement que causa la première guerre sur les économies européennes, Hollywood se réveille et s'impose comme le géant du cinéma mondial. Partout ailleurs,

---

1. COMACICO (Compagnie marocaine du cinéma commercial). SECMA (Société d'exploitation cinématographique africaine). COGECI (Compagnie générale cinématographique).

dans le sous-continent indien, en Asie de l'Est et du Sud et en Amérique latine, bref dans tous les continents, l'Afrique exceptée, le cinéma se développe à partir de la création d'une véritable base industrielle. Quant à nous, il ne nous resta plus qu'à devenir le réceptacle des pires déchets culturels créés par les autres continents, de même qu'aujourd'hui nous recevons les déchets toxiques des industries européennes.

C'est peu dire que de 1895 à 1960, nos écrans furent colonisés. Nous fûmes victimes d'un véritable génocide industriel, culturel et psychologique. C'est évidemment à la lumière de ce substrat colonial qu'il nous faut maintenant analyser, succinctement, l'état présent du cinéma africain dans le monde. Cet état, comme on le verra, est ce résultat cumulé des effets du colonialisme (jusqu'en 1960) et du néocolonialisme qui se consolide encore tous les jours.

Le Mont Kilimandjaro : nous sommes en décembre 1961 ; à son sommet un phare vient d'être installé pour symboliser l'indépendance de la Tanzanie. En ce moment solennel, Julius Nyerere s'exclame : « Il (le phare) brillera au-delà de nos frontières, suscitera de l'espoir là où règne le désespoir, l'amour où il y a la haine, et la dignité où avant il n'y avait qu'humiliation » (*A history of the African people*, p. 643). De même, au Ghana, le 6 mars 1957, alors que les couleurs nationales remplaçaient le drapeau colonial, Nkrumah, prophétique, annonçait « la bataille est terminée... et la nouvelle Afrique est prête à mener sa propre lutte ». Si en effet l'ère des indépendances africaines était une fin, elle marquait aussi la nécessité d'un nouveau commencement, des défis à relever.

Selon la logique du capitalisme, le but de toute entreprise impériale est d'engendrer dans les pays occupés des surplus pour renforcer la puissance de la métropole. Il s'ensuit que durant la période coloniale, l'exploitation des ressources naturelles et humaines n'était pas un problème en soi. Le problème, c'est que le revenu tiré d'une telle exploitation n'avait jamais servi au développement de la colonie. Selon cette dialectique, le développement de l'Europe avait pour corollaire le sous-développement de l'Afrique. C'est au service d'un tel processus qu'étaient mises toutes les structures politiques, économiques, administratives et culturelles de ce que David Diop a appelé l'ère tutélaire. En même temps que la Compagnie française d'Afrique occidentale (CFAO) et le African Mercantile and Twentsche Overseas Trading pillaient les richesses agricoles africaines pour le bénéfice de la Grande-Bretagne et de la France, les circuits de distribution cinématographique COMACICO et SECMA rapatriaient des millions de francs venus des cinéphiles africains. De même que l'exploitation des ressources de notre sol et de notre sous-sol n'avait jamais mené au développement d'une industrie de transformation agricole et minière, de même, les activités des compagnies européennes de distribution cinématographique prohibaient la naissance et le développement de toute industrie cinématographique dans notre continent. Ainsi, la logique de l'ancien ordre économique mondial nous plaça-t-elle à la marge de l'industrie cinématographique mondiale.

Où en est le cinéma africain aujourd'hui dans l'ordre industriel et culturel mondial ? Je le répète, il ne sert à rien d'énumérer le nombre croissant de cinéastes et de films africains. Il est tout aussi illusoire de vouloir mesurer le succès du cinéma africain par les innovations esthétiques réussies par Souleymane Cissé ou par Ousmane Sembène.

27 ans après la création des Journées Cinématographiques de Carthage et 24 ans après la première réunion de Ouagadougou, c'est avec beaucoup de douleur que nous sommes forcés de constater que dans l'ensemble du continent le cinéma piétine et même dans certains cas, il recule. Hormis les organisations de cinéastes, même celles-là d'ailleurs, toutes les structures (production, distribution) jusque-là mises en place ont périclité ou tout au moins elles ont échoué dans leur mission :

- Consortium Interafricain de Distribution Cinématographique (CIDC) : créé en 1979, mort en 1985 à cause de l'inertie des gouvernements africains. La mort de ce consortium a évidemment entraîné celle du Consortium Interafricain de Production de Films dont le rôle était de produire des films à partir des revenus tirés de la distribution des films déjà acquis par le CIDC.

- Société Internationale de Distribution et d'Exploitation Cinématographique (SIDEC) : créée en 1973, son but était de remettre enfin la distribution aux mains des Africains et de promouvoir les films africains. La réalité, cependant, c'est qu'aujourd'hui le marché sénégalais reste encore fortement dominé par des films étrangers, non africains.

- L'Institut Africain d'Éducation Cinématographique (INAFEC) créé à Ouagadougou en 1976 et dont le rôle était de former des techniciens est aujourd'hui paralysé par trop d'académisme.

Aujourd'hui, plus que par le passé, le cinéma africain demeure tributaire de la coopération des pays européens. Nous n'avons pas encore compris que, depuis 1961, tout organisme de coopération mis en place par l'Europe n'a visé et ne pouvait viser qu'à la création et au maintien de structures d'exploitation néocoloniale des anciennes colonies. Le cinéma africain ne pouvait guère échapper à cette logique ; c'était cela le but du Bureau du Cinéma, du Consortium Audiovisuel International et de Écrans du Sud, pour ne citer que le cas des pays francophones. On peut aimer ou ne pas aimer l'entendre ; mais la réalité, je ne suis pas le premier à le dire, c'est que même la plus grande fête du cinéma africain a été récupérée par les Européens. Les preuves ne manquent pas mais citons le cas de la 13e édition du FESPACO. Regardez la première page du *FESPACO News*, n° 3 du 22 février 1993. L'événement du jour était la conférence de presse donnée par Jean-Louis Roy (Secrétaire général de l'ACCT), alors que le thème majeur de ce festival, « Cinéma et libertés », tombait dans l'oubli.

Tout ironique que cela puisse paraître, rien ne documente mieux la situation actuelle de l'Afrique et partant de son cinéma que le dernier film d'Ousmane Sembène, ***Guelwar*** : le cinéma africain se meurt de la coopération et de la complicité des dirigeants africains. Presque invisible dans les pays africains eux-mêmes, le cinéma africain hiberne dans les cinémathèques européennes quand il n'orne pas les vitrines des festivals internationaux. Nous sommes à la traîne et des films tels que ***White men can't jump*** sont en train d'empoisonner notre jeunesse. A cela rien d'étonnant du reste car l'idéologie dominante est toujours l'idéologie de la classe ou du pays dominant. Lors de ma dernière visite dans mon petit village en janvier 1994, il m'était impossible de causer avec mes anciens amis car tous étaient occupés à regarder ***Hun-***

ter. Qu'on ait le courage de le dire, nous en sommes encore réduits à consommer les pires déchets du cinéma occidental.

Samba GADJIGO
Professor — Mount Holyoke College — USA.

RÉFÉRENCES BIBLIOGRAPHIQUES

Marco WERMAN. « African cinema : A market in the US ? » *Africa Report*, vol. 34, n° 3, 1989, pp. 68-70.

Micheal ATKINSON, « Ousmane Sembène : Thirty years of African cinema, from Borom Sarret to Guelwar ; a career appreciation » *Film Comment*, July-August 1993, pp. 63-69.

Manthia DIAWARA, « Whose African cinema is it anyway ? » *Sight and Sound*, vol. 3, n° 2, 1993, pp. 24-25.

Cornelius MOORE, « African Cinema in the American Video Market » *Issue*, vol. 20, n° 2, 1992, pp. 38-41.

Armes ROY, *Third World Film Making and the West*. University of California Press, 1987.

Noureddine GHALI, « Interview with Sembène Ousmane » *Film and Politics in the Third World*, John D.H. Downing, ed., 1987, pp. 41-54.

Mbye CHAM, « Film production in West Africa », *Film and Pol.*, pp. 13-29.

Thomas GUBACK, « Film as international Business » *Journal on Communication* Vol. 24, n° 1, 1974, pp. 90-102.

Janet WASCO, *Movies and Money*, Ablex Publishing Corporation, Norwood, New Jersey, 1982.

THE PLACE OF AFRICAN CINEMA IN THE WORLD

With the coming of independence on the African continent there was a wind of euphoria which, in the field of cinematography, manifested itself with the creation of two festivals (Les Journées Cinématographiques de Carthage in Tunisia and the Ouagadougou Panafrican Festival, FESPACO) and with the production of films starting with ***Afrique sur Seine*** in 1955.

Since then, there has been a steady stream of African films which form part of the world production.

Cinema and television — a product of capitalism — have penetrated all spheres of our lives and have reached the most isolated villages. Cinema is both an industry and a means of communication and expression. To fully appreciate the place of African cinema, it is necessary to situate it in the economic and political context at the international level and to study how it manifests itself in Africa at the cultural level.

The African cinema took off with a delay of 65 years. This does not mean that cinema was absent from Africa. Indeed Africa had become a market for European films. At the same time it offered locations for the shooting of foreign films. At this stage, Africans were excluded from film production, the more so as the Laval decree of 1934 imposed an authorization for filming in the French African territories.

While Africans were not in a position to film on their continent — see the history of the first African film, ***Afrique sur Seine***, by Paulin Vieyra which was shot in France because he was not authorized to film in his own country — European film makers were building up an image of Africa which satisfied the taste of the European public and served as a justification to the political domination and the continuous looting of the African natural and human resources.

The continent was thus thoroughly exploited with the additional help of the ethnologists who were transforming African people into curios for western consumption. At the same time the film distribution network was controlled by the COMACICO and the SECMA, two branches of Importex and COGECI based in Monaco.

The foreign monopoly over film distribution is still the source of the many difficulties of the African cinema. In fact, during the whole colonial period, there was no chance for the film industry to develop as all incomes from cinematography were drained by and benefited the colonial power.

Following the Second World War, there was a radical change in the film industry and Hollywood became the world giant in film production while Africa became the dustbin for second rate foreign films.

Today, in spite of the increasing number of African film makers and films, in spite of their aesthetic innovations, it is sad to observe that African cinema is at a stand still and that all public production and distribution structures have more or less failed (see the CIDC, the SIDEC and INAFEC). More than ever before, African cinema needs the support of European countries to exist and it suffocates under the constraints of foreign aid and the lack of cooperation of the African authorities.

STRATÉGIES DU CINÉ-MOBILE UNE NOTE POUR UNE HISTOIRE PARALLÈLE DU CINÉMA ET DE L'AFRIQUE NOIRE

Pierre HAFFNER

1 — LA CONFÉRENCE DE BERLIN ET LE CINÉMATOGRAPHE

On le sait, le cinéma a débuté sur les champs de foire, et n'est véritablement devenu une industrie que parce que des forains s'en emparèrent de manière massive. *La curiosité scientifique sans avenir des frères Lumière*, grâce aux forains et au prestidigitateur Méliès, devint une affaire, et en même temps un art.

C'était, remarquons-le également, en 1895, dix ans après la fameuse *Conférence de Berlin*, qui partagea l'Afrique pour le compte ou les comptes de l'Occident, dix années qui justement permirent, d'une part, de mettre au point le *cinématographe*, et de l'autre d'affermir ce partage. D'un côté comme de l'autre, il s'agissait, en somme, de *limiter le regard et l'espace*, par les frontières des États ou le cadre de la caméra, cette *chambre obscure* d'où vont sortir tant de merveilles et tant de monstres, utilisables à tant de fins...

C'est ici que les deux développements, celui de la colonisation et celui du cinéma, vont se rejoindre, en ces fins, explicitées par l'une des plus fières figures de la France coloniale et colonialiste, le général Marchand, alors colonel, dans une lettre envoyée le 7 mars 1914 au Directeur du Cinéma ;

« L'emploi du cinématographe par l'explorateur peut produire sur l'indigène d'Afrique Noire et de bien d'autres contrées à faciès moins foncés les effets d'impression escomptés par Viator. A condition toutefois que les films soient soigneusement choisis pour l'amuser et non pour le terrifier. Il n'est qu'une façon sûre et avantageuse de désarmer le primitif : le faire rire... La seule apparition du Blanc avec ou sans escorte armée au milieu de peuplades moins accoutumées est pour celles-là un sujet d'inquiétude. C'est cette première impression qu'il s'agit de détruire, non pas d'augmenter. Ajoutez ceci, l'enfant de l'Afrique est un guerrier né : il ne redoute pas le coup de feu, il l'adore, peut-être à cause du bruit. Que tout appareil guerrier, même fictif, soit soigneusement dissimulé dans la plus grande mesure possible... Le cinématographocomique (pardon) ! est évidemment l'arme de conquête de l'Afrique et de bien d'autres lieux. Il donne d'emblée à son possesseur la réputation de sorcier vis-à-vis des enfants de la nature, comme dirait Jean-Jacques, Il n'est pas de souveraineté plus haute en pays Noir... et autres »[1].

Voici donc bien, en même temps, une réflexion sur le cinéma, sur les Africains et sur les possibilités du film, tout un programme que la France coloniale, mais aussi les autres puissances colonialistes, ne manqueront pas de mettre en œuvre. Cette lettre date de 1914, elle parle plus d'expérience que d'hypothèse, mais si nous voulons décrire cette expérience, nous nous apercevons que nous avons très peu de données, car cet aspect du cinéma africain est encore peu étudié.

2 — LES DÉBUTS DU CINÉMA EN AFRIQUE

Cependant, dans un texte très précieux du grand Amadou Hampaté Bâ, l'un des premiers et des plus prestigieux représentants des cultures africaines auprès de l'UNESCO,

1. *In Le film*, repris par Marcel L'HERBIER. *Intelligence du cinématographe*, Paris : Corrêa, 1946.

nous apprenons qu'en 1908 un Européen vint à Bandiagara pour y projeter un film et que les marabouts se concertèrent pour empêcher la projection : « l'attraction qu'on nous propose ne peut être qu'une séduction satanique. Si elle n'en était pas une, on n'aurait pas choisi la nuit noire pour la présenter... Évidemment la diablerie eut lieu sous les auspices du magicien blanc, mais personne, sinon Alfa Maki, qui était un homme très ouvert au progrès, n'accepta de regarder les images diaboliques. Tout le monde profita de l'obscurité pour fermer les yeux... Nous avons assisté au spectacle pour respecter l'ordre du grand commandant, mais nous avons fermé les yeux et n'avons rien vu pour tranquilliser notre conscience »[2].

Lorsque, en 1908, les Dogons de Bandiagara, convertis à l'Islam, fermèrent les yeux devant la toile du Commandant, quelques Sénégalais de Dakar les avaient déjà ouverts sur un programme Lumière, puisque Paulin Vieyra y signale quelques projections en 1900, et elles n'étaient pas les premières » ![3] En effet, c'est au théâtre de l'Empire de Johannesburg que l'on avait vu, le 9 mai 1896, le **théâtrographe de William Paul,** et l'on situe, à la fin de la même année, une projection au café Zavani, à Alexandrie...

Nous ignorons si les Zoulous étaient représentés au théâtre de l'Empire, quoi qu'il en soit nous n'en sommes, ici, qu'au stade de la curiosité que les frères Lumière et leurs homologues anglais diffusèrent rapidement dans les grandes capitales : nous sommes dans un théâtre, un café — ou un grand magasin, comme à Tunis en 1897 —, des lieux sans doute peu fréquentés par les *indigènes*, des projections par conséquent réservées aux colons, jusqu'au moment, relativement proche, où ces colons estimèrent que des projections cinématographiques pouvaient être bonnes pour les indigènes...

Hampaté Bâ ne nous dit pas ce que le Commandant était venu montrer à Bandiagara, mais il est fort possible qu'il s'agissait d'une part de saynètes du **cinématographocomi-**

---

2. Amadou Hampaté Bâ, *Le dit du cinéma africain.* Préface à Pierre HAFFNER, *Essai sur les fondements du cinéma africain*, Abidjan : NEA, 1978.

3. Paulin Soumanou VIEYRA, *Le cinéma au Sénégal*, Bruxelles : OCIC, 1983.

que préconisé par le colonel Marchand, et de l'autre de vues de la France, peut-être du fabuleux Paris, qui fit rêver tant de colonisés et qu'un jour les cinéastes africains — en particulier Djibril Diop Mambéty avec ***Touki-Bouki*** — dénonceront selon un juste renversement de l'histoire et de la séduction.

Car c'est bien pour l'histoire et pour la séduction que vont se mettre en place, entre les deux guerres, mais surtout pendant la seconde et les deux décennies qui suivirent, de véritables **stratégies du ciné-mobile**. Au sens le plus immédiat il s'agissait d'organiser des projections dans les villages avec des camions ou des automobiles équipés pour cet usage, mais il est clair que cet effort d'organisation, dont on devine le caractère à la fois pittoresque et aventureux — combien d'anecdotes, combien d'histoires, combien de remarques sur la **psychologie des primitifs découvrant la haute technique** ! — avait d'abord un but, disons, politique. Il nous paraît d'ailleurs certain qu'une étude approfondie de ces stratégies nous révélerait différents modèles de colonisation. A défaut d'une telle étude, proposons au moins une approche.

3 — L'IMMOBILITÉ DES SUD-AFRICAINS

L'Afrique du Sud présente comme une preuve par l'absurde de ces stratégies... C'est en effet une **aire d'influence** qui paraît avoir exclu le cinéma mobile, ce qui peut s'expliquer aisément par deux raisons. D'une part l'Afrique du Sud est certainement le lieu d'implantation du réseau de salles de cinéma le plus précoce et le plus important : l'on dénombre, au moment où ailleurs les camions cinémas visitaient les brousses et les forêts, plus de cinq cents salles. C'est dire que le camion n'était pas nécessaire et que la population devint cinéphile à peu près en même temps et de la même manière qu'en Europe ou qu'aux États-Unis...

La seconde raison est que, tout simplement, il ne s'agit pas à proprement parler d'une colonie, mais d'une république autonome, avec une économie et une idéologie propres, dont il convient de souligner l'étonnante richesse, en l'occurrence l'importante production cinématographique. Entre 1916 et 1922 par exemple la compagnie African Film Production réalisa près de trente films de fiction, d'abord à l'usage et à la gloire des conquérants, mais une production à l'intention des Noirs se développa elle aussi rapidement, parfois avec leur complicité : dans la version de Leslie Lucoque des ***Mines du Roi Salomon*** de 1918 d'authentiques chefs zoulous jouèrent leur rôle, et Georges Sadoul évoque un film de propagande religieuse, ***Sœurs Noires***, parlant zoulou, vers 1953...[4].

Il est actuellement impossible de chiffrer d'une manière précise la production sud-africaine, il faudrait pratiquement la comparer à celle d'un pays industrialisé normalement productif, comme l'Angleterre ou la France, ce qui permettrait de mieux comprendre l'absence d'une politique de cinéma mobile. Toute autre est la situation des pays de l'ancien empire britannique. Nous voyons ici, en effet, se déployer un grand projet de cinéma colonial, couvrant l'ensemble de la chaîne, c'est-à-dire la production, la réalisation et la distribution, mais aussi la formation, avec une *logique politique* remarquable.

4 — LA LOGIQUE DES ANGLAIS

C'est Jean Rouch, conduit naturellement à rencontrer ses collègues anglais, qui nous donne les éléments de cette politique, et nous fait remonter à des projections de **lanterne magique**, à Lagos, en 1920, pour appuyer des conférences sur la santé, puis à un premier film en 1929, également réalisé à l'intention des Nigérians, contre les horreurs de la peste... Mais ce sont les urgences de la guerre qui vont développer le processus : c'est en effet, pour l'effort de guerre,

4. Georges SADOUL, *Histoire du cinéma mondial*, Paris : Flammarion, 1949. Cf. également le dossier réuni par Keynan TOMASELLI, « Le Cinéma sud-africain est-il tombé sur la tête ? » Paris : *Cinémaction*, 1986.

que naquit en 1939 le Colonial Film Unit, qui mit en place des infrastructures de réalisation et de diffusion, qu'il n'y avait plus qu'à changer d'orientation à la fin des hostilités, c'est-à-dire qu'il suffisait de remplacer l'effort spécifique pour la guerre par des efforts multiples pour l'**éducation de base**, en particulier pour la santé et le développement.

En 1945 vingt unités mobiles sillonnaient l'Afrique noire anglophone d'une manière systématique avec des films dans lesquels étaient insérés des séquences africaines. En 1951, toujours au Nigéria, une équipe eut pour mission d'étudier les réactions du public, et en 1955 le Colonial Film Unit fut remplacé par l'Overseas Film and Television Center, avec une politique de production et de formation accrue. Voici deux bilans évocateurs :

« Pour l'Afrique de l'Ouest, Ghana non compris, les cinq Film Units de la Fédération du Nigéria et ceux de Gambie et du Sierra Leone avaient produit une centaine de films en 35 mm, 150 films en 16 mm, disposaient de 68 camions de projection et atteignaient, chaque année, un public estimé à près de 15 millions de spectateurs. Pour l'Afrique orientale, les six Film Units produisaient annuellement 10 films de 35 mm, 78 films de 16 mm, disposaient de 30 camions de cinéma et atteignaient un million de spectateurs »[5].

5 — LA FOI DES BELGES

Les chiffres sont éloquents, et expliquent pourquoi, avec les indépendances, les pays anglophones vont continuer à produire un audiovisuel d'éducation de base bien avant le cinéma de fiction, et vont se doter de la télévision avant la plupart des États francophones, comme si le petit écran était le successeur naturel de l'écran mobile... Très proche de la stratégie anglaise mais avec des intentions différentes, fut celle de la Belgique vis-à-vis du Congo-Ruanda-Urundi. La stratégie est

5. Jean ROUCH, « Situation et tendances du cinéma en Afrique », in *Films ethnographiques sur l'Afrique noire*, Paris : UNESCO, 1967.

proche en ce qu'elle fut très développée et très axée sur l'éducation, elle diverge en ce qu'elle lia très fortement l'éducatif au religieux, voire au catéchistique. Il convient donc d'insister sur le modèle du cinéma missionnaire, très développé à partir de la fin des années 40 et caractérisé par le fait d'être toujours entièrement réalisé sur place, comme avec la complicité des indigènes.

La mobilité des projections, ainsi que les centaines de points fixes — les écoles, les missions, les services sociaux... — qui n'étaient pas non plus à proprement parler des cinémas, furent déterminants dans l'élaboration de ce *cinéma congolais*. Ceci explique l'extraordinaire impact sur les imaginations et les mémoires, encore vives d'un nombre impressionnant de films de fiction — 500 à 700 films entre 1945 et 1960..., de longs métrages plus ou moins tragiques, de séries et de personnages — Matamata et Pilipili, Sikitu, Mboloko la petite antilope... Cette forte vie cinématographique, fondée, n'en doutons pas, sur l'enthousiasme, de part et d'autre, du côté des réalisateurs belges et des spectateurs africains, ne s'est jamais séparée de sa fondamentale **vocation colonisatrice**. D'où encore le passage de l'audiovisuel colonial à l'audiovisuel d'une télévision nationale précoce, puissamment prise en main par le pouvoir du Président Mobutu, qui la développa selon son idéologie.

6 — L'ENTRÉE FRANCO-FORAINE

Dans l'empire français d'Afrique nous sommes assez loin des stratégies anglaises ou belges. Les vœux du Colonel Marchand pour la diffusion d'un **cinématographocomique** furent réalisés au détriment — nous y verrions plutôt un avantage — d'un cinéma d'éducation de base. La stratégie du cinéma mobile fut donc laissée à l'initiative privée, qui y trouva une source de revenus, mêmes modiques plutôt qu'un moyen de formation. C'est aussi ce qui explique l'implantation relativement ancienne des salles ouvertes aux Africains dans la plupart des centres urbains. Remarquons d'ailleurs que ces salles constituaient — et constituent toujours ! — des espaces largement ouverts, et sur la rue et sur le ciel, favorisant un comportement très proche de celui que l'on peut observer lors des projections improvisées en plein air.

Dans ce contexte, l'ex-colonisateur mit sans doute plus de moyens mobiles au service des jeunes États, pour leurs politiques qu'il n'en avait utilisés pour sa propre politique. C'est la forte diffusion par les compagnies privées des films de fiction — d'origine essentiellement française et américaine — et le grand effort d'installation de salles, qui expliquent la naissance du véritable **cinéma négro-africain** dans ces pays, un cinéma qui a su retrouver le secret des forains... L'aventure d'un cinéaste comme le sénégalais Sembène Ousmane est exemplaire à cet égard : ses premiers courts métrages, fondés sur l'usage du français, partaient en somme des spectateurs assis dans les salles de Dakar ou de Thiès, et c'est en montrant ces premiers films aux paysans ou aux pêcheurs que Sembène Ousmane transforma son esthétique, particulièrement en remplaçant le français par le ouolof ou le dioula... Un autre pionnier du cinéma africain, le Nigérien Moustapha Alassane, nous donne un exemple encore plus éloquent, puisque l'on a vu cet étonnant créateur abandonner pratiquement la réalisation pour devenir le projectionniste — en salle et ailleurs — et de ses propres films et de produits commerciaux !

Et comment ne pas évoquer le Festival Panafricain du Cinéma et de la Télévision de Ouagadougou ? C'est la plus grande manifestation cinématographique africaine, et elle s'expose autant dans les salles que dans les rues, jusque dans les quartiers périphériques de la capitale du Burkina Faso et les villages des environs... Par ailleurs les rues de Ouagadougou, au moment du FESPACO, se transforment en une sorte d'immense cinéma permanent, certainement comparable, mais en d'autres proportions et à la mesure, justement, du panafricanisme, à l'effet d'effervescence que le cinéma des pionniers a dû provoquer autour de lui.

Voici rapidement parcourue une grande histoire, qui est comme une histoire parallèle du cinéma et en même temps une histoire de l'Afrique. Nous avons décrit **un cadre ou un encadrement**, comme les Anglais, les Belges ou les Français les autorisèrent — de ce point de vue il semble que les Portugais soient entièrement restés à l'écart d'une stratégie cinématographique, mais soulignons que l'**essentiel est aussi ailleurs**, quelque part entre la primitive interdiction des marabouts et la cinéphilie généralisée, effet d'assimilations, de mutations psychiques et de découvertes spirituelles passionnantes.

Pierre HAFFNER
Professeur à l'Université des Sciences Humaines de Strasbourg (France).

STRATEGIES OF MOBILE CINEMA

Cinema became an industry and eventually an art because it started as a major entertainment in the fun fairs.

1895 is the recognized date for the birth of the seventh art, ten years after the Berlin Conference which partitioned Africa for the benefit of the European countries.

The developments of colonization and cinematography eventually had an unexpected connection which General Marchand explicited in a letter to the French Director of Cinematography. It can be summarized as follows : films can be used to pacify primitive populations if they are chosen so as to entertain them ; « the cinematographocomic » is the arm for the conquest of Africa and other places.

The colonialists implemented this strategy. Though cinema was sometimes seen by Africans as something diabolical and was not always accepted, as Hampaté Bâ testifies, films entered Africa as early as 1897 and started seducing the African masses.

Mobile cinema the implementation of which developed between the two World Wars had political connotations and developed along several lines : while absent from South Africa, it served educational purposes in the British colonies as well as in the Belgian colonies where, moreover, it entertained a strong link with religion : the Congolese cinema, with a production of 500 to 700 films between 1945 and 1960 was basically directed at the colonizing process under the missionaries. In the French territories where mobile cinema was in private hands, cinema was seen more as an entertainment and a way of pacifying people. It is in this context that black African cinema emerged.

The history of the strategies of mobile cinema offers a parallel to the history of cinema and to African history.

Deuxième partie/Second part

LANGAGE ET PERCEPTIONS DU CINÉMA AFRICAIN

THE LANGUAGE AND APPRECIATIONS OF AFRICAN CINEMA

ايام قرطاج السينمائية
JOURNEES CINEMATOGRAPHIQUES DE CARTHAGE ■ CARTHAGE FILM FESTIVAL
قرطاج
'94
CARTHAGE
Tunis du 12 au 19 Novembre
تونس من 12 إلى 19 نوفمبر
100 سنة من السينما في تونس
100 ans de cinéma en Tunisie
Partenaires officiels de "CARTHAGE '94"
CANAL
AGENCE DE COOPÉRATION CULTURELLE ET TECHNIQUE
الخطوط التونسية
TUNISAIR
ERTT

I

Langage et Esthétique

Language and Aesthetics

CINEMA AND CULTURE IN AFRICA

Brendan SHEHU

The importance of culture to African societies lies in its vigorous manifestation of the historical reality of their entire existence. Culture is therefore the results of a people's history and simultaneously, its determinants, (Cabral, 70:41). Within our own area of discourse, the most important aspect of culture can be located within its philosophical ambit. This is made up of the cultural history of Africa, its beliefs, ideas, and values, with particular emphasis on the visual and performing arts of the society.

Over the years, visual and performing arts of Africa have recorded immense development, with cinema emerging as the most important component. The cinema in Africa, has gradually become the instrument for the articulation and projection of the dominant beliefs and values of Africa to the world community. An immediate implication of this is the growth of intellectual curiosity on the role of cinema in shaping the culture of Africa and simultaneously, how cinema itself has shaped the culture of Africa. Moreover, it has been found out that western approach to cinema and culture has proved inadequate to our own utility.

LANGUAGE AND THE AFRICAN CINEMA

Amongst film practitioners and critics, the language issue of African cinema has become very polemical with the question : **What language for the African Cinema ?** Here, in the film medium, language is the major vehicle through which culture produces social meaning (Turner, 88:42). In cinema as in other areas of visual and performing arts, the medium of expressive representation chosen, carries the label of reality. Particularly its physical, social and cultural aspects.

Cinema was introduced in Africa under the aegis of colonialism which saw it as an instrument that must perform a definite social role. It was to play a pivotal role in the provision of social and cultural justification for the subjugation of the people. Thus it was important for colonialism to foster an alien culture on them. This was reflected in the area of language as there was a conscious attempt at promoting films that will underplay indigenous languages and at the same time promote the colonizer's language. In the case of Nigeria, the Colonial Film Unit, which was the sole agency for the procurement of films laid emphasis on the importation of films in English language (Ekwuazi, 92:7). When films were produced within the colonies for Nigerians, they were slanted to reflect the stance and predispositions of the producers (Ekwuazi, op. at : 83). Production policies never gave consideration to the promotion or even use of indigenous languages.

Therefore, post-independence African film-makers were to carry on this tradition of making films in foreign languages, particularly in the areas of indigenous documentaries. In Nigeria, it took the relative failure of the first two indigenous feature films made in English to force film makers to once again look at the issue of the most appropriate medium of expressive representation to be used in their films. Indeed, the emergence of Yoruba folkloric films was based on the recognition that films made in English never recouped their cost of production (Ladebo, 92:164).

Over the years it was shown with the Yoruba folkloric feature films and the Arab films that the basis for the creation of an independent African film tradition lies in the exploitation and use of indigenous African languages. The Yoruba folkloric film industry was only possible due to the use of an all embracing language that the people could identify with. Thus, today, while many films made in Yoruba language have been box-office hits, **NO** indigenous Nigerian film made in English language has recouped its cost of production (Ladebo, 92:164).

In the Northern parts of the country, film makers have capitalized on a rich culture and an all embracing Hausa language to create a promising film industry within their subcultures. In the francophone West African countries, Sembène Ousmane who made his film, ***Ceddo***, in Wolof swore that even the blinds came to see it for the sheer wonder of hearing their language spoken (Sembène, 25:78). The lesson that can be drawn from this is that African film makers must dispense with whatever gifts of languages they have to speak the one single language of the mass of the people (Ekwuazi, 91:92). It is however important for us to understand that colonialism has bequeathed a legacy of linguistic entanglements which could create complications in our attempts at creating a cinema culture that is rooted within indigenous language. In the whole of the continent, it is in the North that there is a single unifying language (Arabic) which can constitute a rich alternative to the inherited language of the colonizer (Armies, 86) and can provide a support base for an indigenous language cinema. South of the Sahara the situation is much more complicated due to the prevalence of a myriad of differing languages and dialects. The only way of getting round this problem is through the production of films in sub-regional languages and as the film moves into its second stage of maturation, indigenous producers can then make film outside their immediate cultural blocs (Ekwuazi, *op. cit.*).

ORAL TRADITION, LITERATURE AND THE AFRICAN CINEMA

African cinema emerged on the basis of an attempt to restore the way of life and thoughts of the African masses through film. As a result of this pre-occupation, it was definite that African cinema was to rely on and exploit the rich folkloric tales of Africa. A direct fall out of this is the unique but often neglected role of oral tradition within the cinematic development of Africa. African folklore, dances, music, aesthetics, beliefs, values and various mythologies were served through oral tradition. Thus there is no doubt that the foundations of film in Africa were laid by the unique role of oral tradition.

Despite this, it is important to point out that because of the influence of oral tradition in African film, it has led to the emergence of a film culture that thrives on a simple over glorification of the African past. These escapist and superficial films with over-flogged themes do not in any way contribute to the resolution of the contemporary problems of the society. In addition, oral tradition created the basis for the exploitation of the past folklores and mythologies in indigenous cinema. This disposition certainly created its own problems for the indigenous film-maker.

Indeed, the emergence of literature in African cinema did not play a noticeable role in the then nascent cinema. As an imported art form, it was incapable of fully comprehending and portraying the African reality as it existed. Its contents were largely distinct from any folkloric tradition (on which cinema then thrived) and was largely derivative of the European models.

This position was however to change with the emergence of African writers who wanted to use a medium of expressive representation that will attract a greater amount of readership and lead to the desired change. For this to be possible, they realised that their works have to be in the language of the people and in some cases they totally abandoned writing and moved into film (Youssef Chahine, Ousmane Sembène, Ngugi wa Thiong'o, Wole Soyinka and H. Ogunde). This development was followed by the emergence of film-makers who wanted to use cinema to highlight the contemporary problems of the society and to achieve these most of them started adapting great literary works into celluloid. This was the basis of the inter-marriage of African films and the emerging literature.

Thus, while in the beginning, African literature had very limited impact on the cinema, it was to later play an important role in the growth and development of cinema. This complex interplay of literature and cinema in Africa has provided African film-makers with rich and more relevant sources of material for the articulation of their message through film. Finally, the interaction of literature and cinema has brought about the possibility of expanding the thematic content of African films that had hitherto been rooted in mythologies, legends and folklore through the provision of rich works that are more relevant to the present African public.

AFRICAN AESTHETIC CONTRIBUTIONS TO WORLD CINEMA

To understand the nature and content of African contributions to world cinema in the area of aesthetics, an appreciation of certain issues is pertinent. African cinema in both its origin and conception is totally different from western cinema. Indeed it is a reaction against that cinema, against the stereotypes of the black man and his world (Ekwuazi, 91:92). Moreover, the African conception of aesthetics, culture and art are totally different from those of the West. African aesthetics are more man oriented and less based on a commercial — quantitative nexus (Ekwuazi : *Ibid.*). Unlike in the West, where cinema is totally embedded in its commercial form which leads to abstract notions of aesthetics, the alternative African cinema is primarily pre-occuped with, rectifying the cultural part of his society, sending a particular message and influencing socio-political behaviour. In this typology of cinema, aesthetics is secondary to the theme and message. This does not mean a total neglect of aesthetics in African films but the degree of pre-occupation is certainly less, compared to western cinema. Based on this we can now posit that the primary and perhaps most important contribution of Africa to film aesthetics is rooted in its conception of aesthetics. African aesthetics is functional in the lives of the African and is an integral tool for their physical, mental and cultural liberation. This approach has matured into the cinema and has brought about a science of beauty that is progressive and revolutionary.

Secondly, African approaches to aesthetics have brought about codified sets of perception and interpretative models that are basically African to the cinema medium. According to Ekwuazi :

> « *In Med Hondo's* ***Soleil Ô****, in Ben Diogaye Beye's* ***The Black Princes of St. Germain*** *and in Baraka's film* ***A thousand and one Hands****, the icons, the stock of cultural references are unambiguous, they are definitely African, equally the attempt to portray urban and rural life has technically shown how African film-makers can portray African life within film time and space.* » *(Ekwuazi op. cit.)*

Thirdly, there is the contribution of Africa in the introduction of subregional languages. By rejecting the colonizers tongue and using native languages in making films, there has been a projection of the beauty of African languages to the international audience. Moreover, it also proved that African languages like English could be used to sustain indigenous film making.

In the area of format, while Hollywood films call for a closed and appeasing end the African films call for an open end (Ekwuazi : *op. cit.*). Thus in Soyinka's ***Blues for a prodigal*** as the guns boom and the military shoots its way back to power the action freezes and the end credit appears (Ekwuazi : *Ibid.*). Also in B. Shehu's ***Kulba na Barna*** as the car pulls away leaving the principal actress behind in a reflective and sober mood, the credits starts rolling. The value of such ending is to enable the viewer to reflect and think about life in the society and what necessary actions must be taken to ameliorate conditions (Martin Éd., 82:6).

Finally, African cinema is a way of exposing and projecting to the world African socio-cultural arte-facts, such as masks, cultural clothings and costumes, a unique way of dressing, specific norms and values.

CONCLUSIONS

This paper has progressed from a definition of our problematic to an indepth discussion of the role of cinema in shaping the various facets of African culture and how African culture has in itself internalized and influenced this unique and new means of communication. The unmistakable point that comes out of this discourse is that because of the richness of the African culture it has succeeded in laying the basis for the emergence of an alternative cinema totally different from the Hollywood format, simultaneously the cinema has contributed massively to the projection and development of the various facets of African culture that had hitherto been confined only to their sub-regions !

Brendan S. SHEHU

Managing Director Nigerian Film Corporation, PO Box 693, Jos, Plateau State, Nigeria.

SELECTED BIBLIOGRAPHY

A. CABRAL, *Unity & Struggle*, O London 1980.

G. TURNER, *Film As Social Practice*, O London 1988.

NWUNELI *ed, Development and growth of Film Industry In Nigeria*, Lagos, 1979.

G. YEAR WOOD, *Toward a theory of a Black Cinema Aesthethics* in Yearwood ed : Black Cinema Aesthetic issues in independent Black Film making.

A. ROY, *Third World Cinema*.

H. EKWUAZI, *Film in Nigeria*, Second edition 1991 Ibadan.

F. BOUGHEDIR, *Two major schools of African Cinema in Angela*.

B. SHEHU, *Content of Nigerian Films :* A critical appraisal for policy making, 1992 Jos. Nigerian Film Corporation.

CINÉMA ET CULTURE EN AFRIQUE

Le cinéma africain est devenu un instrument d'expression et de projection des principales croyances et valeurs de l'Afrique face au monde.

La langue constitue l'un des premiers points d'interaction entre cinéma et culture. L'usage de la langue de colonisation a longtemps dominé au détriment des langues indigènes. Au Nigeria, dans le domaine du documentaire, l'anglais est resté la langue de travail, cependant au niveau des longs métrages de fiction, il a fallu constater l'échec des films en anglais pour que les cinéastes s'interrogent sur la langue des films. Le succès populaire des films en yoruba a montré que l'usage de la langue vernaculaire est de la plus haute importance pour assurer le lien avec le public, ce qui a été confirmé par le succès des films en hausa au nord du Nigeria, en wolof au Sénégal... Le problème reste de trouver la langue africaine qui soit le plus grand commun dénominateur au niveau régional. L'arabe peut jouer ce rôle au nord du Sahara, mais au sud la situation est plus complexe.

L'apport de la tradition orale est l'autre élément culturel important du cinéma africain qui a conduit à la production de films tournés vers le passé, le folklore, les mythologies. L'apport de la littérature écrite a été plus difficile à intégrer mais s'est fait surtout grâce à des hommes de lettres (Sembène Ousmane en particulier) qui se sont tournés vers le cinéma pour mieux communiquer avec le public et l'ont enrichi de nouveaux thèmes.

Enfin le cinéma africain qui se préoccupe de donner un message politico-social apporte sa propre esthétique en exposant ses formes artistiques, son héritage et ses valeurs de façon humaniste.

SOME THEORETICAL PERSPECTIVES ON AFRICAN CINEMA : CULTURE, IDENTITY AND DIASPORA

Keyan G. TOMASELLI

> *« For a South African reader a slightly disconcerting feature of Manthia Diawara's book on African cinema is the total exclusion of South Africa (except for a few passing references) from the discussion. There are clear historical reasons for this, of course, not the least important of which are the facts that South Africa was not colonised and decolonised in precisely the way that the rest of Africa was. »*
>
> Edwin Hees, *Critical Arts* (1993)

QUESTIONS OF GEOGRAPHY, QUESTION OF IDENTITY

Questions not easily resolved on the issue of what is African cinema concern, for example, what constitutes Africa ? Are Arab films and South African production part of African cinema ? Is « black » cinema necessarily « African » in origin ? Should African cinema necessarily be linked to its Black diasporic equivalents in the United States, France and England ? »[1].

1. See Mark A REID, 1991, *African and Black Diaspora Film/Video*, Jump Cut, 36, 43-45.

South Africa, which has produced more films than the rest of the continent put together was, during the apartheid years, generally excluded from the category of Anglophone Africa. But Nancy Schmidt considers South Africa as part of « Sub-Saharan African Filmmaking »[2].

However, South Africa was excluded from another commentary of hers, « Culture and Nationalism in Sub-Saharan **African** Filmmaking »[3] (my emphasis). Although considered part of Africa-the-continent, it appears that Schmidt, writing prior to the defeat of apartheid, denied white South African film makers an identity as Africans.

Few commentators mention the prolific black South African director and actor, Simon Sabela, though scholars refer to white director, Oliver Schmitz's ***Mapantsula*** (1988), as the country's first « black » film. This seeming contradiction is discussed later in this chapter. Gibson Kente was, in fact, the first black South African to make an anti-apartheid film, ***How Long...*** in 1976. Chinua Achebe et al, include the South African film, ***Mapantsula*** in the designation of « African »[4].

Ideologically very revealing is Volker Hooyberg's **exclusion** of South Africa from the category of African cinema industries. He writes : « In the 1960s only two African nations, Egypt and Tunisia, were producing films on a regular basis »[5]. This startling sentence evidences two prime assumptions by this white South African media scholar. The first is that South Africa is **not** part of Africa, an exclusion which Hooyberg fails to explain or develop. The second is Hooyberg's totally inaccurate, incomplete and extremely dated description of film industries in only three countries on the continent. He references only a single little known source on African film industries. Hooyberg takes for granted that there is no cinema of note in Africa despite clear evidence, and many seminal studies, which contradict his partial description.

---

2. See SCHMIDT'S review of six books on African cinema in *Africa Today* (2nd Quarter) 1989a, 17-22.
3. Visual Anthropology, 2, 1989b, 85-91.
4. See Library of African cinema. San Francisco : California Newsreel, 1990, 25-27.
5. HOOYBERG, V. 1993 : « From Distant Drums to Satellite ». In De Beer, A.S. (ed.) : *Mass Media in the Nineties*. Pretoria : Van Schaik, 29-52.

Indigenous production and distribution tend to follow neo-colonial language contiguities Arabic, French, Portuguese, and English. Many films have nevertheless been made using African languages only. In the neo-colonial set-up, what relationships have developed between the metropolitan states and their former colonies[6] ? What is the impact of these international relationships on definitions of « African cinema » ?

Ali Mazrui offers four definitions of Africa using different criteria. These are based on « racial », « continental » and « power » considerations. The « racial » definition excludes non-blacks. The « continental » definition is self-explanatory. The power criterion excludes those parts of Africa under « non-African » control, such as apartheid South Africa »[7]. In the fourth perspective, some scholars argue that North Africa is more like Arabia, and is really part of the Islamic Middle East[8]. A case could also be made that parts of South Africa could be part of Europe, not Africa, in view of its close economic and historical and cultural ties to the metropolitan states.

---

6. Much has been written on extensive French financial and technical assistance on African cinema. British and Portuguese efforts, in contrast, have been negligible. See ANDRADE-WATKINS, 1989 : *Francophone African Cinema : French financial and technical assistance, 1961-1977.* UMI Dissertation Services. The French government, through its Centres for Direct Cinema located in South Johannesburg, Maputo and Kenya, have also influenced style. See ARONSTAM, R. and DE WAAL, S. who critically discuss the cultural implications of these Centres with regard to the Johannesburg case. In TOMASELLI, K.G. and HENNEBELLE, G. (eds.) 1986, *Le cinéma sud-africain est-il tombé sur la tête ?* Paris : CinemAction, 87. The French foreign policy motivations of such Centres, however, entirely eludes another commentator, John VAN ZYL in his chapter « une expérience : le Centre du Cinéma Direct ». In TOMASELLI and HENNEBELLE, 84-89. On the British connection see « Film in Anglophone Africa : A brief survey », by Manthia DIAWARA in Mbye B. CHAM and Claire ANDRADE-WATKINS, C. (eds.) : *Critical perspectives on black independent cinema.* MIT Press Cambridge ; and Diawara, 1992. Diawara, however, discusses only Ghana and Nigeria. Zimbabwe gets a back-handed mention-in-passing.

For information on the Portuguese influence see DIAWARA, M. *African Cinema : Politics and Culture.* Indiana University Press, Indiana, 1992, Chap. 6.

7. MAZRUI, A. 1986 : *The Africans : A triple heritage.* Little Brown, Boston, 26-30.

8. MAZRUI, 28-30.

« Culture » is another problematic term in identifiying African societies. A seminal scholar appropriated by African revolutionaries in this regard is Frantz Fanon. A westernised West Indian and French citizen who worked as a psychiatrist for the French army in Algeria, Fanon's experiences led him to cross sides. He then moved into Algerian politics and resistance. Fanon argues for the idea of « national cultures » rather than « African cultures ». This definitional imperative emerged from the nation-building attempts which underpinned the continent's independence movements of the 1960s.

Fanon argues that culture takes concrete shape around the struggle of the people, not solely around signs, poems or folklore, which supposedly disconnect leisure time from work periods. Culture is not for him a pre-determined model offered by the past. It is not a state of being, but a state of becoming.

Cape Verdian Amilcar Cabral offers a different definition of the term « culture ». Like Fanon he invests it with a strategic component in the offensive against imperialism and neocolonialism. But Cabral's strategies differed from Fanon's in that he drew on cultural sites through which the colonised were able to mobilise the bulwark of what was left of traditional cultural forms and rituals to preserve their pre-colonial identities, traditions and dignity.

Cabral opposed the Portuguese and French forms of colonisation which attempted partial assimilation of the Other into the metropolitan society. He was a cultural conservative who called for a return to pre-colonial social and cultural forms. In his role as « revolutionary » within the liberation movement in Cape Verde, Cabral's writings were rhetorically appropriated by African Marxists who quote him as their theoretical guru. Inappropriately, he came to be thought of as a « Marxist » by both his comrades and the ruling Portuguese.

Where Cabral identified sites of resistance in pre-modern traditions and identity, Fanon argues that black petty bourgeois politicians often call on the idea of nationalism and « culture » to disguise their own opportunistic political agendas.

Culture as a discursive romantic mobilising agent is common to both nationalist and popular struggles in Africa. In this way the strategies of these African bourgeoisies are similar to those offered by Cabral, though with different ends in mind. Their political articulations are also calling for a recuperation of a romantic past, as well as bygone « traditional » values and some forever lost sense of community.

Through culture, the colonised would regain their common sense humanity, diminished and distorted by the colonial experience. Despite the idealist and sometimes naive position taken by Fanon with regard to economic analysis, he remains an important founder of the growing body of theory on African resistance.

Cultural occupation rather than assimilation was the experience of the British colonised territories. This contrasts sharply with the early Dutch settlement of the Cape which followed basic assimilation policies : However, the subsequent South African Afrikaner rulers from 1948 on, who derived from the Dutch, followed the British model of separation. They established « princely states » based on the British Indian model. This is the origin of the term « bantustan ». Afrikaner Nationalists developed discursive strategies to inhabit reconstructed indigenous cultures and discourses, aimed at encouraging cultural (or « tribal ») difference. They thereby forced idealised ideological content onto « tribal » groups to sustain and even reconstruct tribal « identities » and territories through apartheid. In India these spaces were called « compounds », while in South Africa they were known as « group areas » and bantustans.

How does the appellation, « Africa », then, fit against this background of differing colonial policies and indigenous experiences ?

AFRICAN CINEMA ?

Is the idea of an African cinema too restrictive in terms of regional differences, historical forms of resistance, discursive strategies and definitions of Africa as described above? Can there be a single African aesthetics? What is the relationship between African aesthetics and associated representations of African cultures in different categories of films — feature, documentary, ethnographic? Do each of these forms expose different levels and dimensions of culture, history and cosmology?

What about partnerships which have developed between groups indigenous to Africa and foreign film makers? French anthropologist Jean Rouch is often referred to in the western film literature as the « Father » of African cinema, for example. Numerous ethnographic film makers who have developed Rouch's practices of « shared anthropology » have produced films which speak reflexively from « inside » the African communities imaged[9]. How do such appellation gel with each of Mazrui's definitions of who and what constitutes Africa and Africans, or what might constitute African film contents, form and aesthetics?

QUESTIONING ASSUMPTIONS

Africans are diverse: Culturally, ethnically, ideologically, gender wise, in terms of gnosis, family and lineage structure, ethnicity, cosmology and so on. The wisdom of racially essentialising the category of Africans to designate exclusion of certain « settler » groups from Africa rather than inclusion into its peoples has, of course, been the driving discourse of most liberation struggles.

---

9. See Peter LOIZOS, *Innovation in Ethnographic film. From Innocence to self-consciousness.* Manchester: Manchester University Press, 1993. See his chapters on the work of John Marshall with the Kung, David and Judith Mac Dougall in East Africa and Rouch amongst the Songhay in Niger. Also see STOLLER, P. 1992: *The cinematic Griot: the ethnography of Jean Rouch.* Chicago, Chicago University Press, 1992; and RUBY, J. (ed.): *The films of John Marshall.* New York: Harwood, 1992. All these books are reviewed in this volume.

Migrations and discourses

The slogan of « white settler » governments, amongst others, for example, masks often violent and imperialist pre-(Western) colonial migrations between black African societies themselves, not to mention the enforced Islamization of vast tracts of North Africa. Nearly all African peoples are settlers of one sort or another, having forcibly displaced earlier inhabitants[10]. Ousmane Sembène's ***Ceddo***, for example, is a critique of both Catholicism and Islam. But where ***Ceddo*** shows Catholicism to be impotent, the imposition is shown to be much more dominant, pervasive and ruthless.

Other than the San in Namibia and Botswana, now known as the « First People », and what remains of the Copts in Egypt, there are few African peoples who are not also settlers in one sense or another — who have not themselves displaced others in often violent intra-continental migrations. Different levels of signification have developed to indicate exogenous from indigenous population movements. Historically, the Islamization and Arabisation of North Africa was and is no less an « invasion », implicating both economic colonisation and religious hegemonisation.

Romanticisation

A lot of writing on African films tends towards romanticisation of all things African. Original traditions are not neces-

---

10. One example of this process concerns Sotho groups (the Fokeng and Kwena) who used to occupy the South African Highveld. In the 1820s the Difagane devastated their areas. Some Sotho groups fled into the Lesotho mountains. Others, such as the Fokeng fled north in 1922 into Western Zambia and the Caprivi Strip. Having captured and colonised the Caprivi they renamed themselves the Kololo, and called their new state Lozi. Today, Western Zambia and the Caprivi are, as a result, Sotho speaking. The area the Fokeng evacuated (between Bloemfontein and Pretoria) was, in turn, colonised by the Ndebele (Matabele). In 1837, the Boers defeated the Matabele, who fled north into western Zimbabwe, which they, in turn colonised, by displacing the Shona. The Boers then occupied the highveld areas previously inhabited by the Fokeng and Matabele. See MAYLAM, P. 1986 : *A history of the African people of Southern Africa.* Cape Town : David Philip.

sarily beneficial for everyone. As with most societies, the currently subordinate status of women in modern Africa, for example, was not always « traditional ». In many cases, customary and neo-colonial laws have combined to trap women especially in double-binds. Contemporary women's struggles are documented in feature, documentary and ethnographic films made by both Africans themselves and in partnership with foreign film makers. On such feature is Cheick Oumar Sissoko's ***Finzan*** (1990), « an impassioned cry for the emancipation of African women »[11]. Sissoko's narrative criticises wife inheritance and female circumcision. But as Frank Ukadike's (1993) discussion of the film suggests, residual discourses of « tradition » still permeate often emotional debates on the controversial issue of enforced female circumcision[12].

African Nationalist ideologies blind some scholars and ideologues to the fact that female circumcision was always an unacceptable form of the oppression of women. But then, practices forced on male initiates, such as piercing of ears, removal of teeth and adolescent circumcision are perhaps equally unacceptable. Commentators critical of the « colonised mind » should also work on gender and cosmology as sources of oppression and control.

LOCATIONS

The abroad majority of African scholars and directors of African films living are rarely interrogated in the analytical literature. They often live abroad out of political and financial necessity. However this has resulted in the publication of works on African cinema which may not otherwise have been published[13]. The inappropriateness of western film

---

11. MOORE, C. 1990 : « Finzan. A dance for the heroes ». In Achebe, 7.

12. UKADIKE, F. 1993 : « African films : a retrospective and a vision for the future », *Critical Arts*, 7 (1/2), 43-60.

13. DIAWARA, M. 1992 : UKADIKE, F. 1993 : *Black African cinema*. Berkeley : California University Press ; GABRIEL, PINES, J. and WILLEMEN, P. (eds.), *Questions of third cinema*. Indiana University Press, Indiana.

theories, especially works grounded in deconstruction and post-Freudian Lacanian psychoanalysis in discussing African films, African film making and African spectatorship, has tended to emerge through this largely exile community of African film scholars and film makers[14].

PSYCHOANALYSIS AND SUBJECTIVITIES

Increasingly, scholars and film makers in Africa itself are attacking unquestioned importations of screen theories developed in other contexts. They are especially critical of the assumptions of theory developed to explain westernised subjectivities applied to societies which can by no stretch of the imagination be understood within the parameters of Freudian/Lacanian perspectives[15].

How can the Matzian mirror phase apply to communities of spectators who do not use mirrors, such as those who live in, and travel over, the vast tracts of Africa. Yet, the paradox is clear, African and many Fourth World spectators don't see the screen as a mirror, but sometimes as the reality itself[16].

---

14. Teshome GABRIEL, « Towards a critical theory of Third World Films » (1989a) and « Third cinema as the guardian of popular memory : towards a third aesthetics » (1989b) ; in PINES and WILLEMEN, 30-64 ; also see his « thoughts on nomadic aesthetics and the black independent cinema : traces of a journay », in CHAM and ANDRADE-WATKINS, 62-79 ; GERIMA H. 1989 : « Triangular cinema, Breaking Toys and Dinkish vs Lucy », in PINES and WILLEMEN, 65-89 ; DIAWARA, 1992.

15. See TOMASELLI, K.G. and SMITH, G. 1990 : « Sign Wars : the Battlegrounds of Semiotics of cinema in anglo-saxonia », *Degres* — Revue de synthèse en sémiologique, cc1-cc26 ; GABRIEL 1989a, 39 ; and STOLLER. Non-Africans who have taken this position include PINES and WILLEMEN ; GAINES, J. 1988 : « White privilege and looking relations : race and gender in feminist film theory », *Screen*, 29 (4), 12-27 ; and « white theory/black film ». Paper presented at the Modern Language Association, December 1992.

16. See KULICK, D. and WILLSON, M. 1993 : « Rambo's wife saves the day : subjugating the gaze and subverting the narrative in a New Guinean Swamp », Mimeo ; CONQUERGOOD, D. 1986 : « Is it Real » ? Watching Television with Laotian Refugees », *Directions*, 2 (2) 1-5.

Often, they interact with the screen as if the characters on it actually existed in one form or another. The analogy of film being like a dream can only come from a Western psychocentric epistemology which imposes metaphors where analogical connections may exist for other cultures.

Discussion of unknown forces and the supernatural considered as a part of concrete reality in some African gnoses — such as found in Jean Rouch's films and some ethnographic films — are rarely evident in Western discussions on African cinema. First and Second World theoretical frames have largely excluded discourses of religiosity and spirituality, dimensions which remain real and influential in black African cosmologies. These cosmologies draw on orality and collective imagery and largely shape rural, and aspects of urban, African subjectivities. The characteristics of orality question the idea of the individual as the centre of signification. The central protagonist of African cinemas is usually the context of the film ; the characters only provide the punctuation[17].

THE WESTERN THEORETICAL GAZE APPROACH

Another problem relates to the Western gaze approach at Africa. Africans are painfully aware of foreign scholars who write about them without drawing on their studies or debates. Apart from Hooyber, another glaring example is Roy Armes's *Third World Filmmaking and the West* which fails to cite a **single** source published in Africa itself. The result is that Armes writes about African cinema as an individual artistic expression rather than from the perspectives of African gnosis and its emphasis on group cohesion[18]. Interaction be-

17. GABRIEL 1989b, p. 60. Also see studies on orality such as ONG, W. 1985 : *Orality and Literacy : the technologizing of the word.* Methuen : New York.

18. *Third cinema in the Third World.* Berkeley : University of California Press, 1987. See also SCHMIDT'S 1989a review which provides other examples of foreign commentators failing to list African sources.

tween African and Western scholars is largely restricted to the buzz of the Ouagadougou Film Festival in Burkina Faso. As crucially important as this event has become, it is insufficient to stimulate sustained critical debate. Such debate requires intense academic activity in Africa as well as in the United States and Europe, the two foreign continents where it has been largely incubated.

AFRICAN COUNTER-GAZE APPROACH

The insistence on the fact that the problems disastrously confronting Africa today stem purely and only from the machinations of neo-colonialism and Western imperialism, rather than also from some of the problems originating from within Africa itself, is another issue that needs critical assessment. The notion that Africa is a helpless mass at the mercy of international capital and superpowers' foreign policies is partly of the making of African governments themselves. As the continent repositions itself politically and economically following the collapse of the Soviet Union and apartheid, it also needs to develop new conceptions of itself as capable of addressing both inherited problems and those of its own making. Cinema has a crucial role to play in this task.

I am not going to address all of the above questions. They are introduced here to frame the section that follows. Certainly, more and more academic interest than ever before is being shown in African and now, South African, cinema, and in the way the continent is imaged[19]. The issue is to critically examine the different theoretical frameworks being applied to the questions outlined above.

---

19. See PRINSLOO, J. 1992 : « Beyong Propp and Oedipus : Towards Expanding Narrative Theory », *Literator, 13* (3), 65-82, which examines Missisipi Masala and on the wire ; and HIGGINS, J. 1992 : « Documentary Realism and Film Pleasure : Two moments from Euzhan Palcy's A dry white season », *Literator 13* (3), 101-110. Also see *Critical arts* theme issue on African Cinema 7 (1/2) 1993.

REASSESSING AUTHORSHIP : FILMS IN « BLACK » OR « WHITE ».

Ousmane Sembène once said that Jean Rouch's film, ***Moi, un Noir*** (1959), could have been made by an African[20]. Recalling the extract from Edwin Hees which prefaces this article, I am going to examine the relationship of South Africans to the problematic idea of African cinema and further, to the concept of « Africa » itself. In the process I hope not only to open up a debate on the specific issues of identity, subjectivity and aesthetics, but also to point at broader relations which have not until now been taken into account in discussions on African cinema. In view of this broad sweep, this article should be merely seen as a tentative contest, rather than a definitive statement on the issues discussed.

The more specific question I address is : Can and should a white film director make a film reflecting the « black » experience[21] ? This is the question posed by African-American Spike Lee in Mother Jones[22], and which I explore below in the South African context. Lee objected to Norman Jewison, a white American director, making a film about Malcolm X to which he had the contractual rights.

Lee told the *New York Times* « I have a big problem with Norman Jewison directing ***The Autobiography of Malcolm X***. That disturbs me deeply, gravely. It's wrong with a capital W. Black have to control these films ». But white director, Sidney Lumet, who held the original rights to the film, pointed up the contradition : « What does Spike know about life in 1942 ? — the Detroit periode shaped everything. Where do you stop ? Only an Irishman can direct Eugene O'Neill ? »

In contrast to Lee's intractable position on blacks as the

---

20. SEMBÈNE O. nd. « Une confrontation historique en 1965 entre Jean ROUCH et SEMBÈNE Ousmane ». In PRÉDAL, « Jean Rouch, un griot gaulois ». Paris : *Cinéma-Action*, 77.

21. The question could, of course, be reversed as well. This article is developed from an earlier one published as « In whose image ? » *New Era* (Spring 1991), 18-20. Quotes attributed to LEE and BALDWIN are taken from this source.

22. July/August 1991.

only legitimate makers of films about the black American experience, most films on Steve Biko and Nelson Mandela have been made by white directors, or multi-racial crews. A film on Nelson Mandela (1985) by exiled black South African Lionel Ngakane is the only exception. Most films on the Mandelas have been made by foreigners. Briton Peter Davis's ***Winnie and Nelson Mandela*** (1986), Philip Saville's ***Mandela*** HBO TV series (1987) and Frank Diamond's ***Portrait of Nelson Mandela*** (1980), amongst others.

Films on Biko have been made by multiracial crews. Most well known is Richard Attenborough's ***Cry Freedom*** (1989). The documentary, ***Biko : Breaking the Silence*** (1988), was jointly produced by Zimbabweans Olly Maruma and Mark Kaplan and two white South Africans. Apart from some, now mostly resolved, controversy over ***Cry Freedom*** initiated by the Azanian Peoples Organisation (AZAPO), which claimed Biko's mantle after his death[23], the intractable position taken by Lee has not been a pre-eminent one in South Africa. A number of processes — dealt with below — account for the difference.

HOW MECANISMS ARE SHIFTED

The different interpretations whereby the ideas, religions and language of one constituency is appropriated by a second constituency to serve an entirelly different set of imperatives, is known as rearticulation. I will apply this concept both to the political and cinematic analyses that follow.

The various signs of the struggle in South Africa enter a totally different ideological terrain in, for example, the United States. The two terms of the debate, « race » and « democracy », exist within very different articulations : in considering « race » in America, it is necessary to consider the history of discourses — social concepts and language about race and racism. During the Civil Rights Movement between the 1950s

---

23. « Biko's Friends attack movie », *Sunday Times*, July 20 1986, 3.

and '70s, race was mainly articulated within the hegemonic white American liberal discourse. Access to « civil rights » tended to be the outer limit to black's demands for social justice permitted by this discourse. This largely dislocated the dominant American civil rights discourse from any idea or practice of politics led by radical or socialist working class considerations[24].

In constrast, the historical discourses of « race » in South Africa have to be understood as more than a struggle over access to civil rights. Until 1990 blacks had few civil rights under apartheid rule. But beyond a desire for social justice was the United Democratic Front's (UDF's) idea during the '80s of a radical class transformation of South African society as a whole. This leftward articulation was connected with the idea of « democracy », defined in stark contrast to the way the term was articulated to the right in America following Reagan's victory in 1980. In that country, the right-ward inflection of « democracy » made it very difficult to link demands for racial equity to calls for more general economic and social justice. The Reaganian articulation of democracy was fundamentally anti-socialist, imperialist and racist. This new right-wing meaning bore little similarity to the meanings it carried within popular democratic struggles in Third World countries.

The different discursive values given to everyday terms like « race », and « democracy » in America and Southern Africa respectively, mean that watching and discussing films from American perspectives will generate interpretations very different from those obtained with the same films seen from the African or Southern African point of view. Thus, for example, during his visit to the US in 1990, the idea of Nelson Mandela was disarticulated from his South African subjectivity and rearticulated to stand for African-American emancipation. The idea of Mandela was rearticulation by this African-American constituency which was waging a different struggle in a different context towards different goals.

---

24. This is not to say that class struggle does not occur in the US. What is meant is that class is not explicitly used by African-Americans as a site through which to mobilise against their oppression. Their struggle has largely been confined to other sites.

RACE WAR : THE AMERICAN ARTICULATION

A key problem facing European and American audiences and makers of films on apartheid is often their misunderstanding of the nature of the conflicts in Southern Africa. Most films see the conflicts as race, ethnic or tribal wars — white against black, Xhosa versus Zulu, Inkatha vs ANC, and so on.

The contexts and historical experiences of the two countries have been quite different. The debate about the relationship between race and class that launched South Africa into the 1990s is almost absent in the USA. Self-derived categories such as African-American, Greek-American, Italian-American, Hispanic-American and so on have endured over the melting pot idea of a common American nationality. Indigenous people, calling themselves Native Americans are, sadly, the least visible in this sometimes vicious jostlings for political constituencies, affirmative action programmes and scarce societal resources.

« Ethnic » in contemporary America means « Greek », « African » or « Vietnamese ». « Race », means biologically different, incorporating ethnic behaviour patterns, and cultural-national histories which have been transported from original areas of domicile. The popular memory of these histories have been reconstitued in terms of American social struggles. These racial/ethnic groupings, in the 80s, became the dominant foci through which self-constituted groups imaged themselves.

Very often, memories of places of origin, particularly Africa, have taken on the status of sacred myths in African-American discourses and bear little resemblance to history or African societies' own understanding of themselves. Ruby Rich identifies this appropriation by African-Americans of popular memories of Africa as « African retention »[25]. This concept attempts to revive African elements in a holistic spirit and historical continuity. The idea of Africanness is recovered from African-American myths about Africans and transported into America by black Americans to help them confront

25. RICH, R. 1992 : « In the eyes of the beholder », *Voice*, January 28, 60.

oppression and prejudice in that First World country. Rich reminds us that the concept is a contested one, that it is sometimes accused of fostering self-deception and delusion. Henry Louis Gates, for example, rejects the concept of « blackness » as some form of « mystical absolute » : « our critics » hermeneutical circle was a mere tautology ; only the black people could think black thoughts, and therefore only the black critic could rethink and hence criticize, a black (film) text[26]. African-Americans deriving from the slave trading area are not Africans in any of Mazrui's four senses[27] — viz, his criteria of « power », « continental », « racial » and Arabic. Claims about their Africanness notwithstanding, they lack direct experiential knowledge about the nature, meaning or subjectivity of being black in Africa.

White middle-class directors are not the only critics of Lee's racial emphasis. ***Malcolm X*** is the story of a man who learns to transcend race. « The history of Malcolm X has mostly to do with the forces brought to bear on him by whites », black American director Bradley David told Mother Jones. « It's a stupid notion that there's a black aesthetic, black experience ». As Mazrui reminds us : « It is not possible to overestimate the enormous impact of Europe upon our perceptions of ourselves as Africans and upon our view of the universe[28]. »

SOUTH AFRICAN ARTICULATIONS : RACE AND CLASS

In South Africa, black political aspirations have been expressed through three major liberation movements, the African National Congress (ANC), the Pan Africanist Congress

26. GATES, H.L., *Figures in Black : words, signs, and the « racial » self.* New York : Oxford University Press, 45.
27. MAZRUI, A. 1986 : *The Africans : A triple heritage.* Boston : Little Brown and Co., 26-31.
28. MAZRUI, 23.

(PAC) and the Zulu Inkatha movement. Each of these evidences different policies, ideologies and strategies.

State repression caused a lull in political activity between 1960 and 1972. However, a new generation embracing the ideals of Black Consciousness (BC) emerged in the early 70s, under the auspice of the Steve Biko-led Black Peoples Convention (BPC). In Biko's words, « the first step is to make the black man come to himself, to pump back life into his empty shell, to instill him with pride and dignity, to remind him of his complicity in the crime of allowing himself to be misused, and therefore letting evil reign supreme in the country of his birth. This is what we mean by an inward looking process. This is a definition of Black Consciousness »[29].

Differences of analysis did exist within the democratic movement as regards the domestic and international imperatives of apartheid. BC espoused by the PAC and Azanian Peoples Association (AZAPO), which succeded BPC, argued that race was the determining form of oppression in South Africa.

In contradiction of the perceived idea of race and tribal wars, from the mid-1970s on, the UDF developed an analysis in which the enemy was the capital, rather than whites or specifically Afrikaners. Apartheid was considered as a particular form or distortion of capitalism.

This distortion resulted in a much more brutal form of economic and class oppression than found in the First World capitalist economies. These states, which benefitted financially from apartheid however, were implicated by this analysis in the perpetuation of this system.

Basically, apartheid was understood as a form of subjugation involving both race and class. It was the impoverishment of white Afrikaners who were driven off their agricultural land by the British during the Anglo-Boer War (1899-1903) which led to racial competition in the urban job market. Afrikaners defeated the better skilled and lower wage blacks and built Afrikaner Nationalism on the principle of excluding blacks from access to jobs, education, geographical location and so on.

---

29. From the film, ***Biko.***

The UDF held that while racial oppression was dominant, class was the determining factor. In other words, the workings of capital, both local and international, imposed a form of racial capitalism which shifted in response to both internal dissent and international pressure on the apartheid regime. The objective of capital was to reform apartheid to facilitate the continued extraction of profits in the context of a maturing economy on the one hand, and to meet the growing demands, after 1972, for work and political rights on the other. The cross-racial alliance that resulted from this analysis are often hidden by anti-apartheid films which prefer to show the conflict in ahistorical localised black vs white terms[30].

The Charterists tried to overcome race and racism by mobilising across ethnic categories, and they developed a culture of non-racialism. « Racialism » is not the same as « racism ». Racialism is a way of ordering the world in terms of ethnicity and skin colour. Racism is a pernicious form of prejudice which often masks the nature of economic and class exploitation.

American blacks, in particular, moved in a direction opposite to the South African trajectory during the 1980s. They took the same path as did Afrikaner Nationalists after the 1930s, emphasizing race, ethnicity and difference, as did the early Malcolm X. The explanation for the seemingly paradoxical trajectory led by Malcolm X in the US is to be found in the relationship of self-perceived oppressed minorities to history and larger racial and cultural groupings within both societies. Whites in South Africa are the **dominant minority**. Whites in the US are the **dominant majority**.

For African-American militants, the US version of non-

30. ***Children of Apartheid*** (1987) is an exception. American newscaster Walter Cronkite's liberal analysis is tempered by the film's evidence of white children opposing apartheid. After starting out in black vs white terms, Cronkite accepts that apartheid means cheap labour for big business. However, he left it to the white school children interviewed at an elite private institution to make this connection. Other films which bear with this dangerous racial reductionism include ***The Ribbon*** (1986), ***Dark City*** (1990), ***Cry Freedom*** (1987) and ***Biko*** (1988), ***A dry white season*** (1989) and ***Come Back Africa*** (1959).

racialism (the « melting pot » idea) swamps and marginalises minorities. They argue that their reality and experience are inextricably bound to racial (black) and national (African) origins. (This dynamic is not exclusive to African-Americans).

The South African Charterist variant of non-racialism was, during the 1980s, starkly different from the US patchwork of distinct national identities. Instead of emphasizing ethnicity, it focused on the need for a re-unified nationhood that would transcend South Africa's different languages, cultures, religions and skin tones — virtually legislated into place by apartheid. Because historically the National Party government, following the British Empire model, went opposite other European colonisers by **separating** rather than assimilating blacks from each other and from other « race » groups, oppressed South African democrats of all ethnic groups and racial origins developed strategies to overcome their marginalisation by clinging to the concept of a unified state and a « national culture ». This form of non-racialism, where democrats of all « race » groups were drawn into a multi-class, multiracial, multi-ethnic and multi-language anti-apartheid alliance via the **UDF**, barely survived the early '90s. Thereafter non-racialism came to mean « black »[31], a new meaning deriving from revolutionary processes causing previously non-racial political alliances to break and re-form in the run-up to elections in 1994.

My analysis below now concentrates on how the discourses of non-racialism is threaded through particular films made during the 1980s about the South African struggle. I also briefly examine whether these discourses are identified by both politically critical and other audiences of films like ***Biko, Cry Freedom*** and ***Mapantsula***.

---

31. LOUW, P.E. 1993 : « Shifting Patterns of Political Discourse in the New South Africa », *Critical Studies in Mass Communications*, 11 (1), 22-53.

POLITICAL INTERTEXTS BIKO

Films on Biko or Mandela contextualise leaders in terms of the white-dominated forces impacing them, but Biko was also crucial in retheorising blackness as a positive, rather than subservient negative attribute, within the South Africa of the '70s. Out of his BC dynamic arose the non-racial ethic that dominated the '80s, based on the Freedom Charter (1955), subsequently adopted by the African Nation Congress.

Biko is a compelling biography of Steve Biko who was brutally tortured to death by the Security Police in 1977. The film weaves into its narrative interviews with Biko's BC Associates, and the exiled liberal newspaper editor, Donald Woods, whose books on Biko internationally popularised his humanist message. Interviews with Woods and Richard Attenborough, director of ***Cry Freedom*** while in production in Zimbabwe in 1986, explain their political objectives. They hoped to bring the terrifying impact of South African police repression to the mainstream cinema for the first time.

The documentary is illustrated with excerpts from ***Cry Freedom***, often accompanied by voice-over commentary of the actual participants in many of the events re-enacted. ***Biko*** the documentary fills in many gaps of ***Cry Freedom***, the docu-drama. These relate to Biko himself, BC philosophy, the rearticulation of BC into discourse, especially following the Soweto '76 uprising. Interviews with Woods and Attenbourough show how in **Cry Freedom** the contradictions of a big-budget film were solved by using the white Woods character as the mediator between the black reality on screen and international white audience in the cinema.

The textual ideology and rearticulations of BC work at three inter-related levels : *a)* the white liberal interventions of Woods and Attenborough ; *b)* the non-racial ideology of the UDF which dominates the documentary's perspective ; and *c)* BC which is used to back the popular UDF shift away from black exclusiveness. This latter strand is edged out of the film's explanatory thread. Muntu Myeza, AZAPO Publicity Secretary, for example, is briefly interviewed only after Cheryl

Carolus of the UDF and Thabo Mbeki of the ANC offer their insights on this movement of which neither is a member.

The link between BC and UDF is provided through an interview with Carolus who acknowledges BC as a formative influence in her political activism and the black cultural arena generally. She argues that BC filled the vacuum caused by the banning of the PAC and ANC in 1960. Carolus, however, now sees the importance of the UDF's racial inclusivism. Mandla Langa, a writer, also states that a struggle broaden in scope is more important than the narrow racial exclusivism that developed in BC after the murder of Biko. As Langa states, the Biko story still has to be told « possibly by a black ».

The idea of a race war as suggested by ***Cry Freedom*** is modified in ***Biko*** which emphasizes the non-racial ideology that emerged out of the 76 Soweto uprising. The AZAPO National Publicity Secretary, Muntu Myeza, himself reformulates the black/white dichotomy as privileged vs underprivileged, suggesting that capital, rather than only the white-dominated state, was implicit in repression. BC was not at that time anti-white, as Woods learnt when summoned by Biko. This followed a newspaper report on BC written by Woods in his newspaper, *The Daily Dispatch*, after Biko had been banned to King Williamstown in 1973. The occasion where Biko and Woods meet for the first time is re-enacted in ***Cry Freedom***[32].

NON-RACIAL ETHNICS

How do the ideas of non-racialism and struggle play out in South African cinema ? Three cases come to mind. The first relates to the accusations of racism made against Ross Devenish and Athol Fugard in their choice of actors for ***Boesman and Lena*** (1972). They cast « white » to play

32. See my article : « Disarticulating Black Consciousness : A way of reading films about apartheid », *Communication*, 1993, 19 (2), 45-51.

« coloureds » : Fugard as Boesman and Jill Kirkland as Lena. Fugard was also criticised for casting himself as the « coloured » in Athol Fugard's ***A Lesson from Aloes*** (1980) after failing to get an adequate performance from a « coloured » actor. Devenish responded sharply to his critics of this « white » casting of « coloureds ». He accused them of adopting an apartheid-like attitude :

« One of the things which is awful and seems to have happened to the outside world, is that in many ways, the outside world had begun to accept South Africa's apartheid : in that they want to cast people in terms of passbooks and identity cards, they seem to be suggesting that we should inquire into a person's ethnic background before casting him or her. I firmly believe that if one is treating people as human beings, the genealogy of an actor is of no importance[33]. »

Questions of racial bias in the choice of actors tend to occur in industries which have a tradition of « blackface » casting, and in which black actors are only employed in those roles pre-designated « black ». In early American cinema, whites painted black were cast by white directors to play black roles[34]. Another example concerned the British play due for Broadway in 1990, *Miss Saigon.* The play was cancelled because the American actors union refused to allow a white actress to play a Vietnamese character. This role should have gone to a Vietnamese-American, the union argued.

In Brazil, by way of contrast, the colour of the actor is considered to be of minimal importance. In South African cinema, from 1916 on, blacks have always portrayed blacks.

Devenish and Fugard thus broke with this conventional racial casting practice (or articulation) and challenged the way in which audiences « see » people. Devenish's retort to John Coetzee's criticism of Fugard as Boesman was : « I see a man : you see a black man »[35]. His message was clear : the racialism was in the eyes of the critic.

---

33. Quoted in S.R. GRAY : *Athol Fugard,* 1982, 138-9.
34. See D.W. Griffith's Zulu (1908), in which a white actor painted black, attacks with a bow and arrow a wagon drawn by a horse on a graded gravel road.
35. COETZEE, J.M. 1977 : « The White Man's Burden », *Speak* Vol. 1 N° 1, pp. 4-7 and « Ross Devenish Replies », 7-9.

The closest South Africa has come to a Spike Lee-type controversy was the initial hostility experienced by Richard Attenborough over ***Cry Freedom***. AZAPO, which followed in the tracks of Steve Biko's earlier Black Peoples Convention, questioned Attenborough's ability to interpret Biko on the basis of Donald Woods' books. One of Biko's associates, Peter Jones, claimed that Woods' book, *Asking for trouble*, is « more a romantic ego trip than it can ever be historically and politically precise ». Playwright, and Robben Islander, Strini Moodley, formerly Publicity Director of the then banned SA Students Organisation, like Jones refused to assist Attenborough because he feared an opportunistic exploitation of Biko's martyrdom, and because Woods, though a « nice guy », was also a very gullible liberal[36].

AZAPO's criticism, as with Winnie Mandela's disavowal of HBO's ***Mandela*** TV series[37], identify questions of « public » vs « private » ownership of creations about real people involved in collective struggles. Whoever benefits financially from exploitation of the identities of folk heroes like Mandela and Biko weaves into the South African Charterist concept of accountability. In terms of this ethic, the relationship of the film makers to the struggle in general, and beyond that, to the specific organisations to which these individuals are connected, becomes a question of popular scrutiny and legitimacy.

AZAPO's Publicity Secretary, Strini Moodley, recanted his reservations on whites making a film about Biko after seeing ***Cry Freedom***. In a prominently written review published in the *Natal Witness*[38], where he was then employed, Moodley writes :

> *« Before I saw the film I had many doubts about **Cry Freedom**. I was not sure that a book written by a man (Donald Woods) who knew Biko for only a short while, and a film director who knew precious little about South Africa,*

---

36. *Sunday Times* July 20, 1986, 3.

37. See « Winnie Fury : Stop my TV "love story" she orders lawyers », *Sunday Times*, September 20, 1981, 1.

38. ***Cry Freedom*** : a film about all of us, *Natal Witness*, July 30, 1988, 6.

could adequately recreate the atmosphere, mood and the philosophy that Steve Biko popularised, and the contribution he made to the struggle for freedom in this country. I was proved wrong on both counts. And I want to, publicly, apologise to Mr Richard Attenborough for being sceptical. »

Though effusive in his praise for Attenborough, Moodley's BC subjectivity could not resist the ideological claw-back comment that the film is « an indictment against those of us who have allowed the « white » disciple to tell his (Biko's) story when all of us — closely linked to the movement and Steve — have not yet been able to tell the story of the « black » guru ».

While ***Cry Freedom*** has been described as « racist » by some African-American film scholars because it privileges the Woods character[39], most black South Africans I met in the US during my sojourn there in 1989-1991 supported the film. They argued that the film was a strategic intervention on a hitherto unprecedented scale by a committed (if white) anti-apartheid director. ***Cry Freedom*** brought the horrors of apartheid, albeit from a liberal perspective through white eyes, to average politically disinterested filmgoers worldwide. The film would not have found finance had the Woods character not been dominant. The opportunity of mass-consciousness raising would have then been lost. Moodley himself states that :

« *What it remarkable about* ***Cry Freedom*** *is that it counterpoints the relationship between Biko and Woods with the stated ideals of Black Consciousness, which calls upon black people to rediscover themselves and to search for their freedom without having to define themselves in terms of white society.* »

This observation contrasts strongly with Moodley's earlier fear that Attenborough's script appeared set to exploit the « brief » and « superficial » relationship between Woods and Biko[40].

---

39. These accusations have occured in papers delivered by some African-Americans at US conferences I have attended, as well as in some US authored papers I have refered, but which have not yet been published.

40. *Sunday Times* July 20, 1986, 3.

Mapantsula (1988) is my third example. In the US ***Mapantsula*** is hailed as a « black » film. No less an authority than Spike Lee concluded on seeing ***Mapantsula*** : « It's about time a feature film presents South Africa from a black perspective. ***Mapantsula*** does that and more — it uses popular culture to make its anti-apartheid message acceptable to all »[41]. ***Mapantsula*** was, in fact, a collaboration between a white director, Oliver Schmitz, and a black actor/co-scriptwriter, Thomas Mogatlane.

Of ***Mapantsula's*** 50 person crew, only 13 were black ; none except Mogatlane were key technicians. What, then, makes this film « black » while a film on Malcolm X becomes unacceptably « white » if directed by equally talented white directors ? Why is a documentary on Winnie and Nelson Mandela (1986) by white Briton Peter Davis and produced by the National Black Programming Consortium (USA) acceptable ? Would Davis be similarly criticised by Lee if he were to make the Malcolm X film ? Why is ***Biko : Breaking the silence*** (1988), co-produced by a black and white collective, acceptable even though it rearticulated BC into a Charterist context ? The same questions must be asked for a variety of other films and videos made by whites and blacks on Nelson Mandela and his contribution to the struggle[42].

The best way to solve the mystery of categorising films is to distinguish the difference between films rooted *in* the struggle from those which are simply *about* struggle. In South Africa during the 1980s at least, instead of asking whether a film is « black » or « white », it became a question of whether a film was anti-apartheid or not. Charles Musser says Lee's ***Do the Right Thing*** can be justifiably criticised for its demeaning stereotypes of women, its absence of class analysis, and as a reflection of Spike Lee's own unproblematic embrace of black capitalism »[43]. Herein lies the clue to why ***Mapantsula*** looks like a « black » movie, when it is really

---

41. Quoted in ACHEBE, C. 1991 : Library of African Cinema. San Francisco : *California Newsreel*, 25. Also see *California Newsreel's catalogue.*

42. For more information on these, see my paper written with Bob BOSTER, « Media, Mandela, MTV and Apartheid », *Popular Music and Society*, 17 (2), 1993, 1-19.

43. *Cineaste* 1990, 17 (4).

an anti-apartheid film. ***Mapantsula*** questions not just black exploitation, but implicitly indicts the larger system of capitalism itself.

Directors — like Lee and most American feature film makers — who lack an understanding of class and its interrelationship with race, develop a cinema which cannot really strip bare the relationships of social power and its discourses. Neither are they able to reveal the structural causes of black exploitation in the United States. The strategies adopted by anti-apartheid (white and black) South Africans are quite different to those adopted by blacks in America. Films like ***My Country My Hat*** (1983)[44] and ***Mapantsula***, which shift viewers' identification between characters (whether white or black), are uniquely effective in alerting viewers to contradictions and different perceptions of the same events and processes.

White American directors like Norman Jewison and Sidney Lumet, who ceded their respective rights to direct the ***Malcolm X*** film to Lee, but who nevertheless were trashed by him, will interpret the man from the vantage of their own class and cultural positions within that society. These interpretations are no less valid than any provided by Lee, which will similarly be influenced by his own experience as a black middle class American born into a particular historical moment. This was the post-civil rights era, meaning that Lee never had the opportunity of participating in the massive black protest movements of the 1960s and '70s[45]. They are each speaking, and being spoken by their relative class, racial and cultural discourses. A film by Lee on ***Malcolm X*** will remain HIS interpretation, especially as he works as an individual director in terms of accepted production practices that characterise the American film industry as a whole. As Manning Marable observes of the film's marketing campaign, Malcolm would have been :

---

44. BENSUSAN, D. 1984 : « The production of Non Racial films in an Apartheid State », *The Saftta Journal*, 1985, 1-6.

45. MARABLE, M. 1993 : « Malcolm as messiah : cultural myths vs historical reality in Malcolm X », *Cineaste*, 19 (4), 9.

« the first to reject any notions that his legacy should be praised in a series of baseball caps, T-shirts and wall posters. The creation of charismatic cultural messiahs may be attractive to a middle class artist like Lee, but it represents a political perspective grounded in conspiratorial theories, social isolation, and theoretical confusion. If African-Americans conclude that only the genius of a messiah can elevate their masses of oppressed people to the level of activism, no social protest is possible »[46].

Lee often fails to see his own contradictory position. It's not solely a question of the director's race or his appropriating the messiah from other contexts, as Lee did with Nelson Mandela at the end of his film. Through the conceit of putting Malcolm's words into Mandela's mouth, rather than letting him speak his own ideas, Lee tries to rearticulate Mandela as the living embodiment of Malcolm X[47]. It's a question of how class overdetermines the admittedly dominant element of race. The textual strategies used by film makers to deal with these interacting determinations, in relation to class as well as racial (not forgetting gender) struggles, are entirely different in the progressive or « black » cinemas of the two societies. Lee locates Malcolm on safe, religious grounds rather than within the more perilous interaction of race and class struggle. The result, argues Marable, is an image of Malcolm as a « cultural icon », another myth distracting African-Americans from pressing problems.

« Blackness » as a state of mind, a way of seeing the world, of relating to and identifying with the oppressed, and of resolving problems, is not a condition in ***Malcolm X***. In fact, the style and conventions used in the film are little different from those that white Hollywood directors have applied in biographical movies. ***Malcolm X*** is a Hollywood film in characterisation, narrative and form.

Mapantsula can be considered a « black » film only in

---

46. MARABLE, 9.

47. LOCKE, J. 1993 : « Adapting the autobiography : the transformation of Malcolm X », *Cineaste*, 19 (4), p. 5. The mainstream American media similarly tried to rearticulate Mandela into the myth of Martin Luther King during his 1990 visit to the US. See TOMASELLI, R.E. and TOMASELLI, K.G. 1990 : « The Media and Mandela », *TransAfrica Forum*, 7 (2), 55-66.

this context of blackness as a state of mind rooted *in* struggle. It is a non-racial film in the South African context in that it is part of the anti-apartheid struggle. And, it could be argued to be a black film if the responses of black South African audiences are taken into account. ***Cry Freedom, A dry white season*** and ***My country my hat*** are also rooted *in* struggle, but intervene at different levels of the struggle, politically engaging not black delinquents as does ***Mapantsula***, but conventional cinema-going audiences.

Cry freedom and ***A dry white season*** do not necessarily encourage the building of black working class solidarity (as ***Mapantsula*** does), but rather try to awaken the consciences of white (First World) viewers to the fact that « they can do something ». So, those films speak mainly to whites who may or may not already have chosen to take sides in the struggle over apartheid. In both the US and South Africa, it may be that the nature and response of audiences is more important than the colour of the directors. Audience research conducted on ***Mapantsula*** in South Africa, for instance, shows that conservative white Afrikaans-speaking students have difficulty making sense of the film except through the frames of Spike Lee's films recently screened here, and with reference to ***Cry freedom*** and ***Mississipi burning***[48]. Black trade unionists, on the other hand, immediately connect with ***Mapantsula's*** themes, resulting in rousing responses[49]. Black students in Natal responded empathetically and felt empowered by the film, while middle class coloured and Asian students negotiated a certain distance from the film, depending on their class positions and ideology. They felt implicated in both the structures of oppression and the resulting conditions. Some white students understood the film, but became defensive at the portrayal of whites in it. Significantly, black peri-urban ANC-supporting lumpenproletarians near Durban responded that it was inconceivable to them that ***Mapantsula*** could have been made by a white director. The

48. BOTHA, M. and VAN ZSWEGAN, A. 1993 : « The Experience of a South African "Alternative" Film by White Communication and Film Students ». Conference Paper, World Communication Association, Pretoria.

49. SCHMITZ, O. and MOGATLANE, T. 1992 : *Mapantsula : Screenplay and Interview.* Cosaw, Johannesburg, 1992.

film was seen to be a mostly authentic, painful, portrayal of township conditions and recognisable characters[50].

Ultimately, the struggle over images and representations in cinema between different constituencies is not that one director has the key to a character just because both are black ; or that a white director or actor cannot convey black realities. One cannot say that the one situation is fundamentally « correct » and the other fundamentally « wrong » — that judgement depends on how the film relates to a particular struggle. Each will image their subjects in terms of their own subjectivities and gain their resonance and legitimacy in terms of political battles over who has the right to speak for whom, about whom and to whom.

It also depends on where audiences locate themselves with regard to the film's topic. Despite Lee's assertion that only blacks can make (« politically correct ») films imaging African-Americans, audiences often transgress this « principle » in that they come up with all manner of interpretations which may have nothing to do with the director's intentions (whether white or black) or academic « readings » of « film texts ». The real question is : in what way is a film empowering, to viewers of the oppressed, at least in terms of regaining dignity in a society that has stripped them of this. ***Mapantsula*** intercepted this dynamic in South Africa at a time when change was all but assured. Lee's films will find it much harder to cause change because such a political fissure has yet to fundamentally rupture American society. Whether black film makers can seize that future moment as did the makers of ***Mapantsula*** will depend on the nature of social struggles unfolding at that time in the US and the strategies adopted by film makers to engage in emergent social movements.

---

50. Centre for Cultural and Media Studies, University of Natal, May 1993. A self-selected was drawn from the English I class studying media prior to their being lectured on the film. The black unemployed ANC supporters of 14-25 years of age were interviewed at St Wendolin's in July 1993. Research conducted by Vukani Cele.

CONCLUSION

To conclude, the notion of « African cinema » has to be understood in terms of Mazrui's four definitions of « Africa », and each of these within the specific colonial histories of each film producing country. To date, very few other commentators have bothered to define Africa ; most have simply assumed that African equals « black ». « Black film » is something that may exist in the former metropolitan states where « migrant workers » like Ethiopian Haile Gerima are now working ; but in Africa « black » cannot be so easily theoretically reduced. No doubt, discussions on what is « African », the « African identity » and the diaspora will continue for a long time yet.

Keyan G. TOMASELLI
Director and Professor
Centre for Cultural and Media Studies
University of Natal, SOUTH AFRICA.

ACKNOWLEDGEMENTS

I am indebted to Hein Marais, James Zaffiro, Bheki Sibanda, Eric Louw Christ Pavsek and Arnold Shepperson for their in-depth discussion of aspects of the above paper.

OTHER REFERENCES

A. CABRAL, 1969 : *Revolution in Guinea.* New York : Monthly Review Press.
F. FANON, 1972 : *Black skins, white masks.* Hertz : Paladin.
F. FANON, 1965 : *A dying colonialism.* Grove Press.
E. HEES, 1993 : « Film in Africa and South Africa », *Critical Arts,* 7 (1/20, 127-146).

QUELQUES VUES THÉORIQUES SUR LE CINÉMA AFRICAIN : CULTURE, IDENTITÉ ET DIASPORA

Le cinéma africain inclut-il les films arabes, la production sud-africaine, les films de la diaspora noire ? Tout dépend de la définition que l'on donne de l'Afrique. Selon Mazrui, l'on peut se placer à différents points de vue, rendus complexes en raison de la variété des cultures et des divers processus de colonisation auxquels l'Afrique a été soumise.

Qu'est-ce donc alors que le cinéma africain ? De plus en plus les théories d'analyse développées dans d'autres contextes que le contexte africain sont rejetées. En effet, les grilles d'interprétation occidentales tiennent rarement compte du sentiment religieux, de la spiritualité si présents dans les cosmologies africaines. Cependant l'Afrique elle-même doit se redéfinir en tenant compte des nouvelles données politiques — la chute de l'apartheid et de l'Union soviétique et la montée démocratique — et proposer des grilles d'analyse.

A la lumière de ces réflexions, l'on peut se demander si un réalisateur blanc peut faire un film qui reflète l'expérience noire. Spike Lee a posé le problème à propos de la biographie de Malcolm X, film que seul un noir, à son avis, pouvait réaliser car seul un noir est habilité à parler de l'expérience des noirs. Cette question peut être posée dans le contexte sud-african où la plupart des films sur Nelson Mandela et Steve Biko ont été faits par des réalisateurs blancs ou des équipes multi-raciales, à l'exception du film sur Mandela réalisé par Lionel Ngakane, Sud-Africain noir en exil.

Il faut d'abord constater que la situation est différente dans les deux pays car le débat sur le lien entre race et classe très fort en Afrique du Sud n'est pas aussi évident aux États-Unis.

La position de Spike Lee s'est heurtée à de nombreuses critiques. Dans le cinéma sud-africain le problème se pose différemment. Ross Devenish et Athol Fugard, par exemple, ont été accusés de racisme pour avoir mis des comédiens blancs dans le rôle de métis. Autre exemple ***Cry Freedom*** de R. Attenborough considéré comme raciste par les critiques afro-américains parce qu'il privilégie le personnage blanc de Woods a été vu par les Sud-Africains comme l'intervention stratégique d'un réalisateur qui expose les horreurs de l'apartheid au public même si son point de vue est celui d'un blanc libéral. ***Mapantsula*** (Oliver Schmitz, Thomas Mogatlane) de son côté est vu comme un film noir, bien que réalisé par un blanc parce qu'il s'inscrit dans la dynamique de la lutte anti-apartheid.

Qu'est-ce qui fait qu'un film est un film noir ? Tout dépend de son degré d'engagement, de son enracinement dans le combat pour la reconquête d'une dignité.

La notion de cinéma africain est difficile à définir car les implications raciales, sociales, historiques derrière le terme africain sont complexes. Souvent africain est employé comme synonyme de noir ce qui peut prêter à confusion car trop réducteur.

LANGUAGE AND ELITISM

Afolabi ADESANYA

« Operator ! Operator ! » shouts someone in the jam-packed hall. His voice rising above Shina Peters juju chartbuster, « Ijo Shina », urging the operator (that is projectionist) to cut out the music, fade to black and fade in the picture for which he had earlier bought a N10 ticket for himself. And another at the same price for his girlfriend. He is increasingly becoming impatient, like many others in the oven of a cinema hall, due to the mounting anxiety that the film might not have arrived yet and the stuffiness of the hall. Each one of them is clutching, for possible refund, the other half of his/her ticket bought for either N7, N10, N15 or even N20 per head, depending on the source of the tickets. The box-office or the touts. Some are seated comfortably ; some not so comfortably along the aisle. Some are standing and leaning on the walls for support while others are far upfront at the foot of the screen. As if at the altar on New Year's eve to bid the old, out-going year « Goodbye and good riddance », and usher in the New Year with fervent prayer, buoyant hope and a new longing for a new lease of life, a new experience, a new delight.

Then someone whistles, « Operator o ». A reminder of their impatience. Another curses the sweltering heat (which has engendered obnoxious stench of body odours), the Operator, the filmmaker... just about everything... abstract or real. Why ? The film show is running thirty minutes behind schedule. He had had to fight his way right up to the box-office even though he had arrived at the theatre two hours before the advertised showing time for the first show (matinee) just to buy two tickets with little or no fuss at all. The long sneaky queue at the box-office took him by surprise upon arrival. Apparently, he is not the only star-struck fan of the movie's galaxy of stars — Fadeyi Oloro, Aluwe, Orisabunmi, Eda, I-Show Pepper, Agbako, Abija, Baba Wande, Peju Ogunmola, Yinka, Aji at all.

Then, the cacophony of catcalls, whistling, swearing and cursing all of a sudden ceases.

The music stops abruptly.

The light goes off instantly. « NEPA », cries someone. « Correct », responds another from across the hall.

As the leader counts down the seconds, a divine silence envelopes the hall, the worshippers of the celluloid gods and goddesses. Eyes focused on the silver screen anxiously waiting for the opening credits to roll. Ears straining for the soundtrack, heard on a cassette recorder, earlier at the box-office. Expecting to be transposed into the orbit of audiovisual, make-believe entertainment.

Flick, flick goes the projector shuttle as the shots, frame by frame open up the vista of the story scene by scene, act by act. In harmonious sync with the soundtrack. The sum total of a movie experience. Cracking up, moaning, crying, pointing and kicking, sighing, murmuring and whispering, all in unison in a make-believe plane of existence.

The feature film is an indigenous Nigerian picture shot on location in the western part of Nigeria, with its dialogue and music in Yoruba. Its costumes and acting reflecting vintage Yoruba culture and theatre. The location, a panoramic Yoruba village vista. Since Ola Balogun's ***Ajani Ogun*** (1975), indigenous Nigerian feature film is defined by the word : « Yoruba », even though there are Igbo and Hausa feature films. So, why ? Yoruba is not the only language native to Nigeria. Neither is it the lingua franca. English is. Indeed, the first two pioneer feature films, ***Kongi's Harvest*** and ***Bullfrog in the sun***, produced by Francis Oladele, are in English.

The English language cuts across all Nigerian tribal/mother tongue barriers amongst the elite in government, business, education, sports, religion, etc. And Pidgin English, the common man's language, is common to all : the elite, the working class, the educated, the illiterate, the poor, the rich in all fields of endeavour. To the extent that the Nigerian « English » theatre has engendered Wole Soyinka, J.P. Clark, Wale Ogunyemi, Dapo Adelugba, Ola Rotimi, Femi Osofisan, Bode Sowande and a host of others. And such film/television stars as Wole Soyinka, Wale Ogunyemi, Rasheed Onikoyi, Akin Fasuyi, Olu Jacobs, Taiwo Ajai-Lycett, Ihria Enakhimo, Wole Amele, Sam Loco, Barbara Soky, Richard Mofe-Damijo, Clarion Chukwurah, Lari Williams, Enebeli Elebuwa, Solomon Ayagere, Jab Adu, Bukky Ajala, Elsie Olusola, Comish Ekiye, Albert Egbe, etc. All this and more with the benefit of talent polished at drama schools certified with diplomas and degrees at home and abroad.

Without the benefits of academic training and certificates, the Yoruba performing arts can still match its « English » counterpart icon for icon, star for star ; and even do better : surpass it at the box-office. But why ? Its hall of fame honour's roll call is just as impressive : Hubert Ogunde, Duro Ladipo, Kola Ogunmola, Oyin Adejobi, Folake Alliu (alias Orisabunmi), Sunday Omobolanle (Aluwe), Adebayo Salami (Bello), Ade-Love, Abiodun Ladipo (Oya), Isola Ogunsola, Lere Paimo (Eda), Aji, Ogunbe, Odunsi, Jimoh Alliu, Fadeyi Oloro, Iyabo Ogunsola (Efunsetan) Peju Ogunmola, Moses Olaiya Adejumo (Baba Sala), Charles Olumo, Karimu Adepoju (Baba Wande), etc.

Just why ? The truth is that the most pervasive medium of expression, the dominant and influential trends in the Nigerian show-biz gamut is « Yoruba ». In music, it is either juju, afro-juju or fuji. On stage or screen it is either « aiye » (witchcraft personified by Ogunde), awada (Baba Sala, Awada Kerikeri, etc.) or period plays. The box-office returns is a testimony to this.

In spite of this obvious track record, however, art critics/scholars and some graduate theatre practitioners have nothing but contempt for any stage play, film or television programme tagged « Yoruba ». Ostensibly because the technical quality of their productions is more often than not poor, and garrulous. The truth, however, is a visceral dis-association from the tribe in the name of a federal image. This is understandable. English is the common language that unites us all as Nigerians. Socially and politically. A stage play, tele-movies or feature film in English has the latitude for federal characterisation, dramaturgy and scenery (quota system acting and costuming). It is therefore above suspicion. Above tribal or ethnic denunciation.

However, culturally, the English or French language is elitist and incompatible with our idioms and nuances of entertainment. Art (visual or performing) is tribal. It has to have its roots in the motifs, traditions and heritage of a tribe for it to be culturally relevant and acceptable. What endows an artform or movement (for example : « Aka or Osogbo ») with its distinctive élan, aura, its evocative pathos, is its *orisun* (Yoruba for « source » or « spring »). It is this *orisun* that gives it a unique identity, a place of origin, a people and above all, CULTURE. Culture is as synonymous to art as it is to virus in medical science. For a virus to be properly identified, diagnosed and treated it has to be cultured. Our inability to acculturalise the English or French language explains the failure of the African Anglo/Francophone theatre. What has happened is that while the African elite is acculturated, the masses (petty traders, taxi drivers, mechanics, cobblers, porters, vendors, etc.) remain steeped in our cultural heritage.

This lack of cultural relevance is, precisely, one of the two major factors responsible for the undynamic growth of the African « English » or « French » performing arts. The English or French language, as a national medium of communication, is a colonial convenience retained for the semblance of national language. But actually, « official language ». Not the élan of our cultural existence. It is a collective superficiality which has no cultural essence for the grassroot African. The other factor being lack of patronage by the assimilated elite. In the 70s, of the total 16 feature films made/released in Nigeria, « English » feature films numbered ten, Yoruba — 3, Hausa — 2 and Igbo — 1. The last decade (that is the 80s) witnessed a phenomenal growth in the local production of films yielding a total of forty-seven (47) feature films of which Yoruba features (excluding reversals and video) accounted for thirty-two (32) « English » features inched up three notches with a total of thirteen ; Hausa features remained constant at two, and Igbo nil (see chart). Whatever the elite (that is yuppies — surrogate of the last upper class) have in terms of opulence, influence and hauteur, they lack in « culture ». It is visibly one group that is culturally marginalised to the extent that it has no cultural roots either on its own native soil or off-shore. While it is true that a cross-section of this group grace Command Performances, it is equally true that it is never star-struck to the extent that its members will want to queue up to buy tickets at the box-office to watch the stars. Stars that are not of the same socio-economic and political class as themselves ? What condescension ! Forget it. Their stars, gods and goddesses are to be found at such highbrow theatres as the NIIA, Metropolitan Club, Island Club, Tennis Club, Recreation Club, Polo Club, chartered institutes, boardrooms, chambers of commerce and industry, special galas and dinners at five star hotels at thousands of Naira per head. Their stars, gods and goddesses are the captains and barons of commerce and industry who have, and exude money, clout and haute couture. Not the vaudeville artistes of the stage/screen, whose « English » is accentuated anyway.

The cultural askance, and resultant limbo, of the elite has reduced the « English/French » theatre practitioners to more interpreters of educational texts for students ; while their real patrons and audience remain the corps of Euro-American diplomats and staff of the cultural institutes.

If the above pathetic scenario is indeed true of the Nigerian « English » theatre/cinema, how come the local television has been having a high turnover of « successful and popular » English language programmes ?

The programmes are « successful » (media hype) because they are sponsored by corporate bodies who bank-roll the productions and buy air-time for transmission. Being sponsored, the producers have no any financial obligation to their sponsors as the onus is not on either party to recoup the investment. And « popular » because the televiewer is obliged to sit in the warmth, comfort and security of his home (at no cost, thanks to the sponsors) and watch in between meals or snacks, and other distractions. The much taunted success and popularity of television programmes are therefore a product of community service by corporate bodies, actually seeking prime time advert slots for their products and/or services. They are not predicated on real, box-office earnings.

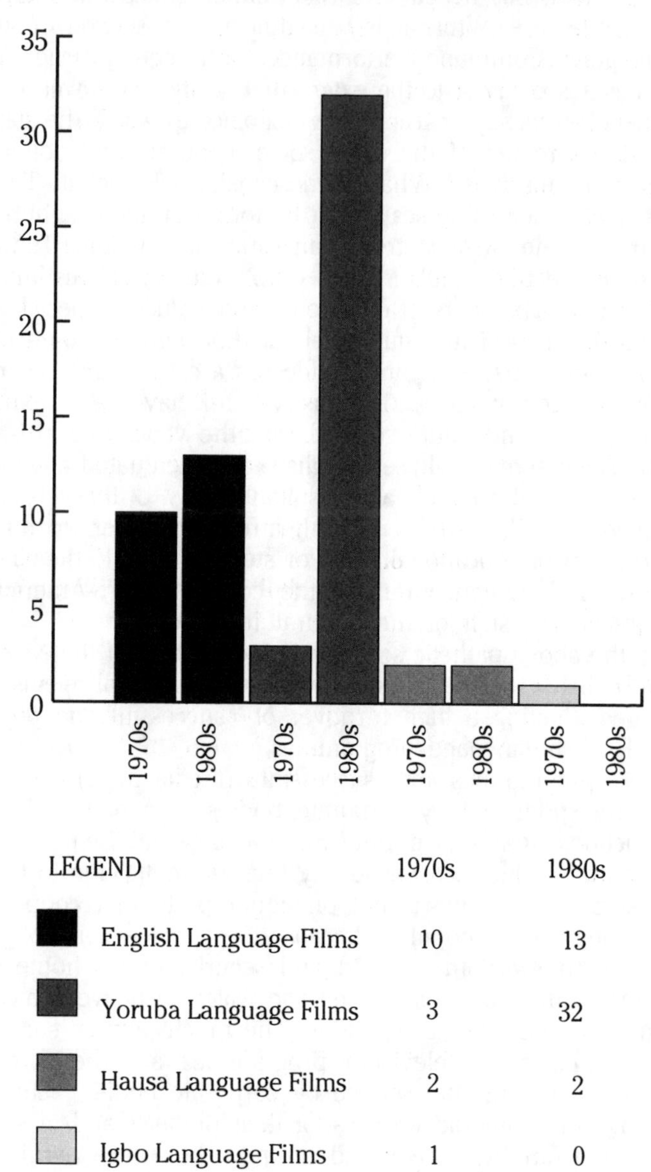
CHART BY : A - PRODUCTION NIG. LTD.
35
30
25
20
15
10
5
0
1970s
1980s
1970s
1980s
1970s
1980s
1970s
1980s
LEGEND
1970s
1980s
English Language Films
10
13
Yoruba Language Films
3
32
Hausa Language Films
2
2
Igbo Language Films
1
0

These explains why stars of such Nigerian television network programmes as ***Village Headmaster, Masquerade, Mirror in the sun, Ripples, Behind the clouds, Samanja, Checmate***, etc., cannot translate their « success » and « popularity » into ringing cash registers at the box-office. They are successful and popular stars, artistically ; at no cost or inconvenience to their fans, better still televiewers. They really are pulp stars.

For the stars of Yoruba television programmes, however, their success and popularity on the tube are for real at the box-office : their films and stage plays are the top-billings and grossers. Their fans are insatiable, they want more (and more of their stars) and are willing to pay the price, at the box-office rate or the tout's cut-throat rate, per head for their entertainment pastime. This is the crux of the matter : paying for entertainment. While the aficionados of the Yoruba show-biz are enthusiastic to pay, sacrifice personal comfort and safety to be entertained, the elite are not so selflessly disposed towards entertainment. The latter is culturally unaffiliated and obsessed with the art of making (more) money, acquiring (more) properties and economic-political powers. It is not interested in the dynamism of its cultural heritage which, often, it equates with « juju », illiteracy and backwardness !

The irony of the situation is that while the « English »/« French » performing arts remain moribund, the success and popularity of its indigenous, particularly Yoruba counterpart, is self-consuming. Moreso where in the same breath, you are both a television and movie star.

Afolabi ADESANYA

Filmmaker and author of the Nigerian Film/Television Index.

LANGUE ET ÉLITISME

Au Nigeria, l'anglais, langue de l'élite, est sous sa forme créolisée de pidgin English la langue commune à tous. Il peut donc sembler étonnant que malgré son rayonnement l'anglais ne soit pas la langue du théâtre et du cinéma à succès.

Depuis ***Ajani-Ogun*** d'Ola Balogun (1975), le cinéma yoruba fait recette au box office même si les critiques et universitaires qui l'étudient ont tendance à le dénigrer sans doute en raison de sa médiocrité technique et aussi parce que, sur le plan de la fédération, il n'a pas l'avantage d'offrir la même latitude sociale et politique que le théâtre ou le cinéma en anglais.

Il faut pourtant reconnaître que l'art a besoin de s'enraciner dans les traditions. L'anglais, à ce titre, est culturellement non pertinent au Nigeria et n'a qu'un usage superficiel qui lui donne l'apparence de langue nationale.

La production de films en langues vernaculaires (yoruba, hausa et igbo) s'est beaucoup développée au Nigeria avec un net avantage pour le yoruba en raison de la qualité et du talent reconnu des artistes yorubas. Cet avantage est confirmé à la télévision, tandis que cinéma et théâtre en anglais sont moribonds et que le succès des productions télévisuelles en anglais ne tient qu'au fait qu'elles sont diffusées en prime time grâce à la « générosité » des sponsors.

SÉMIOTIQUE DU CINÉMA D'OUSMANE SEMBÈNE

Frederick Ivor CASE

Le monde cinématographique d'Ousmane Sembène est parsemé de signes qu'il faut savoir déchiffrer pour arriver à une compréhension cohérente de ses divers messages. Mais les signes sont aussi divers et aussi dynamiques que la pensée véhiculée par les dialogues, la musique et les images de l'œuvre de Sembène. La sémiotique cinématographique de Sembène est également un dialogue établi entre le cinéaste et les participants à ses films. Nous disons « participants » parce que les films de Sembène exigent de l'assistance une volonté et une capacité actives et créatrices. En tant qu'œuvre le film n'existe pas s'il n'est pas projeté devant des gens qui éprouvent une réaction quelconque.

Dans ce modeste travail, nous nous concentrons sur l'agencement du signe ainsi que la fabrication et la manipulation de certains éléments contextuels qui transmettent des paliers divers de signification.

Le film ***Borom Sarret*** (1963) s'ouvre sur les images d'une mosquée et les paroles de l'appel à la prière. L'action du film commence par une scène où, au premier plan, il y a un homme en prière. A l'arrière-plan une femme pile quelque chose dans un mortier. L'homme — Borom Sarret — quitte la concession après avoir reçu de sa femme quelques noix de kola. Pendant sa journée nous le suivons à travers diverses expériences et divers quartiers de Dakar où il tente de gagner de quoi nourrir sa famille. Les dernières scènes du film se déroulent dans la concession du début mais cette fois-ci l'homme est sans sa charrette. Il rentre bredouille et c'est l'épouse qui lui confie leur enfant et quitte la concession pour chercher leur repas. C'est ainsi que le film se termine sur le potentiel de l'épouse et la possibilité qu'elle accomplisse ce dont le mari s'est montré incapable.

Le matin, quand il quitte sa concession c'est Borom Sarret qui est chargé de responsabilités et de potentiel. Son cheval est le symbole de la force et la charrette représente la transition d'un monde à l'autre, d'un état donné de conscience à une conscience plus approfondie. Il transporte d'autres personnes mais n'en tire aucun profit financier ou spirituel. Dans tous les sens il rentre plus appauvri et sans avoir atteint une conscience plus approfondie de sa condition. C'est l'épouse, celle qui n'est porteuse d'aucun symbole de transition qui prend la relève à la fin du film.

C'est ainsi que la signification qu'on accorde au système des signes est complétement anéantie par l'incohérence sémiologique du monde à travers lequel le protagoniste a passé sa journée. Cette incohérence sémiologique caractérise également le film ***Mandabi*** (1968) dans lequel Ibrahima Dieng ne possède aucun des signes légaux qui lui accorderaient une existence administrative. L'imam et les voisins confèrent à Dieng et ses épouses des qualités sociales voire morales en fonction de l'argent que Dieng est censé avoir.

Mais Dieng est sans argent et sans pièce d'identité et à la fin du film il commence à sombrer dans le désespoir. Les repères qui l'entourent dans sa famille, sa concession et son quartier ne le soutiennent pas dans son évolution dans la collectivité étatique qui menace de l'anéantir.

Borom Sarret passe sa journée dans un monde qui lui est familier, il sait où il peut aller et où il ne doit jamais se hasarder avec sa charrette. Il obéit aux feux de la circulation et lui-même passe presqu'inaperçu par les autres habitants de Dakar.

La mosquée et les paroles de l'appel à la prière au tout début de ***Borom Sarret*** sont des signes sans ambiguïté qui se répercutent dans la concession où Borom Sarret est en prière. Ces prières du début du film appellent la protection divine sur toutes les activités humaines de la journée. Tout comme la prière est la nourriture divine, ce que pile la femme dans le mortier ainsi que les kolas qu'elle donne au charretier sont la nourriture du corps.

Mais cela ne veut pas dire que la femme est privée d'un sens de la spiritualité. Le pilon et le mortier sont des symboles de ce qu'il y a de plus fondamental dans la vie humaine. Sans nourriture il n'y a pas de vie. De plus, si l'on considère les caractéristiques phallique du pilon et matricielle du mortier on arrive à saisir les dimensions esthétiques de ces signes. La puissance vitale des humains s'avère menacée tout au cours du film et il est fort significatif que c'est la femme, à l'arrière-plan, qui ne fait pas les prières prescrites par la religion musulmane qui en devient la gardienne. Soulignons le fait que quand elle donne à son mari des noix de kola elle énonce le souhait que Dieu l'accompagne et lui rappelle qu'ils n'ont plus rien à manger à la maison. La bénédiction de l'épouse est renforcée par les noix de kola qui sont, par excellence, les signes de souhaits positifs et de confiance. Mais les kolas, tout comme les gris-gris, dont Borom Sarret se revêt après la prière, sont des éléments de la spiritualité africaine et introduisent dès le début du film une problématique sémiotique des plus significatives.

Dans la plupart des films de Sembène il y a une dualité sémiotique qu'il faut bien identifier pour arriver à une définition de ses procédés esthétiques. Il ne s'agit pas du syncrétisme qui implique l'intégration d'une façon de faire ou de penser dans un autre ensemble de pratiques et de pensée bien établi. Pourtant ce que Sembène nous révèle au début de ***Borom Sarret*** c'est la cohabitation de deux systèmes, islamique et africain, qui se côtoient et se tolèrent l'un l'autre sans s'intégrer dans une structure sémiotique cohérente, acceptée et acceptable.

Nous abordons donc ce qu'Abdelkebir Khatibi dans *La Blessure du Nom propre*[1] appelle l'intersémiologie des signes :

> *« D'un système sémiotique à un autre : quelque chose comme l'intersémiotique existe-t-il ? Et plus précisément pour nous cette question : A quel moment le savoir est happé par un texte, une écriture ? »*

---

1. Abdelkebir KHATIBI, *La Blessure du Nom propre*, Paris, Denoël, 1974.

Voilà encore une différenciation à faire entre les signes islamiques véhiculés par le charretier et ceux d'origine africaine véhiculés par son épouse. L'appel à la prière qu'on entend au tout début a ses origines dans l'oralité de l'Africain Bilal qui l'a composé mais il a été consacré par sa codification en écriture. De même les paroles qui accompagnent chaque *rekat* sont aussi codifiées par l'écriture et par un ensemble de dogmes. Le pilon, le mortier et tout ce que ces objets comportent comme signifiant[2] aussi bien que les noix de kola existent dans l'imaginaire africain et ne sont codifiés ni par l'écriture ni par un ensemble de dogmes.

A la fin de sa prière le charretier, toujours agenouillé, met ses nombreux gris-gris tout en invoquant l'aide de Dieu pour sa journée. Il s'agit d'une déclaration tout à fait évidente. Les rites africain et islamique ont tous les deux leur rôle important à jouer à cette heure matinale et propice de la journée. Les signes se complètent dans le contexte totalisant de la vie du charretier.

Les deux approches sémiotiques sont divergentes sans être contradictoires. Elles cœxistent dans l'intellect de l'individu qui ne vit pas dans un état de schizophrénie mais qui se voit obligé de se faufiler à travers les deux systèmes de signes pour bien arriver à l'équilibre ontologique qu'il faut afin de pouvoir s'épanouir.

Il est fort significatif qu'Ousmane Sembène exploite les registres musicaux africain et européen pour souligner les dimensions conflictuelles du parcours du charretier. La musique de la kora accompagne le charretier à travers les quartiers africains de Dakar. Dès que Borom Sarret pénètre dans le quartier du Plateau, dominé par la cathédrale catholique et traversé par de larges avenues bordées de villas et d'immeubles, c'est la musique symphonique européenne que nous entendons. Comme on ne permet pas aux charrettes de circuler dans ce quartier, celle de notre protagoniste est confisquée par la police. La mélodie du grand chant latin *Ave*

2. Dans le film ***Xala*** la nouvelle belle-mère d'El Hadji Abdou Kader Bèye l'encourage à enjamber le mortier avant de coucher avec sa nouvelle et troisième épouse. Il refuse et plus tard la belle-mère cite ce manque de conscience culturelle comme explication de l'impuissance sexuelle qui frappe El Hadji.

verum corpus... accompagne les pas du charretier jusqu'à ce qu'il s'approche de la grande mosquée de Dakar. En se dirigeant vers les quartiers populaires Borom Sarret, désespéré par l'échec de sa journée, se dit qu'il ne lui reste qu'à mourir. Il est évident que c'était avec une certaine difficulté qu'on a réussi à synchroniser ces paroles avec la partie de la mélodie qui accompagne le verset suivant du chant latin :

> Esto nobis praegustatum in mortis examine.
> *Soyez pour nous, à l'heure décisive de la mort, cette nourriture dont la saveur annonce le ciel*[3].

Ce chant liturgique latin qui évoque la mort rappelle les paroles du griot qui célébrait les ancêtres du charretier. Les morts qui sont ainsi chantés et loués n'apportent aucun secours à leur descendant. En effet, Borom Sarret donne au griot le peu d'argent qu'il a gagné pour nourrir sa famille.

De même, dans le film ***Ceddo*** le discours musical nous accompagne à travers les divers thèmes. La musique afro-américaine nous annonce et commente la traite vers les Amériques ; la musique du griot ponctue le drame de la princesse Yacine Dior et de celui qui la séquestre dans les étendues quasi-désertiques. Les autres musiques sont celle de la kora et les interventions du crieur public qui bat son tam-tam. Dans une séquence tout à fait ironique où le missionnaire blanc rêve d'une moisson fantastique de fidèles africains c'est la musique africanisée de l'Église catholique qui nous souligne la diversité sémiotique du film. La musique ne sert ni à distraire ni à divertir elle est une des composantes essentielles d'un discours véhiculé par un ensemble de signes polysémiques. Ces divers codes musicaux sont des repères qui établissent une sémiotique subtile mais bien déchiffrable. La richesse de ***Ceddo*** réside dans la perfection esthétique des diverses formes employées pour produire un discours cohérent sur la dignité humaine.

C'est surtout dans le film ***Ceddo*** que Sembène pose la

---

3. *Missel Vespéral Romain*, présenté, traduit et commenté par Dom Gaspar Lefèbvre et al., Bruges et Paris, Apostolat Liturgique et Société Liturgique, 1956, pp. 1747-1748.

question de la dignité humaine des Africains bafouée par d'autres Africains. Il nous présente deux forces majeures, celle de la spiritualité africaine et celle de l'islam, comme éléments ontologiques fondamentalement contradictoires. Parce que la sémiologie marque et définit tout système ontologique, ***Ceddo*** révèle — sans ambiguïté — les divergences et incompatibilités sémiotiques qui ont caractérisé la conquête musulmane.

Ceddo est une œuvre complexe qui se compose de quatre thèmes principaux :

- la conquête islamique ;
- le drame des ceddo ;
- la responsabilité africaine pour la traite vers les Amériques ;
- la présence du commerçant et du prêtre européen.

Chacun de ces grands thèmes véhicule des signes caractéristiques.

Au début du film le jeune *ceddo* qui a enlevé la princesse Yacine Dior étale sur le sol une corde qui établit les limites de l'espace occupé par sa captive. Cet espace délimité annonce toutes les autres limites qui seront définies à travers le film. Chacun des thèmes principaux occupe un espace topographique, ontologique et sémiotique dans le film. Le roi converti à l'islam se retrouve entre les *ceddo* qui refusent la conversion et l'imam et ses disciples. Quand Diogo, porte-parole des *ceddo* s'adresse au roi il lui dit qu'aucune religion ne vaut la vie d'une personne. Ces paroles provoquent une réponse immédiate de la part de l'imam et de ses disciples qui prononcent des formules islamiques bien établies pour implorer le pardon divin et effacer le blasphème. L'imam ne se sépare jamais de son chapelet qu'il égrène continuellement et dans la scène évoquée ci-dessus le samp — genre de récade portée dans les cérémonies — qui confère le droit à la parole libre et démocratique fait contraste avec le chapelet, lieu sacré de formules codifiées qui représentent l'asservissement de la population.

Le *jihad* initié par l'imam est une tentative de balayer toutes les manifestations de la spiritualité et de pouvoirs africains. La conversion massive des *ceddo* est corollaire de la traite tolérée par l'ancien royaume. La conversion collective s'opère par l'imposition d'un nom propre arabe (musulman) à chacun des *ceddo* qui doit répéter ce nom étranger et usurpateur d'identité. Le nom propre africain, porteur d'une polysémie culturelle significative, est évacué ce qui ouvre le chemin de l'acculturation rapide de la population. Il s'agit d'un degré d'aliénation qui déstabilise et l'être et son contexte.

Dans ce même contexte il est intéressant de noter que dans ***Mandabi*** le nom bien musulman et africain que porte le protagoniste ne lui confère pas de statut légal. La polysémie et versatilité du nom n'existent plus parce que l'écart ontologique qui sépare l'être de son nom est trop grand. Khatibi a écrit :

> *« Jamais aucun alibi ne pourra fixer la recherche de l'identité (ici le nom propre) à une simple mise en miroir de son moi et de son théâtre intime... » (Khatibi : 14).*

C'est que le visage d'Ibrahima Dieng ne se reflète pas dans le miroir administratif et ses vicissitudes en ville servent à souligner son inexistence ontologique.

Dans ***Borom Sarret*** le protagoniste n'a pas de nom propre et son identité est établie uniquement en fonction de son travail de charretier. Comme nous le savons il perd sa charrette, son miroir est brisé et le film se termine au moment où il sera obligé de se reconstituer une nouvelle identité.

Les protagonistes respectifs de ***Mandabi*** et de ***Borom Sarret*** évoluent dans un monde qui leur permet la mobilité sans leur accorder la dignité humaine. La répression d'une population s'opère toujours à un niveau fondamental des droits humains et dans ***Ceddo*** l'imam, usurpateur du trône, se rend compte du fait que le droit fondamental à la parole est celui qui menace le plus son pouvoir.

Il est significatif que pendant la nuit des massacres où l'imam saisit le trône, celui-ci jette la récade dans le feu. De cette façon il élimine par le feu destructeur l'instrument rituel qui représente un des droits les plus fondamentaux. Les *ceddo* ont toujours souffert de leur condition de caste inférieure mais ils avaient pourtant eu droit à la parole et à leurs propres récoltes. L'islam leur enlève la voix et leur impose une voie déjà tracée qui les prive de tous leurs droits ancestraux. L'islam essaie de plaquer sur les réalités africaines un signifiant ontologique qui ne pénètre pas du tout dans le cerveau des *ceddo* récalcitrants. Le *jihad* a été entrepris par des combattants pour l'islam mais le chapitre final reste entre les mains des guerriers — les *ceddo* — qui combattent pour la dignité humaine.

Le retour de la princesse bouleverse l'ordre des choses et révèle la fragilité des systèmes sémiotiques qui ne relèvent pas d'un fond ontologique populaire. Asservis par l'imam et ses disciples, les *ceddo* gardent le silence mais passent à l'action pendant que l'imam est tué par la princesse Yacine Dior. Le film se termine sur la scène de cette jeune femme qui sort du cercle d'hommes et se dirige vers un avenir qu'on ne nous révèle pas.

Borom Sarret et ***Ceddo*** se terminent sur l'image d'une femme qui est appelée à effectuer un changement fondamental dans l'ordre des choses.

Les trois films que nous avons analysés dans ce travail nous révèlent la revalorisation de plusieurs sèmes et soulignent surtout l'instabilité des signes qui ont fonctionné en tant que repères dans les contextes ontologique, esthétique et social. Cette revalorisation est aussi la constatation d'un échec majeur des institutions gardiennes et propagatrices de sèmes. La revalorisation est parfois voulue et parfois elle n'est que la révélation de l'effritement de structures ancestrales qui ont perdu tout pouvoir moral. Tel est le cas dans le film ***Tauw*** où Sembène se lance encore une fois contre le pouvoir arbitraire et destructeur d'hommes aussi vides qu'une outre crevée mais qui ne cessent de se pavaner et de beugler dans leur impuissance. Le signe véritablement transformateur et polysémique qui se promène à travers le cinéma de Sembène paraît sous la forme des femmes dont l'énergie, l'intellect et le savoir n'ont pas encore atteint leur plein épanouissement. C'est surtout cette révolte et révolution qu'annonce le cinéma de Sembène à travers le tissage esthétique d'une belle œuvre qui ne cesse pas de déranger, d'éduquer et de produire de nouvelles dimensions polysémiques pour chaque signe et chaque sème exploités.

Frederick Ivor CASE

New College — Université de Toronto.

SEMIOTICS OF OUSMANE SEMBÈNE'S FILMS

Sembène's film-world is full of signs which have to be deciphered if the message is to be understood. The dialogue he establishes with his film audience makes the reading of his system of signs even more complex.

In most of his films there is a dual system of non contradictory signs. The protagonists of ***Borom Sarret*** and ***Mandabi***, for example, find their ways between two sytems of signs. Borom Sarret belongs both to the Islamic world and to the traditional world. Dieng, in ***Mandabi*** navigates between the traditional islamic world and the administrative world where he does not exist.

The analysis of ***Borom Sarret, Mandabi*** and ***Ceddo*** reveals the instability of the signs which normally function as references in the aesthetic, social, ontological context. It also reveals the revalorization of certain sememes and signs, particularly those connected to women in Sembène's films whose energy, intelligence and knowledge have not yet reached their full development but who are the symbols of a revolution to come.

II

Perceptions du cinéma africain

Appreciations of African cinema

RECIDAK

3e RENCONTRES CINEMATOGRAPHIQUES DE DAKAR

92

DECENNIE
DU CINEMA
SENEGALAIS

Colloque :

PROBLEMATIQUE
DES STRUCTURES

21 au 27 mai 1992 – Salons Keur Damel – Hôtel TERANGA

PROJECTIONS DE FILMS

C. C. A.
CONSORTIUM DE COMMUNICATIONS AUDIOVISUELLES EN AFRIQUE

DE L'ORIENTATION DE LA CRITIQUE DU CINÉMA AFRICAIN

Clément TAPSOBA

Le cinéma africain est le plus jeune dans l'histoire du cinéma mondial. Né il y a seulement une trentaine d'années, le cinéma africain avait un double défi à relever. Le premier consistait à restituer l'image dénaturée des noirs à travers les images faites sur eux par le colonisateur dans le but de servir ses desseins hégémoniques et d'acculturation. L'autre défi consistait pour le cinéma africain à sensibiliser, à éduquer les populations.

La fonction sociale et politique du cinéma s'est donc imposée au cinéma africain dans un contexte historique. Et nous pouvons constater comment cette fonction animait fortement les premiers films des pionniers de notre cinéma, comme ceux de Sembène Ousmane.

L'accélération récente des mutations sociales, culturelles, politiques et économiques en Afrique accentue aujourd'hui davantage cette fonction du cinéma africain.

1 — LA FONCTION DE LA CRITIQUE

Le statut de la critique est complexe lorsqu'il s'agit de le définir. On peut considérer la critique comme une activité de réflexion dont l'objet est la création artistique. On peut également la considérer comme une science dont l'objet est d'expliquer le produit créé et sa diffusion.

Il n'est pas dans mon intention d'ouvrir une polémique sur la question. Nous nous contenterons d'admettre que la « critique est à la fois un art et une science applicable à l'œuvre d'art cinématographique ».

Si l'on convient que chaque société a ses normes d'appréciation, si l'on convient en outre qu'en Afrique, l'œuvre d'art est un langage, qu'il exprime l'homme et tous les aspects de la vie, on peut dire que la spécificité de la fonction reconnue au cinéma noir et au cinéma africain en particulier détermine celle de l'orientation de la critique cinématographique des films en Afrique.

Toute critique en Afrique devrait d'abord l'être vis-à-vis du peuple, qu'elle informe, guide, éclaire, et dont elle reçoit en retour des informations et des expériences nécessaires au créateur. Il s'agit pour la critique de révéler au public non seulement les profondeurs des signifiants, mais de trouver les techniques les plus appropriées au développement des signifiants.

Pour nous résumer, l'œuvre d'art cinématographique noire et africaine en particulier ne saurait être simplement perçue comme une forme d'expression du beau. Cette forme d'expression du beau de l'œuvre d'art intéresse, selon moi, la critique dogmatique qui est le lieu commun de la critique occidentale. L'œuvre d'art cinématographique africaine doit être considérée à la fois comme un langage et un condensé de manifestations de l'intelligence et de l'activité humaine.

2 — DE L'EXISTENCE OU NON DE LA CRITIQUE AFRICAINE (Quelles pratiques dans les médias ?)

Ainsi définie peut-on dire qu'il existe une critique cinématographique africaine lorsqu'on se réfère à la pratique de la critique dans les médias africains ? Durant ces trente dernières années le régime de parti unique qui a caractérisé l'évolution de la plupart des États africains n'a pas permis la liberté d'expression nécessaire à l'analyse critique des œuvres cinématographiques produites durant cette période par certains cinéastes qui avaient le courage de traiter de thèmes socio-politiques dérangeants.

Paulin Soumanou Vieyra, le pionnier de la critique africaine notait que dans beaucoup de pays d'Afrique la critique a été trop souvent d'une « objectivité gouvernementale » parce que la plupart des journalistes vivaient de l'État ou lui étaient soumis par l'intermédiaire de leur organe de presse qui se trouvait sous tutelle avec la menace constante de la censure. Ainsi la critique, même si elle porte sur les thèmes du film, classait celui-ci dans la catégorie des films bons ou mauvais selon que ces films rentraient ou non dans la ligne politique du régime. Depuis ces trois dernières années les choses sont en train de changer avec l'éclosion d'une presse privée (radio, presse écrite), conséquence de l'ouverture démocratique amorcée dans la plupart des États africains.

Toutefois la situation de l'industrie du cinéma en Afrique pose en elle-même des obstacles à l'exercice d'une véritable critique africaine. L'obstacle majeur est l'insuffisance des productions cinématographiques. Pour critiquer il faut avoir matière à critiquer.

En dépit d'une évolution remarquable de la situation, la production de films demeure encore une question à résoudre dans la plupart des pays d'Afrique. Mis à part les cas exceptionnels du Burkina Faso, du Sénégal ou du Mali, la production cinématographique est inexistante ou simplement naissante.

Un autre obstacle est l'absence de structure de distribution et d'exploitation des films. Le cinéma reste toujours un fait citadin avec des écrans dominés par des films étrangers dont l'éthique se situe à l'opposé de la fonction de sensibilisation et d'éducation de beaucoup de films africains.

Les films africains sont de fait absents de leurs propres écrans et rencontrent rarement le public africain, leur véritable destinataire. Enfin, il faut souligner le manque de formation des journalistes africains à la critique cinématographique. Ceux-ci ignorent parfois tout de la technique et de la culture cinématographique. Tous ces obstacles expliquent pourquoi dans les organes qui accordent une place à la critique, celle-ci se résume à sa plus simple expression. La pratique la plus aisée consiste à publier les résumés des films proposés par les distributeurs voire à reprendre les critiques publiées dans les journaux étrangers. La critique se transforme ainsi en publicité et en propagande.

A la radio (le médium le plus populaire en Afrique) ou à la télévision, la pratique commune est la diffusion d'extraits sonores ou d'extraits de films. Dans les rares occasions où un film nouvellement produit fait l'événement national il est organisé des tables rondes autour de l'auteur et de ses comédiens. On le voit, la critique africaine reste à faire. Afin de favoriser l'émergence et la permanence de la critique dans les médias africains, le FESPACO met l'accent depuis quelques années sur la présence à Ouagadougou de journalistes africains, qui peuvent ainsi largement parler des films africains à leur public respectif, même si ce public n'a pas l'opportunité de voir les films dont on lui parle. Du reste un prix de la critique africaine a été institué au FESPACO et porte le nom du pionnier Paulin Soumanou Vieyra.

3 — DE L'IMPACT DE LA CRITIQUE SUR LE PUBLIC AFRICAIN

Les obstacles réels à l'exercice d'une critique africaine des œuvres ont favorisé depuis quelques années l'éclosion d'une critique occidentale des œuvres africaines. Cette critique occidentale a parfois le privilège de voir les films africains en première mondiale avant la critique africaine et son public.

Cette situation privilégiée de la critique occidentale lui arroge le droit de tracer les lignes directrices, d'intégrer dans les catégories élaborées par elle une part importante du patrimoine culturel africain. Ainsi, les œuvres cinématographiques africaines sont présentées au peuple africain par la critique occidentale qui apprécie, consacre ou désavoue la démarche du réalisateur africain.

L'impact de la critique occidentale sur la critique africaine, s'il est réel, ne saurait cependant influencer le public africain.

Les titres de grandeur attribués à tel ou tel réalisateur africain par la critique occidentale, même s'ils flattent l'orgueil du public africain, n'influencent pas à vrai dire l'appréciation que celui-ci peut apporter aux œuvres africaines.

L'Afrique de l'oralité a fait du public africain un critique de premier plan. Il reste le seul juge des œuvres qui lui sont destinées.

Dans une enquête réalisée en 1992 au Burkina Faso par la Société Nationale de Distribution Cinématographique (SONACIB) afin de déterminer les raisons pour lesquelles les salles se vidaient, il est apparu que 41 % des cinéphiles en couple interrogés et 47 % des personnes ont affirmé être motivés à aller voir un film par « le bouche à oreille ». A la question de savoir si les personnes interrogées iront malgré tout voir un film dont les journalistes disent du mal, 56 % ont répondu par l'affirmative.

Le modelage du public prend d'abord racine au sein du public lui-même qui joue un rôle fondamental dans l'orientation de la critique africaine. Pour illustrer notre propos il suffit de rappeler que le film ***Heritage Africa*** du cinéaste ghanéen Kwaw Ansah, négligé par la majorité de la critique occidentale, a été l'un des succès populaires de ces dernières années en Afrique au point de détrôner sur les écrans kenyans un produit très hollywoodien, James Bond. Sans bénéficier de budget de promotion réelle, des films comme ***Sarraounia*** de Med Hondo, ou ***Camp de Thiaroye*** de Sembène Ousmane ont reçu un accueil favorable de la part du public africain concerné alors que ces œuvres lui ont été présentées par ailleurs comme inintéressantes.

Je me rappelle les altercations parfois violentes que nous avons eues entre critiques africains et critiques occidentaux à propos de ***Heritage Africa*** présenté au FESPACO' 89. Les seconds ne pouvaient tolérer la qualité technique et la mise en scène impeccable du film dont ils considéraient en outre le thème dépassé et lui préféraient par contre l'œuvre du Burkinabè Idrissa OUEDRAOGO ***Tilaï*** qu'ils jugeaient plus « africain » *(sic).*

Les méthodes critiques nouvelles que l'Occident applique à son propre cinéma sont intéressantes quant à leur objet mais insuffisantes pour rendre compte de tous les aspects d'une œuvre africaine. En prenant en seule considération des normes d'appréciations extérieures, le réalisateur africain court parfois le risque de proposer des œuvres guidées par le souci de satisfaire le goût d'exotisme manifesté par le public étranger. La rupture ne peut alors que s'opérer entre le public africain et le réalisateur africain qui cesse d'être un réalisateur africain pour être tout simplement un être solitaire.

4 — POUR UNE ÉMERGENCE D'UNE APPROCHE NOUVELLE PROPRE

Évoluant dans une civilisation de l'oralité les cinéastes africains, à travers leurs récits filmiques, ont toujours traduit les liens étroits qui existent entre leurs récits et les récits traditionnels. La critique africaine des œuvres, si elle a dans son essence même une fonction sociale, devrait dégager les éléments de style et les formes de pensées qui trouvent leur origine dans la poésie et la prose orale. Le symbolisme de ces œuvres et leur technique narrative méritent d'être examinés à la lumière de la tradition orale. Cette approche thématique traditionnelle n'est plus suffisante aujourd'hui. Les exigences nouvelles de l'art cinématographique d'une part et d'autre part les changements de mentalité qui s'opèrent chez le public africain du fait de l'influence croissante des images étrangères sont autant de facteurs qui commandent une approche nouvelle du cinéma africain aussi bien pour le cinéaste que pour la critique.

De plus en plus, le cinéaste africain doit allier à la fonction sociale de ses œuvres le caractère divertissant, tout en gardant son identité propre. Quant à la critique africaine, elle doit être endogène et introvertie. Pour citer de nouveau Paulin Vieyra, je dirai que « si toute critique naît avec l'objet qu'elle critique, elle se développe et s'affermit également avec le temps parce que l'art évolue et que les hommes deviennent plus exigeants parce que plus cultivés ». Conserver son identité est le défi fondamental qui doit guider le créateur et le critique d'œuvres cinématographiques noires face à la tendance uniformisante du cinéma mondial par la machine hollywoodienne.

5 — L'EXPÉRIENCE D'*ÉCRANS D'AFRIQUE*

Depuis toujours les cinéastes africains ont reconnu à la critique africaine son rôle de complémentarité dans l'activité créatrice. Sous l'égide de la FEPACI les cinéastes africains recommandaient ainsi en 1983 la création d'un journal spécialisé qui serait le relais entre les réalisateurs et le public. Dans un premier temps, en 1990, a été lancé le bulletin de liaison *FEPACI-Infos*. Puis plus tard, en 1992, le magazine trimestriel bilingue (anglais/français) *ÉCRANS D'AFRIQUE/AFRICAN SCREEN*.

Ce projet comme il fallait s'y attendre a rencontré dès le départ le scepticisme et la réticence du côté de ceux-là qui se sont toujours arrogé le droit depuis la colonisation de tracer des lignes de conduite de notre cinématographie. Fort heureusement, il y a ceux qui croient à la nécessité pour la critique africaine d'exister parmi ceux-là, il y a le Centre d'Orientation Éducative de Milan qui a soutenu nos premiers pas.

ÉCRANS D'AFRIQUE s'impose d'un numéro à l'autre comme un organe où le cinéma africain est analysé et critiqué par et pour les Africains avec une large place dédiée au cinéma black de la diaspora une façon pour nous d'établir les échanges nécessaires entre deux entités aux racines culturelles communes.

Clément TAPSOBA

New York, mars 1994.

Clément TAPSOBA est journaliste, critique de cinéma. Auteur du livre « LE CINÉMA AU BURKINA FASO » *(ed. OCIC), il est présentement Rédacteur en Chef de la revue publiée par la FEPACI* « ÉCRANS D'AFRIQUE/AFRICAN SCREEN »

NOTES BIBLIOGRAPHIQUES

André GARDIES & Pierre HAFFNER, *Regards sur le cinema négro-africain*, Collection Cinémédia Ed.OCIC, 1987.

Le critique africain et son peuple comme producteur de civilisation, Colloque de Yaoundé, avril 1973, Présence Africaine, 1977.

Paulin Soumanou VIEYRA, « La critique et le cinéma africain » in *Le critique africain et son peuple comme producteur de civilisation.*

Paulin Soumanou VIEYRA, *Réflexions d'un cinéaste africain*, Coll. Cinémédia, Ed. OCIC, 1990.

Clément TAPSOBA, « Du rôle de la critique africaine « in *Catalogue Fespaco 87.*

TRENDS IN THE CRITICAL APPRECIATION OF THE AFRICAN CINEMA

African cinema faced a double challenge right from its beginnings : to restore the image of black people distorted by years of colonization and to educate people.

A social and political function which became even more important with the recent mutations of the African continent was therefore assigned to African cinema.

In Africa, critical appreciation of films should not only reveal the work of art as an expression of beauty, it should propose an approach to the understanding of the underlying societal elements.

Unfortunately, the single party regimes which have plagued the African continent over the first thirty years of independence have not encouraged a constructive analysis of films often critical of the socio-political situation.

Paulin Soumanou Vieyra, a pioneer in the field of critical appreciation of films in Africa, observed that because most journalists were civil servants or were under the permanent threat of censorship their critical approach was more or less dictated by government position. However, in the last three years, with the emergence of an independent press, there has been a change but the meagre production, the absence of a distribution network and the lack of professional training of journalists are obstacles to the existence of a consistant critical appreciation of African films.

In an effort to encourage the development of critical appreciation of films the FESPACO invites African journalists and encourages them with a prize. Too often though, the western critical work reaches the African audience before the African journalists can even lift their pens. However this audience is not really influenced by any critical work and the success of a film is determined by word of mouth.

In fact, the way to a constructive critical approach of African films would be to analyse the elements of their narrative structures directly derived from oral tradition and to study their signs and symbols, while taking into consideration the necessary evolution of African films which have to adapt to the domestic and international demand.

Since 1992, *Écrans d'Afrique*, a bilingual quarterly magazine, provides the media for a critical appreciation of the African and black diaspora cinematographies by African scholars and journalists.

MISREADING CULTURE AND TRADITION : WESTERN CRITICAL APPRECIATION OF AFRICAN FILMS

*Nixon K. KARIITHI**

ABSTRACT

Many aspects of Third World societies, especially Africa, are grossly misunderstood in the west. When applied to African cinema, the view that cultural and traditional concepts are read literary by many western critics and therefore misinterpreted, is easily precipitated. Through ***Yeelen***, one of Africa's best films, this paper seeks to show that western critical reception of African films fails to appreciate the cultural specificities of myth and symbolism as well as kinship and tradition in African societies. The paper proposes that critical appreciation of African cinema should be preceded by a thorough understanding of culture and tradition that is often the backdrop of most textual narratives.

---

* Nixon K. Kariithi is the assistant editor of *The Economic Review* weekly newsmagazine (Kenya), and holds a MA (Journalism Studies) from University of Wales, Cardiff. He has been appointed research fellow (1994-95) at the Freedom Forum Media Studies Centre at Columbia University, New York City. His research interests include African media systems and Third World cinema. The author would like to thank Dr. Marie Gillespie of Cardiff University for her kind comments.

INTRODUCTION

Yeelen (Souleymane Cissé, 1987) is considered by both western and African film critics alike as one of Africa's best films. It is also regarded as the turning point for African cinema because of its apparent lack of a political motif and « miserabilism », which have been the hallmark of African cinema since the dawn of independence[1].

Set in pre-colonial Mali in West Africa, ***Yeelen*** tells the story of a family torn apart by the struggle for power, greed, and finally revenge, all finely wrapped in the conundrum of ancient African myth. It is a story of a well-exploited theme of explosive encounters — the good and the evil, the old and the new, the acceptable and unacceptable — idiosyncratic social conflicts that director Souleymane Cissé captures effectively in virtually all stages of the film.

Film critics generally concur that Cissé's deep understanding of the Bambara people and their traditions has given a strong impetus to Yeelen's narrative, cultural and aesthetic elements. The film appears to be a climax of Cissé's struggle to bring the rich and self-regulating culture of Mali's main tribe, the Bambara, to the world's big screens. His first feature as director, ***Cinq Jours d'une Vie*** (« Five days in a life », 1972), was about how traditional Koranic education was failing Bambara youth. His second, ***Den Muso*** (« The Young Girl », 1974) was about an epic but politically sensitive tale of a mute young Bambara woman « victimised by both the phallocentric forces of tradition and modernity » (Diawara, 1988: 12). His third and fourth films, ***Baara*** (« The Porter », 1978) and ***Finye*** (« The Wind », 1982) were a departure from the anchor of Bambara traditions and bore heavy political and ideological themes. The fifth, ***Yeelen***, is a return to his favourite spoon dialectics of the old and the new, the necessity of violence before creation and a preoccupation with the role of women in the creation process.

---

1. John AKOMFRAH, untitled review in *City Limits*, October 20, 1988, p. 27 ; and Manthia DIAWARA, *African Cinema : Politics and Culture*, (Indiana University Press, Indianapolis, 1992) p. 16.

Like Cissé's other successful films, ***Yeelen's*** narrative spins around a familiar tale which may at times be complicated by the interweaving of traditional and cultural concepts. An elderly woman (played by Soumba Traore) without children gives birth to a son, who according to the Bambara traditions would be a custodian of the tribe's knowledge. Her husband, Soma, (played by Niamanto Sanago) is a member of a secret society, the *Komo*, and believes that his son would not equal him and is determined to destroy him. The mother, realising her son's special destiny, flees with him taking along the eye of a magical wing, the *Kore*, the only artifice able to counter the strength of the *Komo* society. Her husband, with his magic totem, the *Kolonkalanni*, comes in hot pursuit. After years of running and hiding from the wrath of her husband, the mother gives up the struggle and tells her son, Nianankoro (played by Issiaka Kane) the story behind their being on the run. Nianankoro, now a young man nearing initiation into adulthood, swears to confront his father. With a last word of advice from his mother, he sets out into the unknown, with little understanding of the world's cruelty and temptation, or even to the extent of his magical powers.

The ensuing struggle to survive his father's hot pursuit is the main focus of the film. Nianankoro's pilgrimage through the arid country of the Mande-speaking people is well captured in excellent photography which notably adopts a faster pace than most African productions. His first encounter with warriors from the Peul country offers him the first opportunity to test his sacred powers and, in the process, wins him praise and admiration from the village elders, a death parole from the chief for adultery, and even a wife. In the meantime, Soma with his magic pestle, the *Kolonkalanni*, leaves behind him a trail of terror across the country he has traversed as he rapidly gains ground on his son. He insults blacksmiths at work and even punishes the chief of the Peul country using the special powers of the *Komo*. Nianankoro and his new wife make it to his uncle Djigui and he receives the entire story of the Bambara people's special knowledge and why Soma wanted him dead. Now armed with the reactivated magical *Kore* wing, he accepts his uncle's blessing and set outs to confront his father for a final and fatal show-down, leaving his wife pregnant with a son.

SYMBOLISM AND MYTH

Yeelen provokes a train of thoughts, most of which revolve around Cissé's extensive use of symbolism. His exclusive use of natural lighting (most of the film is shot at dusk and dawn), and the blinding final display of light as the arbiter during the explosive final confrontation (the conspicuous absence of night scenes was striking since in ancient African traditions as much went on during the night as in daytime) is probably the biggest success that the film enjoys in keeping with its title which literary translated means « brightness » or « the light ». This is well in tune with the initial scroll-up in which the film explains about the vitality of light. *Time Out* magazine in its « Critics Choice » column described ***Yeelen*** as « full of light and fire » and « an extraordinary coming-of-age for African cinema chanting a familiar spiritual wrestling match »[2]. A film critic, Adair, also recognises the powerful display of light in the film :

> *The film's narrative is not concerned with an elemental conflict between the forces of light and darkness but with the violently opposed and irreconcilable incarnations of the former. We are, here, in* lightest Africa[3] *(emphasis retained).*

Besides the use of light, Cissé uses the African calabash extensively in the portrayal of crisis and confrontation. The first indication of Nianankoro's magical powers comes through the calabash — he is able to « read » his uncle's wrath and pursuit through an image formed on the surface of water in a calabash. Future-telling through calabash images is an old and respected concept in Africa myth and Nianankoro's ability

2. « Critics Choice » column in *Time Out*, October, 1988, p. 27.
3. Gilbert ADAIR, « The Artificial Eye », *Sight and Sound*, Vol. 57, N° 4, Autumn issue, 1988, p. 284.

to perform this art early in the film is a symbol of the immense « magical » powers that he possesses. The second symbolic representation of the calabashes is at the river scene where the mother, en route to Mande' to solicit the help of a witchdoctor to reconcile her family and stabilise the kinship system, decides to cleanse herself as well as seek a divine intervention from the Bambara people's goddess of the waters.

The river scene has mythical significance. The mother's use of milk is a sign of the significance of the solution she is seeking, but also has several meanings. To the pastoralist Bambara people, milk was an appropriate commodity for sacrifice during a prayer ritual both because it formed part of the staple diet and also because it was generally considered clean and pure in many African societies[4]. Being a symbol of motherhood, milk could be seen as the most appropriate commodity for Nianankoro's mother to cleanse herself in before going before the force she termed as « the mother of mothers ». The symbolism however goes further than the use of milk : two empty calabashes float steadily towards each other and collide, clearly yielding the signal that confrontation between father and son is unavoidable. The mother, shattered by this « divine revelation », holds the last calabash of milk over her head and cries out to the goddess of the water :

Do you hear this forlorn creature,
Goddess of the water ?
Hear me, mother of mothers,
Hear this helpless mother ;
Save my son, keep him from harm ;
Save this land from ruin,
Don't let the weeds overgrow
The house of Diarros.

---

4. In many African societies where the main economic activity was agricultural, cattle and goat rearing were revered social practices and their products, milk and meat, were the main commodities used in offering sacrifices. Milk as a drink was also widely regarded as a source of livelihood especially because of its nutrient value and was only second to traditional beer in cultural importance. The whiteness of milk was often regarded as a symbol of purity ; milk was either drunk plain or fermented with animal blood, another pure substance.

Her prayer provides yet another hidden message : the inevitable clash between Nianankoro and his father will not just be a simple duel between father and son but an explosive show-down which could destroy the clan. Her reference to « weeds overgrow the house of Diarros » illustrates this, while her earlier plea to the goddess to « save the land from ruin » implies that the imminent destruction will also spread to the entire Bambara country. Her fears are confirmed by Nianankoro's uncle, Djigui, when he speaks of the evils likely to befall the people because of Soma's cruelty and selfishness. During the final confrontation, the « extraterrestrial » voices also speak of the destruction to befall the land because of the evils committed by Soma and his predecessors.

Nianankoro's act of spitting on his uncle's image in the calabash symbolises hatred and defiance of the highest order. The spitting also serves as a symbol of accepting challenge instead of continuing to run. Interestingly, spitting in the African culture had two contradictory meanings : reverence and blessing (when a person spat lightly and severally into his chest), and hatred and scorn (when a person shot out straight jets to the side or directly towards his intended recipient). Nianankoro's spitting into the image in the water was a curse and the fact that Uncle Bafing's image disappeared after « spitting on it » three times was a symbol of triumph for Nianankoro : he could as well win over his father's cruel hand. He is portrayed clearly recognising this revelation when he exclaims to his mother : « He has disappeared ! »

The effective depiction of societal opposition forces may be used to break the text into two narrative strands. The first is that of Nianankoro, the symbol of a stable society who does not misuse his own shamanic powers. He first summons the powers on being told by the chief of the Peul country that he will be decapitated. Previously, he had travelled for a long time through the desert without water and had not attempted to summon his magical abilities to quench his thirst. When confronted by the warriors from the Peul country at the animals' watering hole where he had attempted to seize a cow and milk it, he fled. Again, after he was overcome by body feelings and took the chief's wife, he pleaded with the chief to kill him as was the custom. Indeed the text portrays him as a good man, with a rational mind and a symbol of an upright citizen. On noticing these virtues, the Peul country chief pleads with him to stay.

The text leaves no doubt that Niananankoro is the virtuous character, the deliverer of society from selfishness and wickedness at the cost of his own life. But it also has effective distancing devices, such as the chase at the water-hole and the adultery scenes, providing an objective view that the character is indeed a mortal person subject to the vagaries of human feelings. Before these two objective scenes, the mythical fortune-telling spirit appears and gives the viewer omniscience with the declaration that Niananankoro would succeed in his endeavours :

Your road will be good,
Your destination happy ;
Your future is grand,
Your life radiant,
Your death luminous.

Another component of the first narrative strand is Niananankoro's mother, whose life is portrayed as the climax of misery and torment as a result of her husband's selfish and fanatic obsession with power. Her role as the bearer of the brunt of her husband's evil is a symbolic representation of the oppressed African woman and the narrative's casting an old woman (amidst a wide choice of younger women) could be interpreted as a demand of an end to the suffering and hardships that African women have to endure. The conspicuous absence of patriarchy (which is widely considered as the epitome of African kinship) in the text reflects the triumph of a woman as the *real* head of an African family unit, although this role is usually indirect and subdued. This thesis may be supported by two vivid incidences : Niananankoro looks up to his mother for virtually all help and guidance in spite of the fact that he has already entered adulthood ; his mother responds by giving him very sound advice and offers protection through a fetish. These last words and gift from his mother see him through the gruelling journey, and in the process bring the woman to the fore of the text as the cornerstone of society. In the second instance, Attu is seen after the apocalypse imparting knowledge of the Bambara people on her son, again a reflection of the important place that women should occupy in the evolution of societies.

The second narrative strand is Soma, who is portrayed throughout the text as an evil man. Scenes of his harassment of servants, cursing, swearing and intimidation of anyone in his way are a main feature in the film. It is notable, however, that the tyrannical treatment of his servants is an old practice among many African societies, including the Mandespeaking people, whereby elders holding vital tribal secrets controlled youths' labour and services by use of physical punishment and psychological intimidation. According to Murphy, society secrets in many African systems separated the elders from the youth and supported the elders' political and economic control of the youth[5]. He expounds :

> *A major support of elders' authority is the threat of physical punishment or death from the mysterious powers (that the elders wield). This threat serves to inculcate respect for the elders' control of knowledge[6].*

The control that Soma asserts over his two servants is clearly demonstrated in the rough manner in which the duo was handled even when they were visibly tired. The total dependence on him is illustrated by the afternoon scene near the ironmongery where a woman offers Soma cold water : he drinks and then offers the calabash of water to his servants. Later, a night scene by the fireplace shows him offering the duo roast chicken before he eats. In African set-ups where such control existed, fending was probably all that the servants received for their labour besides the hope that they would in the process receive some of the privileged knowledge that their master held. The foregoing societal assumptions that Soma has an unfathomable shamanic ability

---

5. W.P. MURPHY, « Secret knowledge as property and power in Kpelle Society : Elders versus Youth », *Africa*, vol. 50, n° 2, (1980), p. 193.
6. *Op. cit.*, p. 199.

might partly explain his insolent attitude towards virtually all people, as well as why blacksmiths, initiates and village elders reciprocate with fear and reverence. For example, Djigutigui, the head blacksmith in the ironmongery scene, is shaken by Soma's surprise visit and speaks in metaphors :

> *Djigutigui : A hyena in the daylight (is) an ill omen. What is happening ?*
> *Soma : Nothing irreparable, but my presence is a bad sign. My son, Nianankoro, has taken the Bambara fetishes and fled the country.*
> *Djigutigui : Where does a goat go astray ?*
> *Soma : I'll find him even under the ant-hill ; I'll kill him.*

Soma's wickedness reaches crescendo when he insults and even punishes the chief of the Peul country in front of his subjects which was a taboo in many African systems. The text depicts him as a symbol of social instability that must be rid of before peace and tranquillity can be restored. This representation is strengthened by various futile attempts by some characters to have him forgive Nianankoro. Djigutigui the blacksmith asked where the goat, a domesticated animal and a human companion, goes astray, giving the impression that Soma should not treat his otherwise good son as a social rebel. At the secret Komo ceremony, initiates take Soma to task on why he was spiritedly pursuing his son, and plead for his forgiveness :

> *A bullet for an elephant is not wasted on a rabbit... Not all clouds bring rain... An eagle cannot carry off an elephant. You have the remedy from the sacred fig tree... Rid yourself of torment, spare your foe. You have asked the East and the West and they have answered « yes ».*

Soma rejects all attempts for reconciliation choosing to further his search and carry out his elimination plan, producing one of the strongest textual expressions of the dialectic nature of ***Yeelen's*** diegesis. It thematises man's insatiable thirst for knowledge which later destroys him. Indeed Soma is depicted in the text as a character with immense knowledge and ability, as demonstrated by his « weird » ability to summon for sacrifice an albino and a dog.

The character of Soma puts the audience at a crossroads : either submit to the selfish and catastrophic forces of the Komo system which advocates the *status quo*, or accept to take part in the painful struggle to freedom and prosperity. This scene sharply contrasts the emotional parting of Nianankoro and Attu where he bequeaths his shirt to his unborn son as a symbol of the transfer of knowledge, wisdom and parental love. The emotional parting symbolises good control of knowledge by Nianankoro and an assurance of a stable future. The onus of imparting the knowledge to future generations is vested on Attu, an act depicting gender equality and cohesion, which is a major shift in the picture of Nianankoro's mother, a victim of male chauvinism.

THE LANGUAGE IN CISSÉ'S TEXT

Although many critics say ***Yeelen*** is a classic example of the « return to sources », Cissé himself argues that this is his « most politicised film ». He says the film carries all the political messages he has always wanted to convey in textual form. Diawara argues that the « return-to-sources » genre has become popular because African filmmakers want to be less overt with political messages in order to avoid state censorship, or to search for precolonial traditions, or simply to acquire a new film language to compete for audiences with the popular Western texts[7]. This way, Diawara argues, the filmmakers are able « to prove the existence of a dynamic African history and culture before the European civilisation ». Hence, the texts define their styles by re-examining ancient African traditions, like the secret Komo ritual in ***Yeelen***, their modes of existence, and their magic. Cissé concurs with Diawara's thesis that his search for a new language in ***Yeelen*** was a result of political pressure :

7. Manthia DIAWARA, Souleymane Cisse's Light on Africa (an interview), *Black Film Review*, Fall issue (1988) p. 160.

After **Finye** *(« The Wind ») I wanted to change my style before people begin to label me a political and didactic film-maker... There was tension building around me because of my previous films, and it was clear that, if I wanted to stay in my country and enjoy a degree of freedom of expression, I had to lighten things a bit, or to make a different type of cinema*[8].

But Cissé's shift to his traditions for film themes was also influenced by the pathetic situation which characterised Mali's budding film industry. A 1988 chronology of his productions and remarks about his work published by the Monthly Film Bulletin indicated that he detested the way some African producers were imitating western film styles and quotes him pledging to produce a film that will highlight ancient African traditions :

I hope in the future to be able to make films in which the ancient depths of African culture will surge up again. To this end, I spend my time visiting old men who tell me stories of the past, true or mythical. A cinema imitating that of America or Europe will be in vain (in Africa). We must immerse ourselves in our own sources[9].

His debut on the return-to-sources thematics is an overwhelming presentation of African dialectics. Cissé sees his entry into this genre as an expansion of African film forms and yet an attempt to shift his political message from a « transparent style » to a « deeper level »[10]. He links the title's significance to the social, economic and political struggles of a people :

« Light » is a wonderful thing that we should always have with us. If « light » is to guide our knowledge, we must know how to use it in the right way ; we must know how to control it. Man is possessed by this anguish to know, to be in control of knowledge, and to avoid the dangers of possess-

---

8. Quoted from DIAWARA, *op. cit.*, (1988), p. 13.
9. Quoted from « Stories of the past — Souleymane Cissé », *Monthly Film Bulletin*, n° 658, (November, 1988), p. 348.
10. DIAWARA, *op. cit.* (1988) p. 13.

ing a knowledge which contains the potential of destroying him. Man does not know the limits of science : we know how to create but we do not know how to protect ourselves from our creations[11].

He draws a distinction between knowledge and power, arguing that while man lives inside knowledge and can only master a part or it, power is an attribute that one receives and one that can be described in physical, material and psychological terms. On content and form, Cissé' posits that the mastery of content — space and the environment — precedes the mastery of form in African texts. Like in his other films, Cissé has successfully attempted to create a universal appeal in ***Yeelen*** by playing at the audience's imagery, a concept based on his belief that the imagination is cosmic :

> *For every individual, imagination is personal, intuitive. For me, imagination is planetary, cosmic... I am Soninké, but I express myself in Bambara*[12].

Another unique aspect of Cissé's film language is that it offers symbolic solutions to the problems posed in the text. Nianankoro struggles relentlessly to win against his evil father and saves the Bambara people from the destruction by the Komo. But he is conceptualised as the hero of the present while his son is portrayed as the future — he is named Nankama (meaning « destined for »), a term used in praise songs of the Mande people. The concept of the future is also apparent in many other instances. The image of Nianankoro's aged and oppressed mother, a symbol of societal oppression, is replaced in the textual future by a young and energetic Attu, a symbol of freedom and prosperity. The heavily sun-baked grounds seen earlier in the text (depicting suffering) are replaced by cool silken flowing sands through the use of photographic light filters. Nianankoro's facial anguish is replaced with determination in the eyes of his son who becomes the future. Also notable is that the serene world of

---

11. *Op. cit.* (1988), p. 15.
12. Quoted from James LEAHY, ***Yeelen***, a biofilmography, *Monthly Film Bulletin*, vol. 55, n° 658 (1988), pp. 343-344.

the first part of ***Yeelen*** is finally reinstated, a symbolic representation of restoration of peace in the land of the Bambara people, and an adherence to the Russian formalist theory of an equilibrium that is disturbed but finally restored. All this is in keeping with the text's proverbial introduction :

> *Heat produces light. And the worlds of both earth and sky exist through light.*

The production of ***Yeelen*** offers another series of lessons on how African *auteurs* have been influenced by the existing schools of thought in textual appreciation. On one end, it can be argued that Cissé's use of the Russian film theory is a reflection of the fact that he studied film production in Moscow. On the other, an important inference could be made from the heavy dialectics — director Cissé has successfully accommodated contradiction by using what Cook refers to as « different discourses of viewpoints »[13]. In her exposition on classic realist texts, Cook argues that to maintain the pluralism of viewpoints among characters in the text, something which threatens the text's inner stability, warring discourses are accorded unequal status by arranging them in a hierarchy[14]. The placing of the narratives lead character in a position of « dominant specularity » is a succinct feature in ***Yeelen*** — Nianankoro is celebrated as the most powerful character, and the audience easily identifies with him. In the process, the text achieves the second qualification of realism namely, the functioning of the image as a guarantor of truth[15]. Cook, summarising MacCabe, sees this second feature as an essential shift in the text from « internal features towards the process of interactions between text and reader/viewer »[16].

Another notable aspect of Cissé's use of conventional text language in shaping the « dominant specularity » of Nianankoro is in the point of view. The audience is often

---

13. Pam COOK (ed.), *The Cinema Book* (London : British Film Institute, 1993), p. 242.
14. *Ibid.*
15. *Op. cit.*, p. 243.
16. *Ibid.*

shown the world's trials and tribulations through his eyes, helping them not only to relate with his inner state of mind but also to improve their omniscience and even identify more with his endeavour. For example, after his capture by the Peul country warriors, his thirst and hunger are effectively relayed to the audience through the point-of-view sequence of the warriors taking their milk.

The production of ***Yeelen*** was not without its share of problems. The list of funders is longer than the credits. The funders, mainly the Malian and French governments, included Ministry of Information and Culture (Burkina Faso), Direction of Cinematography Production (Burkina Faso), Ministries of Culture, Foreign Affairs and Cooperation (France), WDR Television (Cologne, West Germany), and Fuji Corporation of Japan. Cissé says the film was well shown throughout Mali and later in Côte d'Ivoire and Cameroon. In an interview in the *Black Film Review* journal he said the film was booked for the big screen in all West European countries and a distributor had been identified for the Japanese and Far East market[17]. He argued that a cultural cooperation agreement in francophone Africa enabled films to be distributed easily in those countries and also facilitated co-productions which were virtually impossible to undertake with the anglophone African countries. Cissé said the perennial problem of inadequate technical facilities was overcome by limiting the filming of difficult scenes to within 15 metres, thereby creating « a *mise-en-scène* which was more convenient and realistic for the means I had in place »[18]. Although most film critics praise him for producing a quality film using non-professional actors, Cissé says the task of training the largely illiterate group of actors was onerous and often forced his team to rewrite the script to fit a character :

> *The story of my film is the story of my actors, how I met them, how I helped them shape their parts and finally what they have done with the characters I gave them. When we started, they were not professionals... As most of them*

---

17. See DIAWARA, *op. cit.* (1988), pp. 12-16.
18. DIAWARA, *op. cit.* (1988), p. 14.

couldn't read, I had to explain every nuance, every line. With each actor, a new story begins[19].

CRITICAL RECEPTION

Yeelen was the first African film to receive a special jury prize at the Cannes Film Festival in France in 1987. Director Cissé also received accolades for bringing Africa to the high table of quality film productions. Leahy, in his critique in the *Monthly Film Review,* described the film as one which was « readily accessible to viewers who knew nothing of Bambara (or even African) lore and traditions ». He expounded :

> *Clearly the film's theme — the conflict between father and son, power and knowledge, and the threat of devastation this entails — the central journey, which is also a chase, and the elemental imagery (light, fire, water and earth) have a universal appeal. This is not, however, a product of any spurious attempt at universality, but grows out of a profound response to a specific belief system, one which has been carefully explored and researched*[20].

While agreeing with Cissé's thesis of seducing the audience's imagery, Leahy asserts that the text's strength also benefits from the involvement of the viewer's sympathy and imagination with the destinies of the characters, and their social and dramatic interactions. He further contends that « meaning is generated by every detail of speech, gesture and performance »[21].

Adair described the film as « a masterpiece, the most beautiful films to have ever emerged from Africa » and also « the first in the history of the continent's cinema for which absolutely no allowance, of whichever order, needs be made »[22].

---

19. LEAHY, *op. cit.,* p. 344.
20. *Ibid.*
21. *Ibid.*
22. ADAIR, *op. cit.* (1988), pp. 284-285.

He acclaims the film for its « astonishing virtuosity and sophistication », and argues that it is rich in

> *artifice of texture (the colour of cinematography), in startling contrast to the raw granularity familiar from certain miserabilist Third World films, and which paradoxically conjures the very images it has generated*[23].

Adair posits that the artifice conjures up the Malian landscape through a rich and sensual palette of colours, imagery, and magical special effects. He further posits that although Cissé's artifice is unlike that of western producers « who endeavour to dazzle the spectator in an exclusively literal, ocular sense », ***Yeelen's*** dazzle is purely one of *mise-en-scène*. He sees the « future » depicted in the text's « gorgeous and breathtaking dawn » as that of a whole new generation in African cinema. In his critique, *Time Out's* Tony Rayns hails ***Yeelen*** as a text which « from its naturalistic opening to its mysterious, haunting ending, follows a specifically African path to enlightenment »[24].

But not all critics were impressed with Cissé's production. Yung wrote in the columns of *Variety* describing the film as « a meticulously crafted and a beautifully lensed piece of filmmaking », but one whose sophistication « puts it out of reach for many unacquainted with African culture and unused to its unhurried pacing and interest »[25]. He described ***Yeelen*** as « a difficult film » with a complex interweaving of « ancient tribal magic, the primordial conflict between fathers and sons, and a political parable ». He adds :

> *The film's brief introduction doesn't take the unversed viewer very far into this obviously complicated sphere, and one is left to make what one can out of the two sacred symbols : a huge pylon carried by two men, used to seek out criminals, and a carved « wing », also with magical powers*[26].

---

23. *Ibid.*
24. Tony RYANS, an untitled review of *Yeelen, Time Out* (October, 1988), p. 30.
25. YUNG, an untitled review of *Yeelen, Variety* (13 May, 1987), p. 137.
26. *Ibid.*

The most stinging attack was however from *Screen International* which said the film, in some ways, resembled a western with its pursuit across the hostile terrain and the showdown between father and son :

> *But despite this,* ***Yeelen*** *may prove just too indigestible for western audiences used to a diet of more instantly accessible cinematic fare*[27].

The western critical response of ***Yeelen*** is a vital component of the western perspective of African cinema in general. Although many critics hailed ***Yeelen*** as « Africa's best film », there were distinct contradictions which precipitated the high level of misunderstanding of the historic and cultural forces in African cinema[28]. In response to the lack of appreciation of myth and symbolism, and kinship and custom in African texts, Enahoro notes :

> *The African cineaste is like a (harbinger), he tells his audience the problems of the society. It is his responsibility to identify these problems. He is the spokesman of the community, for it is believed that no society altogether knows its own heart, and by falling short in this type of knowledge, a community is certain to deceive itself on anything in connection with itself. This type of ignorance means social death*[29].

The misreading of Cissé's text took various forms. *Screen International* fails to see anything in the film which would explain why Soma mounted the relentless pursuit of Nianankoro. It describes Nianankoro as a young man « on the brink of adulthood and beginning to discover the extent of his special powers — ancient tribal magic passed down through generations ». It further adds that « for reasons that are never made clear, (Nianankoro's) father has been pursuing them, intending to kill his son »[30]. The obvious oversight is

27. *Screen International* (October 29, 1988), p. 19.
28. DIAWARA, *op. cit.* (1988), p.16.
29. A. ENAHORO, « Towards a philosophy of African cinema », *African Media Review*, vol. 3, n° 1 (1988), p. 137.
30. Untitled film review, *Screen International*, October 29, 1988, p. 19.

that the reviewer missed the entire focus of the text and source of conflict — Soma's excesses in using the secret knowledge and power of the Komo — and the lessons that this offered namely, the dialectics of a society fighting against suffering and oppression that is perpetrated by a few selfish people.

Leahy, who claims that the movie had a universal appeal, misunderstands much of the story behind Soma's pursuit and in the process waters down his entire critique[31].He erroneously claims that Niananköro has « appropriated sacred Bambara fetishes, and is being pursued by his vengeful father Soma, whose forces are guided by a magic post pestle that seeks out *lost people and objects* » (emphasis supplied). He also misreads the river bathing ritual scene arguing that Nianankoro's mother « bathes and purifies herself », probably for being an accomplice in the stealing of tribal fetishes. Leahy's exposition lacks a basis since he fails to explain why the narrative allowed the thief to flee so far and why the guilty son and his supposedly — innocent father perished together in the final confrontation. He further commits a felony by mistaking Djigui's dialogue for Nianankoro's and then proceeds to make serious misjudgments, such as « Nianankoro was blinded by the magic eye of the wing of Kore. So, what blinded Uncle Djigui, who only regains his sight after the eye of the Kore [that Nianankoro was given by his mother] is fitted back ?

Akomfrah also misses the substance of the text's narrative in his incorrect observation that Nianankoro, « on the edge of adulthood steals a sacred object from the tribe and runs off with his mother »[32]. Having started on the wrong premise, Akomfrah proceeds to make obnoxious deductions : he sees Soma carrying « the burden rod of retribution », smells « transgression in the air dressed in full Oedipal splendour », sympathises with Soma's « rage of paternel impotence », and even declares that « the boy must die as an act of atonement ». His vexatiously high level of ignorance of the African tradition and myth in the text is unveiled by his con-

---

31. LEAHY, *op. cit.*, p. 344.
32. AKOMFRAH, *op. cit.*, p. 27.

clusion that ***Yeelen*** « is a sprawling monumental tale, narrated with epic pretensions and displaying a cavalier disregard for tradition », and that the film sidesteps realism and instead embraces « agnostic » African myth.

The climax of the critics' misunderstanding of African kinship and tradition is in the imagined Oedipal relationship between Nianankoro and his mother. Ryans understood the film as one which recounted « a young man's rite of passage from adolescence to manhood », and saw the narrative as one told in « somptuously physical terms, through images whose beauty could almost be weighed, through bodies of matchless eloquence, and it soars like a comet over the ruins of the familiar Oedipal myths »[33]. Adair contends that the text's narrative has « mythico-tragic, crypto-Oedipal resonances (which) can claim an unexpected kinship with those of certain Hollywood megahits of recent years »[34]. Leahy even went further to argue that there could be « an African psychoanalysis » generated from within the African culture :

> *One's immediate reaction is that the* Oedipus at Colonus, *in which the hero's passing is « more wonderful than any other man », is as appropriate a point of reference for* ***Yeelen*** *as* Oedipus the King, *and the complex which [Sigmund] Freud derived from that drama*[35].

The assertion that Nianankoro has Oedipal feelings towards his mother is one that is difficult to substantiate given the narrative's disclosure of their flight from Soma's wrath for over two decades. The two appear together on two brief occasions which are sexually innocuous but otherwise loaded with the message of suffering and despondency which Nianankoro makes the main focus of the text when he declares that he will turn and challenge his father's onslaught. His mother is a typical African mother : a disciplinarian and believer in the institution of the family even when things have turned sour. She is offended by Nianankoro's remark about why Soma fathered him if he was not ready to accept him

33. RYANS, *op. cit.*, p. 30.
34. ADAIR, *op. cit.*, pp. 284-285.
35. LEAHY, *op. cit.*, p. 344.

as a son ; the son quickly apologises and then seeks his mother's guidance, saying, « I rely on your wisdom ; what must I do ? »

In his exposition on African myth, Okpewho argues that some of the premises on which the psychoanalysis theory rests [the basis of the Oedipus Complex], and on which the film critics based their « hunches », are questionable as far as the African world is concerned[36]. He argues that although the theory may be true of some European or western world set-ups, it is hardly the case in contemporary West Africa largely because the traditional family was polygamous and had a different power structure. He expounds :

> *In (African) households there are many children vying for the patronage of their father, the rivalry is more between children than between child and parents ; there is more sibling rivalry than parricidal urge*[37].

Even where there are few children, as is the case in ***Yeelen***, African fathers were generally known to have invariably withdrawn to an uninvolved position leaving their women a greater responsibility in the children's upbringing. Okpewho posits that this often had two notable effects : sibling contest of their mother's attention, and since it was the mother who meted out punishment for offences, she loomed larger in the child's eye than the father, hence there was a less-developed urge to kill[38]. He, however, recognises that mythical evidence of father-son rivalry existed particularly « in the theme of the son who was destined to surpass his father :

> *The father does attempt to destroy his son ; the son ultimately triumphs, but is prevented from killing his father on the counsel of the mother*[39].

The foregoing implies that myth did not encourage the

---

36. Isidore OKPEWHO, *Myth in Africa : A study of its aesthetic and cultural relevance* (Cambridge : Cambridge University Press, 1983), p. 13.
37. *Ibid.*
38. *Ibid.*
39. OKPEWHO, *op. cit.*, p. 14.

destruction of father by son. Indeed this is the message carried by the text since at the final confrontation Nianankoro refuses to back away from his father and demands an explanation to Soma's unfathomable hatred. But Soma refuses to explain and instead maintains that the son must die. Nianankoro ultimately asks the father to be allowed to prepare himself for the death, a clear indication that he was the aggressed and not the aggressor. His mother's counsel is precipitated in his somewhat serene mood : she had warned him of the Soma's wide-ranging powers, and Djigui had made it clear to him that he was to be the sacrificial lamb while his unborn son would be the future.

CONCLUSION

This paper attempted to analyse the narrative of, and symbolism and myth in, ***Yeelen*** as well as the director Souleymane Cissé's language. The results were then used to appreciate the film's reception by western critics. it is clear from the analysis that ***Yeelen*** was a product of indepth studies on myth and traditions of the Bambara people, and the narrative was a symbolic representation of the ongoing struggle against repression in many African societies. Cissé's extensive use of symbolism is itself a manifestation of the way African culture was replete with codified messages. The review of the western reception had shown vividly that the critics not only misunderstood Cissé's text but also went on to make deductions using western-based theories which were inappropriate in the African context. In the process, ***Yeelen's*** subtle message is lost since it is not intended for a literal translation. This absurd textual misreading notwithstanding, the critics go on to shower accolades on the film as « Africa's best film » and « a masterpiece ». This paper concludes by suggesting that African film criticism (both in Africa and the west) should be preceded by a thorough understanding of the tradition and cultural set-up depicted in the film. Such knowledge would arm the critic with the appropriate tools to analyse African symbolism and myth, kinship and tradition in the African society.

Nixon K. KARIITHI

May 1994 — This paper was prepared for the British Film Institute, London.

LECTURE ERRONÉE DE LA TRADITION ET DE LA CULTURE : LA CRITIQUE OCCIDENTALE DES FILMS AFRICAINS

De nombreux aspects des sociétés du Tiers Monde échappent à l'Occident. En ce qui concerne le cinéma africain, l'on se rend compte que la plupart des critiques occidentaux lisent certains concepts à travers leur propre grille d'interprétation et formulent des analyses totalement erronées par rapport aux intentions profondes du cinéaste et au contexte culturel.

L'analyse de **Yeleen** de Souleymane Cissé, considéré unanimement comme l'un des meilleurs films africains, est utilisée pour montrer que la critique occidentale n'arrive pas à saisir les spécificités culturelles et à aller au fond de la signification du mythe et du symbole. Elle ne comprend pas non plus les liens de filiation et les traditions des sociétés africaines.

Yeleen, premier film africain à recevoir un prix spécial du jury au Festival de Cannes (1987), a été diversement apprécié par la critique occidentale qui tantôt l'a porté aux nues le décrivant comme un chef d'œuvre du cinéma africain, tantôt l'a considéré comme une œuvre inaccessible.

WHOSE NATION IS IT ANYHOW? THE POLITICS OF READING AFRICAN CINEMA IN THE WEST

Sheila PETTY

Over the past year or two, a wide variety of current African films and videos have been made increasingly accessible to audiences in the West. In Canada, for example, several organizations have worked to create festivals and retrospectives so that audiences from Halifax to Vancouver will have the opportunity to screen these new works. The well-established (ten years old) *Journées du Cinéma Africain et Créole*, based in Montréal, provides a venue for « francophone Canadians » to discover African cinema and television and to meet the filmmakers. Three very recent initiatives in bringing African cinema to « anglophone Canada » include, *Reel Africa : Contemporary Cinema of sub-Saharan Africa*, organized by Vancouver's IDERA Film and Video and the Pacific Cinémathèque, *New African Media Canadian Tour*, organized by Toronto's Full Frame Film and Video, and *Contemporary African Cinema Festival*, organized by the Regina Public Library in Regina, Saskatchewan. As well, at least two Canadian educational television broadcasters are planning to develop African film series and college courses for broadcast.

Publicity for these events promotes them as rare opportunities to witness African stories « through African eyes » and « as told by Africans ». « Too often », we are told, « the voices of Africans, particularly those of women, are silenced... These alternative visions will be a welcome change from negative images of the continent portrayed in the media, as well as the image of Africa protected by Hollywood filmmakers »[1]. This being the case, just how should we read these images ? Should we assume that they carry meanings all their own and that we, as viewers, are always in danger of co-opting their meanings in stressing our own concerns ? Or should we assume that meaning exists only in the power relations of viewers, not in the texts or images themselves ? Let us consider for a moment the consequences of presupposing that certain outside political concerns (such as those of the viewer/critic) are more important that those of the texts themselves.

A case in point can be made regarding the analysis of women's representation in film. The application of western representation theory, with its current infusion of psychoanalytic feminist concerns, is problematic when dealing with women in African cinema, especially since so much of the subject matter concerns women in traditional cultures. A common western reaction would be to read these women as « objects » of gender oppression, thus essentially ignoring their « nation ». In the following analysis, I will focus on an African film recently screened in Canada in order to demonstrate the effect that such a reading has on the text when outside political expectations are brought to the meaning-making process.

In ***Hyenas*** (1992, Senegal), Djibril Diop-Mambety successfully combines the universal storytelling form of tragedy with African symbolism in order to create a vehicle (the morality play) for foregrounding issues of corruption, consumerism, responsibility and honour. Interestingly enough, it is the female character, Linguère Ramatou, who provides the film's inciting incident. After a thirty-year absence, she returns as an immensely wealthy old woman to Colobane, a once charming village now shattered by poverty. The delighted villagers believe that her return will mark an end to their lives of misery. However, at a banquet given in her honour, she announces the terms attached to the gift she intends to bestow

---

1. Marc LAPORTE, *Reel Africa : Contemporary Cinema of Sub-Saharan African*, February 10-13, 1994 (festival catalogue), p. 1.

upon the village : 100,000 millions francs CFA in exchange for the life of her former lover, Draman Drameh, who betrayed her when she was sixteen and pregnant with their first child. By not taking responsibility for his actions, Draman Drameh has made Ramatou a bitter and vengeful person who declares, « The world turned me into a whore. I'll turn the world into a whorehouse. » And she proceeds to do this by offering the villagers a « deal » they cannot refuse ! In the true tradition of tragedy, the *status quo* is changed forever, for acceptance of the offer means the villagers have become like Ramatou.

But who is this female character and how should her narrative function be read ? It is tempting to read Ramatou's situation as an experience of gender oppression. In psychoanalytic feminist terms, she is a female victim of a patriarchal society. Forced into prostitution at an early age in order to survive, Ramatou became an object of male control. Because she was forced to sell what was closest to her : her body, her sexuality, she has become dehumanized, and her value as a person has been reduced to her market value. Her artificial limbs, gained from a cut-throat street life are a testimony to the physical abuse that she has had to endure. In these terms, Ramatou is an object, intentionally violated, degraded and used to consolidate male power and male choice. And she reminds Draman Drameh of this when she declares to him, « You have chosen your life and you have imposed mine on me. » But to concentrate solely on Ramatou's gender oppression is to ignore the specifics of her situation within the larger context of her culture. This type of analysis not only assumes a universal patriarchal system, it assumes that *all* women are victims or objects of male control. Power is outlined in terms whereby women are the powerless and men are the powerful. Thus, gender difference is targeted to describe the origin of oppression of an assumed unified group without locating the specifics of women's positions within systems of power and exploitation.

Ramatou's situation could also be read in recuperative terms whereby a resisting Ramatou battles patriarchal dominance and survives ! What this type of reading refuses to acknowledge, however, is that while Ramatou began to prostitute herself out of desperation, she continued out of calculation and a desire for vengeance. A recuperative reading assumes that Ramatou has no choice but to fight patriarchy because she is a victim of male control. She must fight within the male system and turn it to her advantage to gain her ends. Although the system does not change, her position within it does and she becomes one of the powerful. How then, can she claim to be a victim of male control when she ends up thriving within the system ?

Feminist and psychoanalytic readings that foreground the question of gender oppression are dependent upon recognizable, repeated camera and editing conventions constructed within personal space in the texts. But these conventions are not contained within ***Hyenas'*** cinematic grammar. The camera makes limited emotional value-judgements about the narrative and never presents Ramatou as a victim. She is never shot from a high angle and she never occupies the weak position within the frame. The experience of looking at Hollywood film from a politicized viewpoint (psychoanalytic feminist) builds up the expectation that the cinematic grammar will visually foreground Ramatou's victimization. But this « victimization » is not integrated into the politics of the shots. The viewer is not sutured into the emotions of the characters, but instead, is provoked to ponder the results of such behaviour as greed, waste, and selfishness, rather than the psychology of the characters who exhibit these traits.

If the viewer begins with the assumption that Ramatou is a female victim of a patriarchal society, then her specific gender oppression will be foregrounded in the reading. But this places psychoanalytic feminism in the very precarious position of imposing its own frame of reference on the text by privileging one of the lesser concerns in the film and glossing over the filmmaker's larger political project.

Ultimately, ***Hyenas*** is about retribution and the responsibility for actions taken. Through Ramatou, the filmmaker invites the spectator to ponder the consequences of accepting « deals » of money and consumer products that are clearly not in the best interests of Africa's future, over the choice of dignity and solidarity of one's people. Can a new Africa be built on the ruins of vengeance and bitterness for past offences ? Or, as the filmmaker seems to suggest, is it time to take responsibility for the state of the nation (or continent) and turn things around ?

In order to understand these issues the film must first be considered within the context in which it was produced. Then, and only then, should specific aspects of African identities (such as gender, ethnicity, etc.) be considered in terms of their cultural and historical inflections. If an African film critic were to impose her or his own cultural and historical frame of reference on a Hollywood film, she or he would not be taken seriously in the world of film criticism. Yet, western critics often feel completely justified in imposing their own political frames of reference on African films, thus dismissing original African contributions to film language. To allow one's own frame of reference to obfuscate the meaning of the text leads to a silencing of those voices, of that African viewpoint that we set out to listen to in the first place !

Dr. Sheila PETTY
Head Department of Film and Video
University of Regina — CANADA.

LECTURE OCCIDENTALE DU FILM AFRICAIN

Ces dernières années, le public occidental a eu accès aux vidéos et films africains particulièrement grâce à des festivals.

Proposées comme une façon de voir l'Afrique racontée par des Africains, avec un regard africain, ces images apportent une vision différente de la vision négative du continent généralement offerte par les médias ou de sa vision hollywoodienne.

Mais comment doit-on lire ces images ?

A travers l'étude de la représentation de la femme dans le film de Djibril Diop Mambety, ***Hyènes***, on constate que si l'on utilise par exemple une grille d'analyse féministe ou psychanalytique, on se trouve confronté à des problèmes d'interprétation qui peuvent cacher la vraie signification du film.

Pourquoi donc les critiques occidentaux devraient-ils imposer leurs grilles d'analyse à des films africains et par là-même ignorer l'apport de l'Afrique au langage filmique ?

HOLLYWOOD'S DIE-HARD JUNGLE MELODRAMAS

Françoise PFAFF

At the turn of the century, just as Thomas Edison and Louis Lumière were laying the technical grounds for the development of cinema, a number of Western powers were engaged in a grand-scale « mission civilisatrice », the colonization of « untamed Africa ». This era fueled Western imagination with images of a new knighthood, one of fearless explorers, benevolent missionaries, daring traders and hunters, whose valiant deeds were soon to be recorded, reinterpreted and mythicized in popular literature and the media, especially the newborn cinema. Films of that period were essentially tailored for a Western viewership and mostly condoned, even justified, the European « conquest » of the African continent, seen as a mysterious, wild, exotic backdrop to the breathtaking and often altruistic adventures of Western heroes. As expected, the bravery of these protagonists contrasted sharply with the blithesome and « uncivilized » simple-mindedness or cruel savagery of the Africans, viewed in a world of lush landscapes and wild animals.

Unlike Europeans, Americans had no direct colonial interest in Africa. Yet, living in a climate of legalized racial discrimination based on the concept of « Negro inferiority », they readily adhered to the stereotypical portrayals of Africa mirrored through the distorting prism of European colonial ideology. Frequently, their notion of Africa had been molded through images conveyed by the British in their history books, ethnographic studies or romantic tales of adventures set in Africa by such writers as Sir Henry Rider Haggard, author of ***King Solomon's Mines*** (1885), or Etherelda Lewis, a

South African writer whose works include ***Trader Horn*** (1927). Both these novels later became movies. From reading such authors, the American writer Edgar Rice Burroughs, a former cattle drover who never set foot in Africa, created the legendary character of Tarzan, whose daring pursuits have fascinated generations of young viewers in the United States and elsewhere. Burrough's successful dime novels were to serve as the basis for some forty Hollywood movies made over a period of more than seventy years (***Tarzan of the Apes*** was shot as early as 1918), in which more care was devoted to the glorification of Tarzan than to a meaningful representation of the African continent, forever perceived as the paramount « Heart of Darkness ».

Besides Tarzan movies, which are a genre in themselves, Hollywood set out to manufacture the « African jungle melodrama » genre which greatly appealed to American viewers' taste for entertainment, escapism and exoticism, and insured hefty box-office returns. Classics of the genre include such films as ***Trader Horn*** (1931) by W.S. Van Dyke, ***King Solomon's Mines*** (1950) by Compton Bennett and Andrew Marton, a remake of the successful 1937 British film with Paul Robeson, ***Mogambo*** (1953) by John Ford with Clark Gable, Ava Gardner and Grace Kelly, ***Roots of Heaven*** (1958) by John Huston, with Errol Flynn and Trevor Howard, ***Hatari*** (1961) by Howard Hawks with John Wayne, ***Africa Texas Style*** (1967), starring Hugh O'Brian, by Andrew Martin, who codirected the Hollywood version of ***King Solomon's Mines*** as well as the 1973 remake of ***Trader Horn*** by Reza S. Badiyi.

Like other genres (westerns, gangster movies, horror films, etc.), the African jungle melodrama usually follows a set pattern. It is often directed by well-known filmmakers such as Huston, Ford or Hawks, who have had some experience in adventure films, westerns in particular. It includes actors who have shown their ability in action films. Among these are : Clark Gable, Ava Gardner, Errol Flynn, Trevor Howard and John Wayne. The credits for such films are unavoidably presented on African landscapes (preferably at sunset or dawn for better lighting effect) with a soundtrack of African drums to insure the viewer's feeling of strangeness. The story is sometimes set at the end of the 19th century for more escapism. The audience is then invited to participate in the tribulations of Western protagonists, who are searching for a treasure or a missing relative. The quest can involve the capture of animal for zoos or the protection of those same animals for ecological purposes. Usually, the senseless killing of wild animals is censured or punished : animals can be killed only in self-defence or for food. After all, the Great White Hunter has a moral code ! Furthermore, before he starts his safari, he is generally very happy in Africa, where he maintains good relations with the natives, who are always singing or dancing when he reaches their villages.

Soon, the Great White Hunter's peace of mind is disrupted by the arrival of some Western « égérie » with a good cause and a male companion who might be a harmless brother or an uninteresting suitor (a woman certainly could not venture unescorted into the African wilderness !). Consequently, the Hunter is hired to help the female character and romance begins, only to end with the hunter's victory over the white woman, the ferocious animals and the few wicked natives he had not been able to befriend within 90 or 120 minutes of show time. Concerning Africa and the Africans (seen primarily as house servants, luggage carriers, scouts or feathered savages), the discrepancies are many, as in the biased descriptions in the original stories from which they were adapted.

Although born at a time when Africa was under European colonialism, the African jungle melodrama seems to be so deeply rooted in the psyches and imagination of American moviegoers, that its archetypes and conventions have withstood, with only minor modifications, the independence of African countries, as well as the civil rights struggles which took place in the United States and managed to contest, if not totally erase, some of the demeaning depictions of Africans and African Americans on the silver screen. For instance, ***Out of Africa*** (1986), by Sydney Pollack, with well-known actors Robert Redford and Meryl Streep, comes directly from Hollywood's jungle melodrama tradition. This Academy Award winner, whose plot glamorizes colonial Kenya, is but a glossy travelogue with virgin landscapes and spectacular wildlife. The movie's story focuses on the fate of two Westerners, with very little attention given to the lifestyles, culture, aspirations and human emotions of the Kikuyus, who are, as usual, more parts of a « colorful » canvas.

More recently, Hollywood has attempted to diversify its images of Africa through what could be called « freedom struggle films ». These include ***Cry Freedom*** (1987) by Richard Attenborough, ***A Dry White Season*** (1989) by Euzhan Palcy and ***The Power of One*** (1992) by John Avildsen. Here it is no longer the gallant Great White Hunter but the daring altruistic White liberal (in the last instance, a young boy), caught in anti-apartheid protest, stealing the show from the African protagonists, whose battle he ends up fighting! Although perhaps well-intentioned and somewhat informative about the racial tensions existing in South Africa, these films (which reflect contemporary issues and present media interest) are but one of the latest variations of the African jungle melodrama. They are geared to Western audiences and essentially stress the noble actions of Western heroes and neglect to develop the Africans as equally full-fledged characters. In these 3 productions, viewers empathize more with the consciousness awareness process of the White protagonist than with the desperate plight of the Black South African masses.

This brief survey of Hollywood films set in Africa demonstrates that until today America's movie establishment has produced money-generating portrayals of Africa which have been mostly biased or, at best, superficial. Many of these celluloid depictions continue to mystify, misinform or mislead American viewers about the complex realities of African countries. Let us hope that in the future African-made films will be better distributed in the United States through commercial movie theaters, video and television, rather than solely through the restrictive festival, museum and university circuit. This would help counteract the stereotypical clichés disseminated over the years by the African jungle melodrama genre and facilitate the recreation of a more accurate picture of Africa in the mind of the average American film viewer, for whom it remains a monolithic, obscure, distant and unchanging land.

Françoise PFAFF

Professor of French at Howard University.
Author of two books : The Cinema of Ousmane Sembène, A Pioneer of African Film *and* Twenty-Five Black African Filmmakers, *both from Greenwood Press, Westport, Connecticut, USA. She has published and lectured extensively on African cinema in the United States, Canada, Europe and Africa.*

LA SURVIVANCE DES MÉLODRAMES HOLLYWOODIENS GENRE TARZAN

En même temps que naissait le cinéma, certaines grandes puissance occidentales s'engageaient dans une « mission civilisatrice », qui allait attiser bien des imaginations. Les films de cette époque sur l'Afrique étaient faits pour un public occidental avide d'exotisme et offraient en contraste le héros occidental et la mystérieuse Afrique avec ses « sauvages ».

Les États-Unis, bien que n'ayant pas d'intérêt direct en Afrique, adhérèrent aux stéréotypes de l'Afrique présentés par l'idéologie coloniale. C'est ainsi que fut créé le personnage de Tarzan dont Hollywood s'empara : en quelque 70 ans, il est sorti une quarantaine de films autour de ce héros.

En dehors des films de Tarzan, Hollywood s'est mis à produire des mélodrames du même type aux grands délices du public. C'est un genre spécifique auquel se sont adonnés des réalisateurs et des comédiens de renom et qui est tellement enraciné dans l'imaginaire américain que ses conventions et archétypes ont survécu dans un certain nombre de films, dont ***Out of Africa*** est un exemple récent.

Cependant, plus récemment, Hollywood a tenté de diversifier les images de l'Afrique avec des films de lutte de libération qui gardent un schéma semblable mais où le blanc libéral prend la place du héros de l'époque coloniale et éclipse les personnages noirs.

L'image de l'Afrique offerte par Hollywood n'est destinée qu'à générer de l'argent et non pas à démystifier et informer un public qui ne connaît rien aux réalités africaines. Une distribution plus large des films africains aux États-Unis pourrait seule permettre de combattre les clichés hollywoodiens de l'Afrique.

FILMING THE AFRICAN EXPERIENCE

Mbye C. CHAM

Although Africans in a few parts of the continent (mainly in the North in Algeria, Tunisia and Egypt, and in the West in Senegal) have been exposed to cinema from a very early period, within five years following the invention of the art form, the practice of filmmaking by Africans on a significant scale is a relatively new phenomenon on the continent. Even though the first film made by an African dates back to 1924, a short film by Chemama Chikly from Tunisia entitled ***Ain el Ghezal (The Girl of Carthage)***, and even though the Egyptians started making films since 1928, it was only from the latter part of the 1950s and the start of the 60s, following political independence in many countries, that we began to witness the emergence of a significant corpus of films produced and directed by Africans. One of the first film directed by an African from the Sub-Sahara region was made only in 1953 by a filmmaker from Guinea. The title of that film is ***Mouramani***, a film adaptation of a traditional oral narrative from Guinea. This was followed in 1955 by another short film entitled ***Afrique-sur-Seine*** which was the product of a collective of Sub-Saharan African filmmakers in Paris headed by the Senegalese Paulin Vieyra. However, it was only in 1963 that the film that came to set a model for many African filmmakers was made. This was ***Borom Sarret***, a 20 minute short by Ousmane Sembène from Senegal.

African filmmaking, then, is in a way a child of African political independence. It was born in the era of heady nationalism and nationalist anti-colonial and anti neo-colonial struggle, and it has been undergoing a process of painful growth and development in a post-colonial context of general socio-economic decay and decline and political repression and instability on the continent. One is therefore talking here about a very young, if not the youngest, creative practice in Africa.

However, in spite of its youth and the variety of overwhelming odds against which it is struggling, cinema by Africans has grown steadily over this short period of time, and has registered a level of artistic and ideological maturity that has enabled it to become a significant part of a wider third world film movement aimed at constructing and promoting an alternative popular cinema, one that is more in sync with the realities, the experiences, the priorities and desires of their respective societies. The bulk of the films that constitute African Cinema share a few of elements in common with radical film practices from other parts of the third world, such Third Cinema. They also exhibit similarities with part of the work of independent African American and Black British filmmakers, and Indian filmmakers such as Satyajit Ray and Mirnal Sen. These parallels are manifested not only at the level of form and content, but also in their production, distribution and exhibition practices and challenges. I shall use the label « radical » to refer to this segment of African film practice.

Filmmakers in this category consider film not only as popular entertainment, but more significantly as socio-political and cultural discourse and praxis. Ousmane Sembène, for example, has characterised cinema in Africa as a « night school ». They deny conventional and received notions of cinema as harmless innocent entertainment, and insist on the ideological nature of film. They posit film as a crucial site for battle to decolonize minds, to develop radical consciousness, to reflect and engage critically African cultures and traditions, and to make desirable the meaningful transformation of society for the benefit of the masses. Hence, the dominance of themes that reflect social, political, cultural and economic concerns and challenges of post-colonial African societies.

Some filmmakers in this category proclaim themselves the modern-day equivalents of the traditional oral artists [the griot and/or the oral narrative performer] in the service of the masses, and they appropriate resources from their respective indigenous artistic heritages — oral and otherwise —, in terms of both theme and technique, to create a cinema which engages a broad range of the social, cultural, historical, political and imaginative experience and challenges of their societies. These African filmmakers seek to fashion a different film language with which to film African realities and desires. In Sub-Saharan Africa, the pioneer figure in this type of filmmaking is by far Ousmane Sembène. Other major filmmakers in this category include Med Hondo, Souleymane Cissé, Haile Gerima, Safi Faye, the lone female African filmmaker on the scene, along with Sarah Maldoror, until quite recently, Djibril Diop-Mambety, Ababacar Samb Makharam, Gaston Kaboré, to mention only these examples. The radical thrust of much of contemporary African cinema in the Sub-Sahara region was fashioned historically by filmmakers from the francophone areas. As for the anglophone countries, only Ghana and Nigeria have acquired any prominence in the field. In both North and South of the Sahara, filmmaking has been and continues to be a predominantly male activity, with very few women filmmakers on the scene.

There are two other categories of cinema that constitute significant forces in the history of African filmmaking. A second category of African cinema espouses creative values and practices associated with conventional western film, particularly Hollywood film, and also with the patently commercial and entertainment type film from other parts of the third world, especially India. Although clearly a minority in terms of numbers, especially in West Africa, these films (variously labelled « imitative », « failed Hollywood clones », « escapist », « cinema digestif », etc. by critics) have experienced a measure of popular success in urban Africa through their ability to appropriate and revise motifs and formulae from the non-African films that have historically dominated and continue to dominate African screens. These non-African films — mainly Hollywood and Euro-Hollywood spectacles, Indian romances and melodramas, Kung'fu movies — have been successful with popular African audiences because these are the only films that are programmed regularly in the majority of theaters which are owned by non-Africans who are beholden to foreign distribution companies. Many Africans grow up on this film diet, and what many of the African filmmakers in the second category do is appropriate the adventure, the action, the romance, the melodrama, the spectacle, the fantasy and the general aura of these films and transpose them into Africa and invest them with recognizable African garb. For filmmakers here, cinema is a refuge from the challenges of everyday life. Their films create an outlet for escape by positioning themselves as African versions and extensions of the foreign film which is the major film diet that the majority of the African spectatorship has been raised on. Here socio-political orientations of films of the radical category take a back seat to entertainment. Where such issues figure in these films, their treatment seldom goes beyond token gestures of merely invoking them, and the spectator is rarely challenged or teased to probe further the implications of such issues for them as individuals and for their society as a whole.

Issues like the search for new appropriate film language and the politics of representation are of little concern to films in the second category. As pointed out earlier, they tend to be satisfied with received film forms developed elsewhere, and they merely appropriate aspects of these forms only to give them an African dress. A prototype of films in this category is a Nigerian film entitled ***The Mask*** (1980) which falls in the James Bond category of films, and it features a Nigerian Agent 009.

The third, and perhaps, most formidable force in cinema in Africa is the hegemonic foreign, particularly Hollywood, film which enjoys a virtual monopoly of African theaters, especially those in the Sub-Sahara region. The implications of this continued hegemony are many. They include the perpetuation and/or the revision and refinement of traditional stereotypes and distortions of Africa and Africans, and the invention of new more insidious ones. The dominance of the foreign film in Africa also means retarding the development of vibrant indigenous film industries in Africa, because when African films are not widely distributed and shown in their own turf not only are their prospects of recouping their production costs bleak [this is vital if other films are to be produced], but their effectiveness in combating the negative film image of Africa and Africans inscribed in the foreign film and their aim to be an integral part of the development process in Africa become severely compromised. An integral factor in this hegemony of the foreign film is the re-emergence in recent years of the Africa film (understood as « one that uses Africa as resource, but denies an African point of view ») — ***Out of Africa*** shot in Kenya, and ***King Solomon's Mines*** shot in Zimbabwe, not to mention the numerous other projects shot in South Africa. In such projects mostly western cast, crew and equipment are shipped in and out of location, and the impact on the local industry is usually negligible.

What we have, then, in the landscape of African cinema as we enter the last decade of this century, is the coexistence of three competing modes of film thought and practice that are by no means uniform, fixed and stable, and that have historically interacted in various ways to shape the contours of the landscape of cinema in Africa. It is a contested landscape, one that was shaped in large part by the pioneer work of Sembène, along with that of other major figures such as Med Hondo, Safi Faye, Souleymane Cissé, Sarah Maldoror, Oumarou Ganda, Djibril Diop-Mambety, Haile Gerima, Gaston Kaboré and many others.

In general, African filmmaking has been an activity par excellence of North Africans and West Africans. In the North, much of the film activity takes place in Egypt, whose musical melodramas numerically dominate the field, in Algeria and Tunisia, with their more politically oriented films, and in Morocco, which is somewhat the poor relation in this group in terms of quantity and quality of film productions. Libya is not generally known for any kind of significant film activity, even though it does possess the resources needed to launch a viable industry. As for Mauritania, the only well known filmmakers from here reside in and work out of Paris, and one of them, Med Hondo, is today one of the major forces in African filmmaking. A much heralded young talent from Mauritania is Abderrahmane Sissako. The North has relatively developed and modern production and post-production facilities and a significant pool of higly skilled technicians. These have greatly aided indigenous productions, and many African filmmakers from the Sub-Sahara region (Sembène with

Camp de Thiaroye, for example) have been increasingly making use of these facilities in an attempt to lessen their dependence on Western, especially French, facilities and technicians. This South-South cooperation in the area of film production is likely to be one of the major shifts in African film production practices in the 90s and beyond.

Below the Sahara, filmmaking has been dominated and continues to be dominated by cineastes from the « francophone » countries of Senegal, Mali, Cote d'Ivoire, Cameroon and Burkina Faso, and Burkina Faso has over the years acquired the status of « the capital of African cinema ». However, developments in the southern half of the continent, in Zimbabwe and South Africa, in particular, have begun to indicate possible changes in this situation. In the years to come, one can reasonably expect much more activity from this region which already enjoys a fairly well-developed production infrastructure. In fact, some filmmakers in East and Southern Africa have already begun using the facilities of the Central Film Laboratories in Harare, Zimbabwe.

Having provided this general overview of some of the main categories of African cinema, I would like to devote the rest of the essay to a discussion of what some of these films say and tell us about Africa and Africans. As I have indicated above, many African filmmakers consider cinema as not only entertainment, but more significantly as a vehicle of social, cultural, and political discourse and praxis. They use film to critically engage, celebrate and interrogate certain aspects of African cultural beliefs and traditions, and they use the resources of these traditions to make films that comment on the contemporary social, cultural, political, and historical realities, experiences and challenges of Africans. Thus, African cinema is part and parcel of the wider social and collective effort on the part of Africans to bring about a better life for the majority of Africans. African cinema is, as the Fulani say of art in general, « futile, utile, instructive ». It is entertainment, it is educational and it is functional.

The themes that dominate African film narratives mirror the problems, challenges, experiences and desires of African individuals and societies over time, with a particular emphasis on the operations and consequences of colonialism and post-colonialism. The conflicts and transformations that came in the wake of the encounter on African soil between African and Euro-Christian and Arab Islamic cultures and peoples have provided many African filmmakers with narrative material. Equally prominent are themes that spin around the myriad challenges of post-colonial life and struggles in Africa, themes such as disillusionment with political independence, declining quality of life for the majority, decaying production and service infrastructures, intransigent bureaucracy that frustrates common people, political instability and corruption, misuse of traditions and customs for individual gain, the imperative of questioning and revising certain aspects of tradition that are oppressive, anachronistic and exploitative, the need to rethink and change certain outmoded notions of gender and gender roles and expectations, especially where women are concerned, polygamy, caste and religion. African cinema also takes as its subject matter questions such as the need to re-write African history from African points of view. This focus on history is a prominent feature in many recent African films, as is also the issue of the African environment. While many African films detail the difficult and miserable conditions under which the majority of Africans are struggling to make a decent living and survive, they also project a desire and hope for a different future by articulating the potential of people organized to transform the *status quo.*

Let me cite a few films in order to discuss in more concrete fashion some of the themes mentioned in the paragraph above. Many Africans believe that African cultures, societies and individuals suffered considerably more damage than positive gains when Arabs and Europeans stepped foot on African soil brandishing supremacist attitudes, beliefs and practices and superior armaments of various sorts which, over time, registered some success in subjugating some Africans to alien regimes of belief and practices. The continued voluntary adherence of some Africans to these alien regimes of culture and their concomitant contempt for and rejection of African cultures constitute part of the focus of films such as ***Xala*** and ***Ceddo*** by Ousmane Sembène. Two of the most memorable characters in Sembène's oeuvre are found in these two films in the persons of El-Hadj Abdou Kader Bèye, the alienated and corrupt « businessman » in ***Xala*** whose contempt for traditional pre-nuptial rites contributed to his condition of impotence, and the Imam in ***Ceddo***, the embodiment of an alien religion whose program of radical cultural subjugation and transformation was wrapped around the cloak of religious conversion. These alienated figures, many of whom are also encountered in films such as Jean-Marie Téno's ***Afrique, je te plumerai***, Kwaw Ansah's ***Love... Brewed in the African Pot*** and ***Heritage Africa*** (Ghana) and many more, form the object of ridicule and strident criticism. They are mocked and projected as symbols of Africa betrayed, and they are presented as compelling reasons for the need for a radical and urgent project of African cultural rehabilitation and renewal.

Life in Africa some thirty or so years after political independence from European colonial rule is portrayed in many African films as one of continued struggle with and against basically the same forces as those in operation during the colonial era. For many filmmakers, independence produced precious little in terms of radical re-orientation in substance, structures and styles of rule, and even less in terms of the quality of life of the majority of the population, especially those in the rural areas. What one finds in many African countries today is the continued hegemony of structures, institutions, beliefs, practices and preferences which have their origins in non-African cultures, and which were put in place primarily to promote the interests of non-Africans. The undemocratic and even brutal methods that were formerly employed to establish, maintain and control such hegemonic structures before political independence are the same methods that have been fine-tuned, updated and deployed by the post-colonial state to maintain and control these same structures. Thus, in the eyes of the many Africans who feel and are indeed disempowered, political independence has meant a further decline in the quality of their life, further alienation from state political power and a sense of betrayal and disillusionment. This has translated into a strong, albeit, repressed, undercurrent of discontent and imperative for fundamental change, and an increasing awareness of the potential and possible power of individuals organized. A good number of recent African films such as Gaston Kaboré's ***Zan Boko***, Amadou Saalum Seck's ***Saaraba*** (Senegal), Jean-Marie Téno's ***Afrique, je te plumerai***, and Souleymane Cissé's ***Finye*** dramatize this post-colonial African condition.

Conducting the most mundane of transactions involving government bureaucracy anywhere usually elicits the proverbial red tape and frustrations. In Africa such activities have painful peculiarities all their own. Dealing with post-colonial African bureaucracies, especially if one is not equipped with the requisite language tools (French or English, for example) and if one is not well-connected or endowed with financial resources, is figured as a nightmare experience by some filmmakers. Two films that look at and indict the cold impotence of the post-colonial bureaucracy are Ousmane Sembène's 1968 feature ***Mandabi*** and Clarence Delgado's 1992 first feature, ***Niiwam***, an adaptation of a short story by Sembène.

Together these two Senegalese films show what it is like when an ordinary illiterate (in French) and poor Senegalese person (peasant) comes face to face with a post-colonial bureaucracy whose existence is ostensibly to serve all Senegalese. Ibrahima Dieng, the protagonist of ***Mandabi***, is taken on a brutal eye-opening whirlwind tour of the Senegalese bureaucracy, and in the end not only does he lose the money entrusted to him by his nephew to another corrupt and dishonest nephew, but he also loses his stature and self-esteem, and his resolve to become a crook like everyone else is tempered by the mailman who articulates a different approach as to how to change things. Delgado's ***Niiwam*** also condemns the sad state of medical and burial facilities available to ordinary folks in both the rural areas as well as in the city. Lack of adequate and quality health care, facilities and resources is a major theme in many African films, and the disastrous consequences of their absence in certain areas of a country is dramatized and alluded to in films such as ***Certificat d'Indigence*** (Yoro Moussa Bathily, Senegal), ***Poko*** (Idrissa Ouedraogo, Burkina Faso) and many others.

In ***Niiwam***, Delgado uses the death of a child and the father's attempt to bury the corpse to take us on a critical guided tour through bustling Dakar and Senegalese modernism. With the dead body of his child wrapped in a cloth and held on his lap while seated in the bus, Thierno heads for the burial ground situated toward the terminal point of the bus route. In the course of the bus trajectory we are shown a cross-section of urban Senegal as people get on and off the bus at different stops. We are treated to the conversations and comments of these people regarding a variety of social, political and economic issues and concerns, but it is the voice of Thierno, in inner monologue, that provides the overall commentary, a most critical one at that, on the various characters and events in the course of the bus ride. Thierno, the peasant from a small fishing village just outside of Dakar, is obliged by circumstances to deal with the modern city, and in this brief bus ride he encounters a gallery of characters — thieves, pickpockets, ordinary men and women honestly struggling to survive under difficult circumstances, young men and women with various sorts of dispositions and behaviors, etc. The encounter with this different world occasions an individious comparison with the world of his own village, and a critical reflection on modernism from the perspective of Thierno, the fisherman.

The city as a site where traditional moral values and practices are degraded, compromised and transformed is a theme that a number of African creative practitioners — oral narrative performers, writers, dramatists and filmmakers — have privileged in many narratives. The very real phenomenon of rural-urban drift or migration where young people, in particular, abandon their villages and farms and head toward the cities in search of better opportunities, and the effects of such migrations on rural and national economic productivity and on services and infrastructures in the urban areas, has provided many filmmakers with a lot of narrative material. Usually, the narrative schema is one in which the protagonist is pushed out of the village or pulled toward the city, for one reason or another, and once in the city, the protagonist begins a struggle to adjust to and fit into a radically different world. A few make it, but the majority get dragged into an urban sub-culture of alcohol, drugs, prostitution, robbery, prison and, sometimes, death. A few get disillusioned and return to their village. Women subjected to this sub-culture become the objects of gross exploitation. The narrative of Anne Mungai's ***Saikati*** (Kenya) follows somewhat this schema. Earlier films that include this problematic as part of their narrative include Tidiane Aw's ***Le bracelet de bronze*** (Senegal), Drissa Touré's ***Laada*** (Burkina Faso), and Idrissa Ouédraogo's ***Le Choix*** and ***Samba Traoré*** (Burkina Faso).

Saikati by Kenyan filmmaker, Anne Mungai, casts a particular glance at this phenomenon in contemporary tourist Kenya, with a specific focus on women. Two different worlds are set up in this film, one inhabited by Saikati's sister, Monica, and the other inhabited by Saikati and her parents and family members. Monica's world is the modern world of urban Nairobi skyscrapers, plush hotels, paved streets overflowing with people and vehicles of all makes, rural tourist spots, safaris in game parks, white male tourist companions/customers, western style dress and cosmetics, and a cramped one room apartment in Nairobi. Saikati's world is the world of the Maasai « maara » surrounded by vast plains and animals of all sorts, a family enclosure within a small village, daily treks to and from school, and traditional Maasai dress, cosmetics and jewellery. It is from this latter world that Monica fled sometime back to go to Nairobi where she lives the life of a sexually liberated woman working within the world of tourism. Within her world, Saikati, for her part, is confronted with the exigencies of traditional lore and practices. She is being forced by her parents, her father, in particular, to become the wife of the village chief's son for whom she has absolutely no feelings. On one of her visits back home, Monica offers Saikati a way out of this problem — run away to Nairobi where the two of them can live and work together. Saikati's brief sojourn in the world of Monica — and here is where the film turns into a promotional tourist piece — ends in rather bitter disappointment and disillusionment. Saikati rejects Monica's world and heads back to the « maara » to deal with the challenges there. In ***Saikati***, its technical and artistic shortcomings, notwithstanding, Anne Mungai attempts a more balanced look at female prostitution in urban Kenya and at both the « push » and the « pull » factors that account for rural-urban drift. In doing this, she also levels a subtle indictment at the practice of forced marriage whose victims are usually young girls who get robbed of opportunities to gain education and to experience youth.

Anne Mungai is one of a growing number of African women filmmakers other than pioneers like Safi Faye (Senegal), Sarah Maldoror (Angola/Guadeloupe), Thérèse Sita-Bella (Cameroon), Salem Mekuria (Ethiopia), Flora Mbugu (Tanzania), and recent comers such as Mariama Hima (Niger), Ngozi Onwurah (Nigeria), Lola Fani-Kayode (Nigeria), Deborah Ogazuma (Nigeria), Funmi Osoba (Nigeria), Jane Lusabe (Kenya), Fanta Nacro (Burkina Faso), and a few others. Like some of their male counterparts, these women filmmakers engage the broad range of issues and topics thrown up by the experiences and challenges of life in post-colonial Africa. However, unlike many of their male counterparts, some of these women filmmakers bring to these issues and topics a particular female and gender sensibility whose absence in previous male-directed films severely handicapped the filmic discourse on these issues and topics. Moreover, many of these women filmmakers opened up new spaces of discourse, focussing on subjects and raising questions on which many male filmmakers maintained a long silence.

Kaddu Beykat by Safi Faye, for example, looks at the experience of Senegalese peasants with drought and their government's impotence and neglect vis-à-vis rural peasant conditions. She also privileges the voices of female peasants in ways that foreground their roles and work as primary agents in agricultural production, and as the people who bear an enormous part of the burden of dealing with drought within the household, a fact usually erased in many male-directed accounts of the effects of and responses to drought.

Salem Mekuria's ***Sidet : Forced Exile*** presents a compelling and moving portrait of women forced to flee from their homes by drought, hunger, political instability and war in the Horn of Africa region (Ethiopia, Eritrea, Sudan and Somalia). Mekuria makes present the absent faces, voices of the primary population that usually shoulders the brunt of the burden of the results of natural disasters and male misrule and destructive policies. In the voices of these involuntary residents of refugee camps, we also hear female assessments and indictment of customs and practices oppressive to women ; we hear forceful articulations of the need for different conceptions of gender and gender roles ; and, above all, we see women actively struggling to construct a new life. So much for the conventional accounts of such mishaps which focus on male heads of households only, and in which men are the only ones given the chance to speak, those narratives which project no hope at all ! Equally significant along these lines is Sarah Maldoror's ***Sambizanga***, which show women as primary agents in the Angolan war of liberation against Portuguese colonialism, and this at a moment when anti-colonial liberation efforts were mistakenly figured principally as a male responsibility. Sembène in ***Ceddo*** and Med Hondo in ***Sarraounia*** (Mauritania) also show African women in leadership roles in situations of combat and conflict.

African women today continue to be subjected to compliance, sometimes forcibly so, with different practices sanctioned by « tradition », many of which are blatantly oppressive, exploitative and harmful. These include spouse inheritance, in which the brother or some close male relative of a deceased husband can claim his widow as wife ; polygamy, the practice of marrying more than one wife ; various forms of genital mutilation, wrongly named female circumcision ; sexual violence of many sorts ; adherence to codified and normative forms of dress, behavior and comportment, especially in public ; and restriction to only certain forms of work. These questions constitute a major focus in the work of some filmmakers while others allude to one or more of them in their works. ***Neria***, a recent film by Zimbabwean Godwin Mawuru, dramatizes the experience and response of one woman faced with the challenge of dealing with the practice of wife inheritance. Previously, Cheikh Oumar Sissoko of Mali examined this aspect of traditional African customs in his 1991 film, ***Finzan*** which also is one of the few African films, to date, along with Boureima Nikièma's ***Ma fille ne sera pas excisée*** (Burkina Faso), to engage the question of female genital mutilation.

Perhaps the African cultural practice that has so far received one of the most prominent treatments in film is polygamy. The one filmmaker who has handled this theme with the greatest artistry and sophistication is no doubt Ousmane

Sembène, whose 1974 film, ***Xala***, not only subverts traditional definitions of African manhood, but, more significantly, symbolically yokes the practice of polygamy to politics of gender, class, culture and neo-colonialism. ***Xala*** is an allegory of post-colonial Africa. A different, but equally satiric, look at polygamy is to be found in ***Bal Poussière*** by Henri Duparc of Côte-d'Ivoire. In the tradition of « comédie de moeurs », Duparc takes a swipe at male excess in the figure of the incorrigible yet hard-to-dislike Demi-Dieu, whose foibles and struggles to keep six women under one roof provide constant laughter to an audience that is simultaneously being dished a critique of this bastion of male privilege.

Another recent film that can be seen as a distant cousin of ***Bal Poussière*** is ***Gito l'ingrat*** by Léonce Ngabo of Burundi. ***Gito l'ingrat*** recalls aspects of the « been-to » syndrome found in some African novels of the late sixties and early seventies. This syndrome involves the African who goes abroad and returns home after sometime, experiences readjustment problems and normally boasts of the places he has been to in Europe or America, etc. Ngabo's film extends this syndrome and invests it with a more comic twist. Gito's experience is the experience of many an African male who goes abroad and returns home after an extended stay. It is a comedy on modern urban youth culture and sexuality, a theme that also forms the basis of the narrative of another new film from Cameroon, ***Quartier Mozart*** by Jean-Pierre Békolo. Generational differences and emergent forms of African female resistance, self-affirmation and activism figure prominently in these new films as well as in Desiré Ecaré's 1987 controversial film, ***Visages de femmes***, the only African film, so far, to have engaged African female sexuality in explicit ways. The dynamics of modern urban youth culture and sexuality also constitutes the narrative focus of Flora Gomes's new film, ***Les yeux bleus de Yonta***, a love story that also captures the cultural and political pulse of the post-war moment in urban Guinea-Bissau, a country still struggling with the myriad legacies and challenges of the long armed struggle against Portuguese colonial domination. ***Les yeux bleus de Yonta*** extends and shifts the discourse inaugurated by

Gomes in his first film on post-war Guinea-Bissau, ***Mortu Nega***.

While Ngabo's ***Gito l'ingrat*** focuses on the experience of return to the native land, ***Toubabi*** by Senegalese filmmaker, Moussa Touré, revisits the theme of African emigration toward the metropolitan countries of the West, and the traumas, challenges and experiences of life as an immigrant in the cities of the former colonial powers such as France. This theme is present in films such as Med Hondo' ***Soleil-O***, Ben Diogaye Bèye's ***Les Princes Noirs de Saint-Germain-des-Prés***, Ousmane Sembène's ***La Noire de...***, and Mory Traoré's 1981 film, ***L'Homme d'ailleurs***, a film shot in Japan about the story of a young African resident whose rejection by Japanese society compels him to commit suicide. ***Toubabi*** emphasizes the traps of French urban sub-culture of drugs, pimping, prostitution, with a focus on its African victims who become ethically and morally debased even while professing superficially to hold on to their Africaness. This is the case of Soriba Samb's childhood friend, now a small-time pimp in Paris. Touré warns of the dangers of uncritical westernization, not unlike the manner in which other filmmakers posit the city (discussed above) as a site of possible collapse and degradation of culture and identity.

Some films that deal with urban contemporary life also pay a great deal of attention to young, pre-adolescent people. The experience of coming of age, gaining a sense of one's sexuality, struggling to survive in harsh urban conditions, these are themes that one encounters in films such as Férid Boughédir's masterpiece, ***Halfaouine***, Mansour Sora Wade's delightful ***Picc Mi*** (Senegal), and Ahmet Diallo's inventive and radically unconventional ***Boxulmaleen*** (Senegal), a film that resonates with the tone and temperament of Djibril Diop Mambety's ***Badou Boy***. Notwithstanding the inordinate focus on young boys who often come to an awareness of their sexuality at the expense of women who are accorded marginal and stereotypical presence, these films show how young people see and deal with post-colonial urban environments and cultures in which traditional norms of responsibility, control and relations between elders and the young undergo severe strains to the point of total collapse. ***Boxulmaleen***, in particular, constructs a counter-society ruled by pre-adolescent and young people, a counter-society which mirrors, yet simultaneously parodies and transgresses the institutions, actors, norms, conventions and practices of established society. Wade's ***Picc Mi*** also comments on the effects of urbanization on family and young people, and he achieves this through a most imaginative and skillful adaptation of traditional storytelling techniques. These urban-based narratives of adolescence complement the many stories of growing up young in rural Africa that are dramatized in the films of Gaston Kaboré ***(Wend Kuuni, Rabi)***, and those of Idrissa Ouédraogo ***(Yaaba)*** which situate themselves in predominantly rural African contexts away from the gaze and reach of western-influenced modernist contexts of the urban-situated films.

Rural Africa is usually the setting of many narratives that dramatize the dynamics of life in pre-colonial Africa. Perhaps because it is usually figured as zones of African cultural integrity and « purity », uncontaminated by White culture, rural Africa is the favored locale for films like ***Wend Kuuni, Yeleen*** and ***Tilai*** which privilege African versions of narratives and themes that are considered universal and symbolic of the human condition. In focusing on pre-colonial African conflicts, subjects and societies, with their share of joys, desires, virtues and vices, harmony and disharmony, triumphs and disappointments, these films seek to humanize Africans and to counter certain unrealistic constructs of pre-colonial Africa as a place of perfect order and Africans as a special/unique species of humanity. Love, deception, lust, prejudice, father-son rivalry and fight for power, social cohesion, anti-social behavior, adultery, care for orphans, the indigent and the disabled, male chauvinist practices, exploitation, oppression, religious piety, charlatanism of all sorts, etc. — these traits have always been part or parcel of the reality of Africa, these films seem to be saying.

The celebration and interrogation of Africa — past and present — evident in these films informs the new film of Gnoan Mbala entitled ***Au nom du Christ*** (Côte d'Ivoire). Africans have always been confronted with crooks and confidence artists who exploit the deep-seated religious and spiritual disposition of Africans to advance individual secular interests and desires. Masked as holy men out to save souls and transform lives and fortunes, these religious charlatans use their gift of language, cunning and wit to persuade dispirited, disempowered, alienated, frustrated and poverty-stricken victims of post-colonial misrule, who see in their discourse the promise of redemption from everyday misery. Urban Africa teems with revivalist, Pentecostal, Islamic and other such religious brotherhoods, many of which prey on the poor. Mbala's ***Au nom du Christ*** looks at this phenomenon in Côte d'Ivoire. Magloire II, erstwhile thief, rapist and murderer, claims to have experienced a revelation from Jesus whom he calls his cousin. He builds a following which gradually swells into a mini-empire over which he rules supreme. Magloire II's sovereignty over this mini-empire, his style of rule and relations with his followers-subjects all echo the post-colonial state. Totalitarianism and a sense of omnipotence and immortality define Magloire II's style and person, but, paradoxically, it is the belief in his own self that spells his doom. In Magloire II, Mbala performs a double-edged parody and critique of both established religious and secular structures, actors and styles in contemporary Africa, Côte d'Ivoire, in particular, with its senile head of state who invested billions to construct the infamous basilica at Yamoussoukro, his birthplace. ***Au nom du Christ*** is as much about religion as it is about politics in contemporary Africa.

The subject of African history is one that has commanded the attention of a number of recent films by Africans. There is a belief that stories of the African past have been rendered predominantly from the perspective of Europeans, and as such, these versions of history exclude stories of Africa before the advent of Europeans and Arabs ; these dominant European versions also focus predominantly on the story of Europeans in Africa and present these as authentic histories of Africa. In these versions, Europe is presented as the bringer of history and civilization to an a-historical Africa, and thus justifying the project of imperial and colonial expansion which is portrayed as benevolent, benign and sanctioned by God. A number of recent African films present versions of the African past from African perspectives which contest and subvert conventional European accounts, and which present more complex and balanced histories, especially the histories of imperialism and colonialism. Some of these African films engage history in critical ways to reconstruct the past as well as to talk about the present in Africa. Some examples of African filmic reconstructions of history include Ousmane Sembène's ***Ceddo***, which presents a different version of how Islam came into Senegal and its effects, and ***Emitai*** and ***Camp de Thiaroye***, which deconstruct French colonial ideologies and practices of « égalité, fraternité, justice ». Med Hondo's ***Sarraounia*** also presents a radically different version of French colonial policy and expansion in Africa at the same time that he foregrounds the story of Sarraounia, the nineteenth century queen of the Azna of Niger, who successfully resisted French colonial domination and built a society based on equity, justice and tolerance. Most recently, Haile Gerima (Ethiopia) achieved in his latest film, ***Sankofa***, a most compelling rewrite of slavery from a Panafrican perspective.

A final theme in African cinema I want to dwell on a bit is the African environment and ecology. Concern with environmental issues such as drought and the consequences of prolonged lack of water (hunger, famine, death, displacement, migration, breakdown of social structure and relations) have a long history in African creative practice. Many are the oral narratives that dramatize these issues, and a few African filmmakers have engaged these issues, some taking inspiration and models from the traditional narratives. Among the first African films to take up this issue is ***Toula*** by Mustapha Alassane from Niger, which is an adaptation of a story by Boubou Hama of Niger, comparing African and western approaches to drought control and solutions. Western meteorological practices are placed side by side with the prescriptions by an African traditional practitioner who prescribes sacrificing a human being to appease the water spirits. More recently, the increasingly devastating impact of drought on African lives, societies and economies in the Sahel and Horn of Africa regions, in particular, has commanded the artistic attention of a number of African filmmakers.

Jom by Senegalese filmmaker, Ababacar Samb Makharam, makes brief allusion to the drought in the Sahel in images of desertification with the carcasses of dead animals, and in a sequence in which we are shown young women forced to migrate to the city to become maids for wealthier urban elites. Souleymane Cissé's ***Yeleen*** also presents graphic portraits of the drought-stricken Sahel context as integral parts of his narrative. We have also seen how the devastation of drought and famine constitue a major driving force of the narrative of Salem Mekuria's ***Sidet***. Anne Mungai's ***Saikati***, however, uses the Kenyan environment in a slightly different way, not unlike the manner in which Hollywood African productions set up the « maara », animals and game parks as backdrop to adventures and romances.

In 1987, Idrissa Ouédraogo of Burkina Faso came out with ***Le Choix***, dramatizing the options available to the inhabitants of a village afflicted with long periods without rains. The choice is between abandoning an unproductive zone and migrating south to more productive zones with better rainfall, on the one hand, and staying put in the drought-stricken village and depend on food aid from abroad, on the other. One family opts to leave and start a new life away from their traditional home, while the majority are shown waiting for food donated by foreign agencies and governments. The dialectics of self-reliance and dependence on foreign food aid, broached in ***Le Choix*** by Ouédraogo, receives the strongest and most imaginative treatment in Ousmane Sembène's latest film, ***Guélwaar***.

Among the corpus of films dealing with the African environment, two short films by the Somali filmmaker, Abdulkadir Ahmed Said, stand out in terms of imagination, inventiveness and effectiveness. In ***The Tree of Life*** and ***La Conchiglia (The Sea Shell)***, Said positions human beings as the primary agents of environmental resources depletion and destruction. These films address questions of deforestation and water pollution, and their effects — actual and potential — on human life, society and environment in the Horn of Africa. In ***The Tree of Life***, Said uses exaggeration to dramatize the potential apocalyptic consequences of the practice of cutting down trees for firewood. In this film, a man who habitually engages in this practice experiences a dream in which his village undergoes a radical transformation from one with adequate environmental resources to support life to one which is completely devastated and reduced to dust and rubble without any vegetation as a result of his constant abuse of the arboreal resources of the village environment. He is chased by a huge black dog as he attempts to cut down another tree. He wakes up from his dream/nightmare (which Said films in strikingly beautiful sequences) resolved to stop this practice. He assumes the role of a teacher and embarks on a project to educate his fellow citizens in order to control and, maybe, totally eliminate this practice of indiscriminate and uncontrolled abuse and destruction of trees, figured here as a source of life.

Said's second film, ***La Conchiglia***, adopts a similar style and approach — exaggeration, dream, surreal images, sounds and decor — to talk about the consequences of water pollution. This time, it is a young girl of no more than six years who assumes the role of narrator, but she is dead and we hear her voice mingled with the echo and sound of waves coming through a beautiful sea shell that a female painter picks on a deserted beach. In her own voice, the young girl tells the story of her short and extremely difficult life, and memories of her village and the people who have also disappeared, victims of a terrible ecological disaster which contaminated the water and surrounding land. Said, however, projects a ray of hope when in the final sequence of the film we see a young girl stray away from the group of youngsters she is playing with, and directly invite the spectator to join in their game. So crucial and urgent is the question of the environment in Africa today that in 1991, for example, the 12th edition of the biennial FESPACO chose as its theme « Cinema and the Environment ».

African cinema is shaped and influenced by African realities, challenges and cultures, and it, in turn, tries to shape and influence these realities, challenges and cultures. African cinema mirrors the diversity, complexity and continually changing faces of Africa in ways that are at once complex and critical.

Mbye C. CHAM

Dept of African Studies — Box 231 — Howard University — WASHINGTON, DC 200 59.

L'EXPÉRIENCE AFRICAINE ET LE CINÉMA

Même si les Africains ont été très tôt exposés au cinéma, ce n'est que beaucoup plus tard qu'ils se sont mis à faire des films. Le premier film africain — tunisien — remonte à 1928 et le cinéma égyptien a commencé à cette date, mais la plupart des pays ne sont entrés dans la production cinématographique qu'avec les indépendances. Le cinéma africain est né avec la lutte contre le colonialisme et le néo-colonialisme et s'est développé tant bien que mal dans le contexte d'instabilité, de répression politique et de désintégration socio-économique qui caractérise la période des après-indépendances.

Malgré ses difficultés, le cinéma africain fait preuve de maturité idéologique et artistique dans le reflet qu'il donne des réalités, des expériences, des désirs et des priorités des sociétés auxquelles il s'intéresse.

Nombreux sont les films africains qui partagent les tendances radicales du cinéma d'autres régions du Tiers Monde. Ils montrent aussi des points de ressemblance avec des films afro-américains et britanniques noirs indépendants et avec certains films indiens où les parallèles se retrouvent non seulement au niveau de la forme et du contenu mais aussi dans le mode de production et de distribution.

Les cinéastes africains « radicaux » considèrent le cinéma comme un discours socio-politique et culturel et insistent sur la nature idéologique du film qui est l'instrument de la décolonisation des esprits et d'une prise de conscience en vue de la transformation de la société au bénéfice des masses.

Certains cinéastes se considérant comme le pendant des griots s'approprient les techniques et ressources de l'oralité et tentent de façonner un nouveau langage filmique pour faire part des réalités et des désirs des Africains. Sembène Ousmane, Med Hondo, Souleymane Cissé tiennent le haut de la liste de ces cinéastes dans l'Afrique sub-saharienne.

Des films africains imitant le cinéma hollywoodien ou indien ou les films de karaté constituent une autre catégorie de films qui jouissent d'un grand succès auprès du public et offrent une forme d'évasion sans rechercher un langage particulier.

Enfin le film étranger, hollywoodien particulièrement, tourné en Afrique qui contribue à perpétuer les clichés distordus de l'Afrique et à en créer d'autres encore plus insidieux, a une place de choix grâce à l'emprise des sociétés étrangères de distribution en Afrique.

La dominance du film étranger en Afrique retarde le développement de l'industrie cinématrographique et détourne le film africain de son rôle actif dans le processus de développement.

Le paysage cinématographique africain évolue entre ces trois tendances avec une infrastructure, plus développée au nord qu'au sud du Sahara, qui peu à peu favorise l'expansion d'une coopération sud-sud. Au sud du Sahara, le cinéma francophone domine. Cependant l'Afrique australe commence à s'éveiller et offre une infrastructure de production qui attire les cinéastes.

Le cinéma fait par les Africains est à la fois « futile, utile et instructif ». L'étude d'un certain nombre de films et de leurs thèmes montre que ce cinéma est façonné et influencé par les réalités, les défis et les cultures de l'Afrique qu'à son tour il essaie de façonner. Il reflète de manière critique la diversité et la complexité d'une Afrique en plein changement.

FOREIGN EYES, ALIEN HANDS

Afolabi ADESANYA

« Scene 70, take 3 », states the clapperboy.

« Action », barks Ossie Davis, the noted African-American stage and film director on the set of Francis Oladele's ***Kongi's Harvest***. He was also to call the shots on Ladi Ladebo's ***Countdown at Kusini***, shot on location in Nigeria, with Andrew Laszlo, also an American as the Director of Photography (DP). Oladele's next picture, ***Bullfrog in the sun***, an adaptation of Chinua Achebe's novels ***(Things fall apart*** and ***Arrow of God)***, was directed by Hans Juergen Pohland, a German.

Bisi : Daughter of the river, co-produced by the trio of Ladebo, Jab Adu and Kola Ogunnaike, was photographed by Larry Pizer under the direction of Jab Adu. Oladele and Ladebo are essentially producers. Eddie Ugbomah and Ola Balogun are directors, the latter has the added advantage of having worked as a cinematographer. And perhaps, still one. Ugbomah's debut, ***Oyenusi***, was photographed by Bob Davies, ***The mask*** by Merlin Davies. Balogun's ***Ajani Ogun*** was shot by Frank Speed, then on the staff of the university of Ife (now OAU) ; while his other films (either for his company, or Ogunde or Baba Sala) were all photographied by foreign DPs. John Williamson, another former resident, photographed Ade-Love's ***Kadara***, Baba Sala's ***Aare Agbaye*** and M. Ajaga's ***Akoni***.

Evidently, the advent of feature film production in Nigeria was mid-wived by Nigerian producers and foreign crews from the US, Britain, France, Brazil and Germany in an eclectic fusion of cultures, perceptions and technology in partnership with French, German, USA financiers (CAL-PEN-NY ; Delta Sigma Theta Sorority), Brazil's defunct Embrafilms, etc. This trend of « co-production », was to continue into the early 80s, in all spheres of production and post-production.

Warning about the inherent dangers in co-production, Sembène Ousmane, the Senegalese filmmaker, had this to say : « Co-production with the West is often tainted with paternalism, and it is economic dependency which, as such, gives the West the right to view Africa in a way that I cannot bear. Sometimes, one is also coerced into consenting to commercial concessions. In a word, Europeans often have a conception of Africa that is not ours ». (Jeune Afrique, 1970). His disfavour of co-production was informed by his bitter and litigious experience with Robert Nesle, the French producer of his film ***Le Mandat***. The pros and cons of co-production are however, not the focus of this article.

Irreconciliable differences between Hubert Ogunde and Balogun, in the course of making the former's debut picture, **Aiye**, led to an enduring collaboration between Ogunde and Freddie Goode, under whose direction ***Jaiyesimi, Aropin N'Tenia*** and ***Ayanmo*** were shot at Ogunde's film village in Ososa, Ijebu-Ode and on various locations in Western Nigeria with a full complement of British crew. This is the issue ! Virtually all the films mentioned above had foreign soundmen, and were edited by aliens (***Bisi*** was edited by Fergus McDonnel ; ***Oyenusi*** and ***The mask*** by Margaret Bendel ; and ***Kadara*** by Rowland Black).

What sort of insight and eye did these foreign directors bring with them to enrich the direction of films set in a milieu different from that in which they were raised ? With what sort of eye did the DPs perceive an alien culture and drama ? What native ear had the soundman for an exotic language, music and atmospheric sound ? With what sort of eye and ear did the alien editor assemble the rushes and the final cut ?

When Americans came to film the likes of ***King Solomon's mines, The African Queen, Mogambo, Out of Africa, White hunter, black heart***, etc. they came with Yankee eyes and ears. And preconceived notions, for example : A journey from the heights of civilization to the abyss of a wild, dark continent. A romanticised Africa ; a mythological, unexplored continent.

« A foreigner », however, contends Nestor Almendros (a DP), « has an eye that discovers the new country. It sees things that other people don't see because we're around them every day ». (*American Cinematographer*, November 1991). Technically, perhaps. But not aesthetically. And what about faithful representation ?

Was there such a dearth of capable native directors, cinematographers soundmen and editors in the 70s ? Or were the pioneer producers in dire need of confident boosting hands that it necessitated packaged importation of crew, equipment, cast and mineral water ? Or were they genuinely in pursuit of « internationally acceptable » features ? With the exception of Frank Speed and John Williamson (founder of Niger films Ltd), members of the foreign crews had never visited Nigeria, not to talk of a local life experience to inspire them. Ossie Davis is the mentor of Oladele and Ladebo, who must have felt obliged to pay back and say : « Thank you ».

Adamu Halilu, also a pioneer, is an exception. Perhaps a circumstantial exception. He was at the time he made his features, ***Shehu Umar*** and ***Kanta of Kebbi***, a staff of the Federal Film Unit (FFU). He had Yussuf Mohammed as his cinematographer, also of the same FFU that produced Akin Fajemisin (producer, cinematographer), Kola Ogunbanwo (an assistant cameraman on ***Bisi***) and Jonathan Amu. And of course, Adegboyega Arulogun (editor).

The morning of indigenous film production can be said to be the 80s. Shafts of its rising sun shot to the fore notable native technicians like Bankole Bello (cinematographer, soundman, and editor), Issa Danjuma (editor), Jide Bisayo (editor), Tunji Dala (cinematographer), Ben Olisah (editor), Tunde Kelani (cinematographer), Femi Aloba (soundman and editor) etc. They established themselves not by the pioneer's divination or spirit of adventure/discovery but through Providence that threw up a tidal wave of low-budget feature producers/directors like Isola Ogunsola, Ayo Rasaq, Wale Adenuga, Segun Alli-Rasco, Bayo Aderohunmu etc. Only to be « discovered » and acknowledged by the pioneers. In fairness to Ladebo, however, he gave Olisah and Dala their « big break » on ***Vendor*** and ***Eewo*** (Taboo) respectively. Bankole Bello, a protege of Frank Speed, was engaged as soundman for ***Ija Ominira*** by Ola Balogun.

What legacy will the natives bequeath ? Don't cast your stringed cowrie shells on the sand yet. Divination at sunset.

Afolabi ADESANYA

Filmmaker and author of the NIGERIAN FILM/TV INDEX.

Les films nigérians ont vu le jour avec la participation d'étrangers dans l'équipe de production et dans l'équipe technique.

Quelle compréhension ces producteurs, réalisateurs, opérateurs, ingénieurs du son venus de l'extérieur pouvaient-ils avoir de ces films tournés dans un milieu qu'en général ils ne connaissaient pas ? Quelle contribution pouvaient-ils vraiment apporter ?

Ce n'est qu'au cours des années 80 que les techniciens africains ont petit à petit pris leur place à la faveur de films à petit budget.

L'ÉVOCATION DU SACRÉ DANS LE CINÉMA AFRICAIN

Père Jean VAST

1. - LE SACRÉ — QU'EST-CE QUE LE SACRÉ ?

« La notion de sacré est une de celles qui hantent le plus fortement notre époque. » C'est ainsi que Henri Agel, commence son livre intitulé « LE CINÉMA ET LE SACRÉ » Dès la première page, il nous met en garde, car il existe des formes du sacré qui restent aberrantes aux yeux du croyant, des dégradations d'une réalité dont le caractère premier est la transcendance. « D'ailleurs précise-t-il, le pressentiment chrétien des religions antiques, tout comme les résonances de la tragédie grecque, nous permettent de constater que si l'homme descend à une certaine profondeur intime, il entre en contact avec le sacré. » En un sens, toute œuvre d'art atteint au sacré quand elle laisse sourdre ce chant de l'ANIMA, ce bruissement de source et fait rayonner à l'écran la notion de l'UNUM NECESSARIUM. Ainsi donc qu'est-ce qui se dégage alors de ce qu'il y a de plus profond en nous ? C'est le sentiment, indifféremment religieux ou laïc, qu'il y a quelque chose d'inviolable en l'homme, un point pur, un centre de vie que la dégradation, le désespoir ou la contrainte ne consument jamais tout à fait, dont l'homme doit assurer et préserver le culte, où il trouve le respect de soi-même et le pouvoir de reprendre incessamment force. Sans lui, tout s'avilirait. Tout perdrait son sens. Tout se dissoudrait dans l'incohérence et dans le néant.

A un premier degré, tout film qui exalte « ce quelque

chose d'inviolable se hausse jusqu'au sacré ». Henri Agel ajoute un peu plus loin que l'équilibre entre la noblesse de l'inspiration et l'ampleur symphonique de l'exécution peut s'offrir sous différents aspects et, à la limite, la grandeur du style peut être l'élément déterminant de la réussite.

« C'est une certaine exaltation du spirituel par un style qui le solennise et le situe dans les perspectives d'éternité qui fait qu'un épisode de guerre, l'évocation de la lutte entre l'homme et le cosmos, la peinture de la vie en communauté, l'amour, la souffrance, le monde de l'enfance, acquièrent dans le souvenir une seconde dimension. » L'auteur cite alors des titres de films comme ***L'espoir, Les raisins de la colère, Paisa, Le voleur de bicyclette, Los olvidados*** — « autant de miroirs, dit-il, du sacré encore "obscurcis et plaintifs" mais déjà bouleversants ».

Plus loin il cite le Père Régamey : « La valeur d'éternité qui est dans l'instant présent, les religions nous l'ont communiquée à travers une histoire, un dogme, une liturgie. Le cinéma, quand il sait disposer de ses pouvoirs pour devenir à son tour une sorte d'office ou de célébration, mérite le nom de Cinéma Sacré. »

Dans le même livre, en postface, Amédée Ayfre écrit : « Certains films ont su par une certaine qualité intérieure absolument unique, atteindre quelque chose du Mystère de Dieu... mais la réalité transcendante du monde surnaturel, la personne du Dieu vivant, ne s'imposent pas comme une présence indubitable et ne s'induit pas comme principe d'explication. »

2. - LE SACRÉ ET LE CINÉMA AFRICAIN

Pour ce qui concerne le cinéma africain, des spécialistes du SACRÉ ont déjà bien étudié ses diverses manifestations. M. Jacques Binet nous aide à le découvrir, dans un livre qui a pour titre « LE DISCOURS DU FILM AFRICAIN ». Il s'est expliqué aussi dans le N° 26 de *CinémAction*. « Il pense que les cultes traditionnels (vénération d'ancêtres, cultes de la fécondité) sont présentés avec une certaine tendresse par les cinéastes : ils véhiculent avec eux la chaleur de ce qui est lié à la tradition, la puissance des racines, le mystère et le pouvoir magique. Il est dès lors difficile de distinguer magique et religieux.

Mais si l'on considère que le sacré va au-delà du religieux et englobe tout ce qui amène le dépassement de l'individu, rechercher à travers les films les valeurs dominantes est évidemment une démarche intéressante et permet de comprendre les motivations des cinéastes vis-à-vis du milieu où ils vivent.

Ici, je voudrais déjà mentionner ce que j'ai déjà pu relever dans les films africains, vus et revus et qui m'a paru être du sacré. Dans le film ***Guelwar*** de Sembène Ousmane, on ressent un certain mystère dans cette veillée funèbre et cela à travers le rythme lent d'une certaine liturgie. Les amis arrivent les uns après les autres, comme pour une procession. Chacun apporte sa participation à la cérémonie. Un peu après, lorsque l'épouse est seule dans la pénombre de cette chambre mortuaire et qu'elle parle à son mari absent, il y a là quelque chose de sacré, avec la prière et les souvenirs qu'elle évoque. Enfin lorsque le cinéma rend possible, par un retour en arrière l'apparition du défunt, ce ***Guelwar*** qui vient comme un prophète audacieux crier sa révolte devant les abus et la corruption, cela me paraît comme un souffle profond jailli du cœur de l'homme.

Dans le film ***Yeelen***, la conversation au début du film entre la mère et son fils et la décision qu'il prend, ainsi que son regard fixe témoignent d'une force qui est en lui. Plus loin le bain de la mère et sa prière, si humble et si confiante me paraissent relever du sacré. Dans le film, ***La Noire de...***, la séquence du masque qui menace l'homme blanc, sa fuite et sa crainte expriment aussi le sacré. De même la scène finale du film ***Le Mandat***, lorsque Ibrahima se lève et affirme sa rancœur et son dégoût, il retrouve sa dignité et près de lui ses épouses sont d'accord. Ce final est une expression du sacré comme c'est le cas dans bien d'autres films. Dans ***Yaaba***, les deux enfants et la vieille femme, l'amitié qui naît entre eux, le refus de condamner, sont des valeurs profondes que révèle ce film.

Reprenons donc ce que nos spécialistes ont pu découvrir à ce sujet. M. Jacques Binet fait remarquer que le film en Afrique n'est pas né de la culture populaire et n'est pas généralement intégré dans « l'âme collective » au point d'en être le reflet. Il est la création d'un réalisateur ou plus exactement d'une équipe réunie autour de celui-ci. Il est donc l'expression de personnes appartenant à un milieu urbain, cultivé, ouvert sur la culture mondiale. Jacques Binet montre bien les différences qui peuvent exister entre les pays marqués par l'islam et ceux où le christianisme a pu pénétrer et influencer les mentalités.

Il est normal d'inclure dans le sacré, tout ce qui touche aux religions. Pour lui aussi, il est évident que tout ce qui dépasse l'homme et le contraint à sortir du quotidien peut mener au sacré. Le mystère et ce qui est au-delà des perceptions sensibles sont souvent sources de sacré.

« Mais en toute hypothèse, une évaluation sainement mesurée du divin contraint le croyant à donner à la divinité, non seulement la première place, mais la place essentielle dans sa vie et sa pensée. En se demandant si l'islam ou le christianisme apporte ou enlève des éléments à l'authenticité africaine, écrivains ou cinéastes révèlent que pour eux, l'important, le transcendant, le sacré est la race, la patrie, la culture. La religion n'est plus qu'un moyen de servir ces idéaux. »

Dans le film ***Niaye***, Ousmane Sembène fait intervenir un griot, en voix off sur l'hypocrisie du village. Celui-ci murmure « Entre Allah et l'homme, je suis pour Allah » — « Entre Allah et la vérité, j'opte pour la vérité ». Mais pour un croyant, Dieu par définition ne peut être que vérité. Les hommes eux, cherchent la vérité.

Johnson Traore, dans son film ***Ndiangane***, montre les élèves d'une école coranique et la discipline très dure qu'ils doivent supporter. Dans ***Ceddo***, Sembène Ousmane invite son public à réfléchir sur la conversion à l'islam et sur le pouvoir politique et culturel. Dans le film ***La chapelle***, Tchissoukou critique les missionnaires sur le terrain politique et non pas religieux. Au Sénégal, ***Contra city*** montre la sortie de la messe à la cathédrale de Dakar avec une foule endimanchée où dominent les vêtements européens. C'est dans l'esprit du film qui s'attache à montrer les aspects incongrus de la ville.

Ce n'est sans doute pas directement la vie des religions qui pourra être source d'inspiration pour le cinéma africain. Les cultes traditionnels sont peut-être davantage marqués par des signes et des symboles bien en harmonie avec la vie des peuples si divers en Afrique.

Le cinéaste sénégalais Moussa Bathily dans son film ***Tiyabu-Biru*** aborde les rites d'initiation. Dikongue Pipa nous montre un rite en usage chez les Doualas, au Cameroun. Le film de Pascal Abikanlou du Bénin ***Sous le signe du vaudou*** décrit les rites du Vodun sur la Côte. On y perçoit bien l'articulation du sacré avec la vie quotidienne et les difficultés qui en résultent.

Dans ***Émitaï***, film de Sembène Ousmane, j'ai toujours été impressionné par le mouvement de la caméra qui nous fait découvrir lentement le Bois Sacré et ce mouvement de bas en haut aboutit à l'arbre aux grosses branches noueuses et fortes, symboles d'une mystérieuse présence. Les femmes et les hommes du village s'opposent à ceux qui veulent prendre leur riz. On tente de se concilier « les bœkins » mais les dieux n'interviennent pas. La religion ne doit pas détourner les hommes de l'action et de prendre en main leur destinée. Même scène dans ***Finye***, la prière ne doit pas empêcher d'agir. Dans ***Guelwar*** la fierté des Sérères les amène au refus de l'aide internationale qui leur est donnée.

3. - MAGIE ET GOÛT DU MYSTÈRE

En Afrique comme ailleurs la religiosité cherche à s'exprimer dans de petits groupes, par des rites mystérieux et nouveaux. Les sectes se multiplient et le dernier film primé au FESPACO en 1993 ***Au nom du Christ*** dénonce cette invasion.

Le cinéma montre un certain glissement vers la magie et décrit des pratiques bénéfiques ou maléfiques. M. Jacques Binet nous met en garde. « Ce qui était objet de prière devient une action technique, ce qui était le fruit de toute une culture devient un acte isolé de tout contexte, ce qui était émouvant, parce que venu des ancêtres, n'est plus qu'un moyen d'obtenir un résultat. L'efficacité est alors le seul critère de vérité. »

Il cite un article de M. Nguéwa Pokam *(CinémAction)* qui montre que « les religions du terroir ont pendant d'innombrables années, servi de base aux communautés africaines à plus ou moins longue échéance ». Le film de Moustapha Alassane » ***FVVA*** est assez significatif à ce sujet : l'inefficacité des gris-gris du faux marabout est clairement démontrée... Le film ***Identité*** de Pierre-Marie Dong est plutôt ambigu, équivoque, surtout au niveau du dénouement... Il s'en dégage une impression d'insatisfaction, le héros retrouve la paix mais au lieu de rester chez les siens, il retourne en ville. La même impression d'échec ressort du film ***Abusuan*** de Henri Duparc — le gri-gri devait ensorceler le pauvre fonctionnaire afin qu'il aide deux jeunes gens à réussir comme lui — hélas, ils deviennent des délinquants.

La victime du ***Xala***, sortilège d'impuissance, va consulter guérisseurs ou magiciens, mais ils relancent la malédiction s'ils ne sont pas payés.

L'inquiétude des hommes devant la vie explique le recours fréquent à la divination dont nous sommes témoins (***Saitane, Nuages noirs, Lambaaye, Adja tio,*** etc.) et à la recherche d'amulettes et de protections de toutes sortes.

A travers tout cela, les hommes cherchent à dominer leur angoisse et leur faiblesse ; on a recours aussi à la magie, proclamée « la science de nos ancêtres », son efficacité n'est pas toujours assurée. Ces croyances ne sont pas si neuves, même si elles occupent la place vide. Un peu partout, on parlait des génies de l'eau, de ce monde qui se voit comme un reflet dans les lacs et les fleuves. La fille des eaux, la « Mamy Watta » comme on dit en pidgin fait actuellement une rentrée prometteuse. Au marché d'Abidjan, on vend sa photo. De nombreux peintres populaires en font le sujet de leurs tableaux.

Le cinéma ivoirien l'a repris dans deux films, l'un de Timité Bassori, ***Sur la dune de la solitude***, l'autre un très court métrage de Trahima Diaby ***La Mamy Wata***, présente la fille des eaux comme l'inspiratrice des poètes et des chanteurs.

Kodou de Ababacar Samb-Makharam décrit la possession par le « Rab » et la manière de la guérir en identifiant l'esprit qui a causé la folie et en le fixant dans un autel où il sera honoré. « A. Samb nous donne ainsi dans les manifestations de l'inconscient une variété analogue du Sacré. »

Saitane, magicienne, se croit poursuivie par un génie de la brousse. ***La femme au couteau*** de Timité Bassori est l'histoire d'un homme persécuté par le fantôme d'une mère exigeante et jalouse. Dans ***Mouna*** d'Henri Duparc le sculpteur devient fou après la mort de sa femme. L'angoisse, la détresse, c'est aussi ce qui pousse le héros du film ***Touki Bouki*** de Djibril Diop-Mambety et il rêve de richesse, de voyage et à la fin, fatigué par sa longue course, il veut retourner chez les siens en désespoir de cause.

« La structure même du film est témoin de cette détresse : tout y est choc, les plans spatio-temporels se télescopent ou se chevauchent dans la tête du héros qui n'arrive jamais à se définir clairement et de façon définitive. Il est en quête de valeurs, quête de soi-même, symbole de toute une génération. »

4. - CINÉMA AFRICAIN ET VALEURS TRANSCENDANTES

Le sacré va bien au-delà du religieux et englobe tout ce qui amène le dépassement de l'individu, il y a donc lieu de rechercher à travers les films ces valeurs dominantes. Il s'agit pourtant d'être prudent dans cette analyse.

« Pour les cinémas européens, américains ou russes, l'amour d'un homme et d'une femme est l'élément essentiel parce qu'il est la valeur clé de ces civilisations. Bien sûr, la sexualité est présente dans les films africains. Il suffit de citer les scènes de danses dans les cabarets du ***Cri du muezzin***, de ***Muna moto***, du ***Bracelet de bronze*** avec leurs prises de vues étudiées pour faire suggestif, la prostituée de ***Paris, c'est joli*** et bien d'autres séquences. »

Dans son film ***Un homme, des femmes***, Ben Diogaye Beye dénonce la polygamie, mais la dernière épouse du polygame ne profite pas de son divorce pour convoler avec l'ami de sa jeunesse. Le cinéaste ivoirien Fadika Kramo Lanciné dans ***Djeli*** montre le drame d'un amour impossible entre un griot et une fille noble. La fille se suicide, elle est sauvée à temps, on ne sait pas si l'amour va triompher des obstacles de la tradition.

« La mort en Afrique n'a pas la même importance qu'en Occident, ici elle a une importance cruciale et définitive dans la mesure où l'individu est l'élément essentiel. Là, puisqu'il n'est qu'un membre de la Communauté, sa disparition n'a pas un caractère aussi absolu. »

« On meurt peu sur écran africain et avec un cérémonial réduit. » Ce que M. Jacques Binet écrivait, il y a quelques années n'est pas tout à fait vrai avec le film de Sembène ***Guelwar*** qui montre comment la famille et les amis entourent celui qui est mort, mais dont on a perdu la dépouille. Le film ***Niiwam*** de Clarence Delgado sorti l'an dernier a pour thème la mort d'un enfant à l'hôpital. Le père, trop pauvre, l'emporte dans ses bras en empruntant l'autobus. Les réactions des gens et surtout la dernière scène vers le cimetière est poignante et un souffle de sacré et d'espérance ressort de ces dernières images du film. ***Borom Sarret*** (Sembène Ousmane) aussi avec le charretier qui dépose par terre à la porte du cimetière le cadavre d'un bébé. Les funérailles du chef d'***Émitaï*** sont le cœur du film et les images du corps porté par les femmes sont puissantes.

Dans certains films, des cinéastes chargent un personnage de jouer le rôle du prophète, du poète, du visionnaire, parfois l'auteur confie l'annonce du sacré à un personnage dérisoire, un bouffon ou un mendiant. « Sembène révèle ainsi son souci de noblesse ; le borom sarret est chanté par un griot comme descendant d'une famille noble. »

L'eau est aussi un symbole de valeurs. C'est au bord de la plage que la fille-mère de ***Niaye*** va gagner la ville. C'est aussi au bord de la mer que ***Kodou*** sera libérée de l'esprit qui a pris possession d'elle. La source, où l'on vient puiser et se baigner, voit naître les amours passagers du héros d'***Identité***. Le film ***Finye*** commence aussi par l'image d'un enfant qui sort de l'eau et l'apparition des jeunes héros de ce film, près de ce fleuve.

« La danse pourrait-elle marquer l'approche du sacré ? » M. Jean Binet pose la question — « Elle est liée en Afrique à certains cultes de possession et fournit l'essentiel des techniques extatiques par lesquelles les fidèles des vodous, au Bénin et au Togo cherchaient à atteindre la divinité. »

Dans le film ***Il était une fois Libreville*** ou dans ***Identité***, les cérémonies religieuses du culte bwiti montrent une approche singulière du sacré, drogue et musique y « jouent » ensemble.

« La musique n'est pas un jalon dans l'approche du sacré puisque son emploi déborde de beaucoup ce domaine, la bande "son" reste un repère essentiel. Le rire du magicien dans ***Saitane*** est tout autre chose qu'une preuve de gaieté : il marque au contraire, la gêne devant le viol des choses sacrées. ***Touki-Bouki*** retentit de tels rires. »

La voix off est souvent le signe du passage au sacré. Dans ***Borom Sarret***, dans ***Niaye***, elle est le monologue intérieur, la réflexion sur ce qui se passe. Le sacré n'est peut-être pas dans ce qui est dit, mais dans l'impression d'atteindre le plus secret de l'homme.

A travers les frémissements de la forme comment déceler ce qui engendre l'émotion ?

CONCLUSION

Une analyse du sacré est en fin de compte bien difficile. Parmi les moments sacrés du cinéma africain, certains mouvements de foule sont les plus indiscutables. La présence de ces foules denses et organisées est liée à un certain frémissement de l'action où transpire un sentiment du sacré : dans ***Émitaï***, une colonne de femmes portant un cadavre ; dans ***Baara*** la foule des ouvriers s'avançant vers le P-DG prévaricateur — images où le spectateur sent passer un souffle.

Un gros plan du visage d'un vieillard se présente à la mémoire comme un moment des plus poignants — c'est l'émouvant hommage de Safi Faye à son grand-père à la fin de ***Lettre paysanne***. La réalisatrice a inséré ce gigantesque portrait de celui qui venait de mourir juste après le tournage.

Le cinéma, maîtrisant le temps, nous fait pénétrer le mystère de l'au-delà.

Père Jean VAST
Unir Cinéma.

SOURCES

CESCA, *Camera Nigra, Le discours du film africain,* 236 p., Collection Cinemedia OCIC (extrait de J. BINET)

Jean BINET, « Cinémas noirs d'Afrique », *CinémAction* n° 26.

The wake keeping scene in ***Guelwaar***, the dialogue between mother and son at the beginning of ***Yeleen***, the mask sequence in ***La Noire de...*** are examples of the expression of the sacred dimension in African films.

It is difficult to define what is sacred. Is it in the face of an old man ***(Lettre paysanne)*** or in a column of women carrying a corpse ***(Emitai)*** ? Perhaps, beyond the magic, the religious, the ritual... it is all that gives us access to the mystery of the world.

OTHER PLACES, OTHER APPROACHES

Gabriel H. TESHOME

[In this study I provide examples from African films to demonstrate the three major components of a course in Third World cinema at the University of California, Los Angeles. These are : the clarification of the grammar of African film ; the exploration of the production milieu of African film ; and the need for a critical construct of African film culture.]

INTRODUCTION

When the meaning of a film is inaccessible because the belief systems, ideologies, cultural references or styles of filmic execution are foreign to the viewer, the effect is that of a « cultural curtain », « Reading » a film from a geographical and cultural distance may be problematised by several factors. The most serious example is the tendency of an audience to read a film by automatically incorporating it within the methodologies and critical matrices which are already familiar to the audience. This approach is much in evidence in the Western world where sophisticated critical and theoretical categories domesticate whatever is alien to its own cultural tradition. The domestication process may enrich Western aesthetics and cultural traditions, but while doing so it necessarily misrepresents and eventually subverts other cultural traditions. Because students in the West are not getting enough general knowledge about other cultures in school or even at university, there is a lack of cultural perspective and intercultural understanding.

In a course of study which focuses on Third World films, there is perhaps much to be gained in attending to the Theory of Translation[1]. In translation theory there are two distinct approaches : the first aims towards a « target text » where the effort is to translate it point-for-point into terms of Western cognition. In such translation the terms of the original culture are lost. In the second approach, the more important for the present purpose, the quest is for a deeper understanding of the « source text », for meaning as contexted in its own terms. The pedagogical issue for a teacher of Third World films is to insure against the students assuming that the features of a Third World film always « correspond » to something familiar in America or Europe.

TEXT AND CONTEXT

Students in a Third World film class must be brought to realise that not only are surface meanings in Third World films replete with unfamiliar cultural clues as to point of view and socio-political and ideological complexities, but also that there is a deeper level of meaning which cannot be intuited by the uninformed viewer. The first stage of teaching, then, advances the notion that text and context of Third World cinema both need careful scrutiny.

For instance, in Western media liquor is often poured liberally into a glass ; consider the number of times this happens in a single episode of the US television soap opera, ***General Hospital***, for an indication of the pervasiveness of this symbol in Western visual media. What does a lavish splashing of spirits signify to the Western audience ? If not the wealth of the pourer, it is the power to drink without

1. Gideon TOURY, « Translated Literature : System, Norm, Performance », *Poetics Today* (special issue on « Theory of Translation and Intercultural Relations ») Summer/Autumn 1981, vol. 2 n° 4, pp. 9-27.

censure in the middle of the day, or whenever an unpleasant event occurs. These received impressions will not carry the Westerner far in viewing African or Middle Eastern films, however. For instance, in a Moroccan film directed by Souhel Ben Baraka, ***A Thousand and One Hands*** (1972), the blonde wife of the Moroccan rug businessman, Jamal, at one point pours whiskey into a glass. In Morocco, as well as in other Middle Eastern countries where Islam is the principal religion, alcohol is prohibited by Islamic law. The white woman's action, and Jamal's acquiescence to her offer, characterises the couple as sacrilegious and godless. The unwary student has missed a key signal of the film's meaning if the scene is analysed with only the Westerner's stock of cultural references.

Understanding a Third World film involves not only such symbols, it also extends to the very subject matter of films and to the treatment of characters. For example, in the Ethiopian film ***Gouma*** (1973), directed by Greek-Ethiopian Michael Papatakis, a murderer completes his penitential sentence to wander, enchained and begging, until he has made payment for his *gouma*, blood guilt. Such a custom is unknown in the West ; consequently no such theme could have engendered a movie in the West. The question of « honour » or contrition, as opposed to vengeance by the family of the deceased, is prevalent in African folkloric cinema ; yet it has such a foreignness to it that non-Third World viewers will find it hard to penetrate. Another characterisation that receives an altogether different treatment in Third World films is the depiction of a blind person. In Western films, the blind may be regarded as victims of misfortune ; but in such African films as ***Gouma*** or ***Wala*** (directed by the Senegalese filmmaker Ousmane Sembène, 1974) the blind person is presented as a seer with foresight and foreknowledge and functions as the decoding device to unravel not only the true meaning but also the ultimate resolution of the film.

The most « simple » and pervasive icons may have radically different meanings outside their own milieu. In Western culture, for instance, the blue-eyed blonde signifies « beauty », whereas in the Moroccan film, ***A Thousand and One Hands***, in the Mauretanian film, ***Soleil O*** (directed by Med

Hondo, 1969) or the Senegalese film, ***The Black Prince of St. Germain*** (directed by Ben Diogaye Beye, 1974), she (or it) stands as a symbol of the destructiveness of Europe or cultural imperialism. Also, « white » in Western culture is a colour which stands as a sign for « purity » or « innocence ». In the Ethiopian film, ***Harvest : 3,000 Years*** (directed by Haile Gerima, 1975), however, a peasant girl's dream about the landlord's imminent death is recounted to her grandmother, prompting a question about the colour of his attire, which was « pure white », the cultural symbol of death. « And what did your father wear ? » asks the grandmother, to which the girl responds, « the same worn-out dress he always wears », a reference to life. For the funeral procession in ***A Thousand and One Hands***, where all the mourners are dressed in white, the cross-cultural translation will be identical to dark dress worn by mourners in the West. Here is a case where the signifier, dependent on oppositions, reverses the order of signification.

Geographical or cultural distance may render a film text unpalatable to a Western audience, though this effect may arise also from the audience's limitations of consciousness, its prejudices or strongly held beliefs. For instance, in ***Ceddo*** (directed by Sembène, 1977), Moslem imperialism is condemned for its role in the breakdown of traditional African spirituality : devout followers of Islam may consequently find the film difficult. Similarly, ***Soleil O*** depicts the African adoption of Christianity by turning the symbol of a cross into a sword, representing the ideology of the « white man's burden » — founded as it is on the Christian ethos — as a violent intrusion into the peaceful and communal African social fabric.

Ethnocentric readings may transform a minor incident in a narrative into a major one. For instance, the ritual context of animal slaughter in African films immediately raises the question of cruelty to animals : what Western students perceive as brutal acts may be perfectly normal in the African context. In many rural societies, slaughtering animals for food is recognised as a fact of life, whereas for Westerners whose only contact with meat involves the plastic wrapped supermarket package, such carnage may appear gratuitous. More importantly, American students, taught since childhood that their worth is defined in terms of individual achievement and responsibility, may find representations of the close-knit structure of the African family, involving responsibility for the community, simply bewildering.

A course on Third World cinema must provide a wide range of examples, so that students have the opportunity to develop a sense not only of the plurality of cultures and societies but also of their distinctiveness and worth. What is aimed for is a widening of students' perspectives on artistic representation and on an understanding of the source texts on their own terms and within their own cultural patterns.

In making a film rooted in Third World cultures, the filmmaker's choice is circumscribed both culturally and ideologically. Thematic as well as stylistic features of such films have been characterised as « primitive », reminiscent of early cinema. This kind of judgement is generally based on technological criteria of cultural worth and an assumed trajectory of the evolution of film language from the « primitive » to the « civilised ».

To the uninitiated eye, for instance, ***Emitai*** (directed by Sembène, 1972) appears devoid of elementary cinematic pacing and a basic variety of shots. Here the close-up is avoided and narrative time seems to approximate real time. Yet in ***Mandabi*** (1968), shot three years earlier, Sembène's mastery of the technique of the conventions of close-up is quite evident. Each film uses cinematic conventions that correspond to its own thematic orientation. ***Emitai*** is set in rural Africa of the colonial period : ***Mandabi***, shot in post-independence, urban Africa, uses a quicker pace as well as tight close-ups. The use of tight close-action shots in ***Emitai***, however, would have destroyed the film's social/collective percepts : isolating individuals would have jarred the social unity and collective purpose the film was attempting to stress.

The long takes and leisurely rhythm evident in many African films may be read as conveying an approximation of time as perceived by rural people, for whom land is both a means of livelihood and the source of a strong sense of identity. The Angolan films ***Pathway to the Stars*** (1980) and ***Conceiçào Tchiambula*** (*A Day in a Life*, 1981), both directed by Antonio Ole, as well as the Ethiopian ***Harvest*: *3,000 Years***, characteristically use long shots of a man or woman walking across a landscape. The small scale of human figures in relation to the background, a general feature of African pictorial representation, suggests the traditional cosmology, in which the individual is dwarfed by the land.

The Western student, situated within a particular film culture, brings to film viewing a codified set of perceptions and interpretive methods. For this audience, long and/or group shots may be thought of as merely delineations of narrative space : for the Third World viewer with a strong sense of identification with land and community, the long shot and long take of the land and group scenes may in fact function in the same way as a close-shot does for a Western spectator. Most student viewers, for instance, find the pilgrimage scene in ***A Thousand and One Hands*** extremely boring, yet for the Moroccan, it can operate as a powerful representation of country, family and past.

African films which depict life in the countryside often emphasise space rather than time. The skilful manipulation of time that characterises Western cinema is sparingly employed. Furthermore, in shots of rural life space tends to be depicted as communal or social rather than as individual. However, when African life within an urban or European context is depicted, space is frequently constructed as « individual » and not « social ». Individual space assigns the narrative discourse to a protagonist, an individual character. Social space, on the other hand, submerges the individual within a narrative which deals with a group and can only be understood in terms of its social context.

When African film makers, on the other hand, treat an urban or metropolitan subject, the pace is quicker and the cutting more rapid. These elements of style convey a particular set of meanings in the African context. For example, ***Soleil O*** deals with an African working in Paris. It makes use of cross-cutting, rapid camera movement and other devices familiar to a Western audience to portray the role of France in sapping African energy. These devices are used, not to build suspense as so often in Western cinematic practice, but to represent frustration. Because the film is dichotomised along race and class lines, cross-cutting signals not the development of an interpersonal clash, but rather a political and ideological conflict. The tug-of-war between these two stylistic approaches, one anchored within a Western cinematic tradition and the other in African culture, is increasingly becoming a central issue in characterising African cinema. Many African films employ both approaches within a single film, particularly where the theme of migration from rural ro urban areas is dealt with.

PRODUCTION AND THE TECHNOLOGICAL DETERMINANTS OF CULTURE

No course on Third World cinema would be complete without a discussion of the problems attendant on the film-making process itself : in the African case, state governance and regulations, dearth of finance, the lack of a technical infrastructure, the virtue of 16 mm film for filming in the field, and the absence of any network for distributing films to their proper audience — the rural masses. Exposing Western students to the rough conditions many Third World film makers face in the field should temper standardised aesthetic judgements as to what films should be and how they should look. The cultural dominance of Western cinema tends to enforce « ideological carry-overs ». Western technological flash in particular impresses the urban African film viewer (and would-be film maker) as well as the Western spectator, and abundantly imported American, European, Indian, Hong Kong and Egyptian films lead audiences to expect a certain level of technical brilliance from everything they see on the screen. This is a problem for the African film maker who tries to develop a different style, a problem perhaps resolvable by eschewing the urban market for the rural audience. But the rural audience is troublesome because it is difficult to reach, given the cost of 35 mm film and the absence of distribution outlets[2]. The creation of an indigenously African film culture

2. Teshome GABRIEL, *The Developing African Cinema : An Introduction,* Los Angeles, ASA/Crossroads press, forthcoming, 1983.

depends on finding the means to show films on a continuing basis to this majority of the African population, which should form both the audience and the source of inspiration for an African cinema.

TOWARD A CRITICAL THEORY

The theoretical[3] component of this course on Third World cinema strives to bring students to an understanding of the avenues available to them as future critics and theorists of cinema. Just as the textual component of the course familiarises students with, in this case, the subtleties of African cultural symbols, and a consideration of conditions of production enhances awareness of the need to make technique serve ideas, so in the last part of the course, students begin to deal with the critical and theoretical challenges presented by African films. The challenges emerge most clearly when students find that received theories do not easily fit the films viewed in class.

What are the analytical tools that will permit a consideration of film texts and their conditions of production to inform an understanding of cinematic institutions in the Third World ? The content and pedagogy of the course outlined here open up a possible means of answering this question, by suggesting three phases, or components, of a critical theory for Third World cinema, namely : *a)* « the text », the films and their specific organisation of codes and sub-codes ; *b)* « reception », where audience expectations and prior knowledge of cinematic and cultural conventions govern the consumption of films ; and *c)* « production », where ideological determinants and factors of production shape the film industry and its organisation.

3. For a detailed discussion of Critical Theory as it pertains to the African film experience, see my article entitled « Toward a critical theory of African cinema », in Bennetta Jules-Rosette (ed.), *Popular Art and the New Media in Africa,* Norwood, New Jersey, Ablex Publishing Corporation, forthcoming, 1983.

In Third World cinema in general, and in African cinema in particular, the thematic/formal characteristics of films and the critical/theoretical tools for understanding both texts and contexts are founded on traditional culture, and on sociopolitical action for self-determination and liberation. In a pedagogy which sets out with such different aesthetic and political conceptions, the position of the viewer/student is redefined and, ideally, not only a cultural, but also and ideological, exchange takes place in the classroom.

Gabriel H. TESHOME

AUTRES LIEUX, AUTRES REGARDS

L'étude des films du Tiers Monde en Occident pose le problème d'une interprétation qui place les œuvres dans leur perspective culturelle et dans un contexte interculturel.

Comprendre un film du Tiers Monde implique la compréhension des symboles, des thèmes et du traitement des personnages.

Les représentations iconiques les plus simples peuvent en effet avoir des significations très différentes hors de leur milieu d'origine. De même une lecture ethnocentrique peut transformer un incident mineur en un incident majeur.

Pour permettre à des étudiants de développer le sens de la pluralité des cultures et des sociétés ainsi que de leurs différences, il faut leur donner de nombreux exemples.

Outre les déterminants culturels d'un film, il est également nécessaire, lorsqu'on enseigne le cinéma africain, d'aborder les problèmes relatifs à la réalisation — absence de financement, d'infrastructures techniques et de réseau de distribution. L'étude de la composante textuelle qui familiarise aux subtilités des symboles culturels africains, l'analyse des conditions de production, enfin l'examen de la réception des films au niveau du public et de ses attentes doivent favoriser les échanges d'ordre culturel et idéologique dans la classe et amener les étudiants à comprendre la portée des défis théoriques et critiques présentés par les films africains.

Troisième partie/Third part

ÉTAT ET PERSPECTIVES DU CINÉMA AFRICAIN

STATE AND PROSPECTS OF AFRICAN CINEMA

SOUTHERN AFRICAN FILM FESTIVAL

1-7 OCTOBER 1993

KINES 3 & 4
UNION AVENUE
HARARE

KINE 600
BULAWAYO

SIDA

ROYAL NORWEGIAN EMBASSY
NORAD

DES RESPONSABILITÉS PARTAGÉES

Gaston KABORÉ

Les succès remarquables remportés par les films africains sur quelques écrans européens, la notoriété internationale déjà établie de plus d'une vingtaine de cinéastes d'Afrique sont des points positifs importants.

Malgré tout, le cinéma africain reste fortement handicapé dans son essor en raison d'un environnement contraignant.

Le cinéma africain est né avant tout par la volonté et l'obstination des cinéastes qui, eux-mêmes, répondent au besoin vital des peuples africains d'accéder à leur propre image. Il a germé dans un territoire déjà occupé et depuis longtemps par des cinématographies plus anciennes (européennes, nord-américaines et asiatiques) qui ont établi des circuits de distribution et des habitudes de consommation au sein du public.

L'inorganisation générale du secteur cinématographique conduit au paradoxe que le film africain est un produit étranger sur son marché naturel.

Il est plus aisé pour un film américain, asiatique ou européen que pour un film réalisé par un cinéaste nigérian, malien ou camerounais d'atteindre les écrans d'Afrique. N'ayant pas accès à son propre marché, l'on comprend que le film africain éprouve du mal à se financer.

Pour augmenter en volume la production de films africains, il est indispensable de trouver des sources de financement, lesquelles pour l'instant ne sont pas disponibles en Afrique.

Seule une volonté nationale serait en mesure de changer cet état des choses. Dans leur immense majorité, les États africains ne semblent guère se préoccuper, au-delà des discours, de promouvoir l'essor d'un secteur du cinéma, bien au contraire bon nombre d'entre eux se méfient du regard que la caméra des cinéastes africains pourrait poser sur leur gestion. L'image des cinéastes africains est souvent critique par rapport à la réalité locale et donc facilement suspectée de subversion. Les images venues d'ailleurs sont politiquement moins dangereuses même si elles sont terriblement plus nocives pour les populations.

Cet état de fait amène le réalisateur d'Afrique à se tourner vers l'extérieur à la fois pour la diffusion et la production de ses œuvres. Grâce à des subventions de quelques pays du Nord et à des co-productions de divers types réalisées avec des organismes publics et des chaînes de télévision, de nouveaux films africains se font.

L'équation est tout à fait simple, il faut prendre l'argent là où il se trouve ; et il est vrai que grâce à ce partenariat cinématographique Sud-Nord, des films remarquables ont été façonnés. Cette dynamique apporte avec elle l'obligation de la recherche de la rentabilité et l'on se positionne de plus en plus fortement dans une logique de marché.

La carrière commerciale d'un film africain en Afrique même se réduit à peu de choses compte tenu de l'absence de distribution réelle et de la modicité du prix du ticket d'entrée en salle de cinéma. Alors le marché extérieur, notamment européen, devient prédominant avec le risque évident de provoquer à terme une extraversion, une perte d'identité. Le cinéma africain, si les cinéastes n'y prennent garde, peut perdre son propre point de vue et devenir un cinéma dépersonnalisé, livré au diktat du marché occidental qui le façonnera tant dans sa forme que dans l'essence profonde de son contenu.

En fait, si la co-production est inévitable, son véritable génie ne doit pas se ramener à une mathématique financière et commerciale, mais doit consister précisément à préserver ce que chaque partenaire a de plus spécifique et de plus authentique dans sa vision du monde.

En d'autres termes, le partenariat ne doit pas s'exprimer en des termes exclusivement économiques mais doit prétendre à se réaliser également en des termes de créativité.

Par rapport à la situation très critique de sous-développement culturel et économique que vit le cinéma africain, la responsabilité des États est indiscutablement prédominante. En effet, la seule prise de mesures judicieuses sur les plans juridique, législatif et réglementaire par les décideurs publics pourrait opérer une transformation de l'environnement cinématographique. Il est réellement affligeant de constater comment dans leur immense majorité, les gouvernements africains ne semblent pas vouloir se persuader que le secteur du cinéma réclame d'être organisé, structuré, soutenu, développé tout comme le secteur minier, l'hôtellerie ou les transports.

Pourtant de façon permanente les États sont interpellés par les professionnels africains du cinéma regroupés au sein de la Fédération Panafricaine des Cinéastes (FEPACI). Ces derniers ont entrepris un travail minutieux d'analyse et de prospection et ont proposé une solution concrète pour faire décoller le cinéma africain. Toutes les voies devant conduire à l'édification de cinématographies nationales viables ont été correctement balisées depuis bientôt deux décennies grâce à la Fédération. Il existe une vision unitaire minimale sur la place et le rôle que doit jouer le cinéma dans le développement global de l'homme africain. En avril 1986, à Port-Louis en île Maurice, lors de la première conférence des ministres africains de la Culture convoquée par l'OUA, la FEPACI a attiré l'attention sur la nature primordiale de l'image dans le gigantesque enjeu culturel qui se joue aujourd'hui : l'Afrique doit se forger de toute urgence des capacités endogènes pour produire ses propres images, sinon elle est condamnée à perdre son identité culturelle et du même coup son aptitude à penser et gérer son auto-développement.

Lors du Ve congrès de leur Fédération tenu à Ouagadougou du 21 au 27 février 1993 les cinéastes africains ont réaffirmé l'urgente nécessité d'enraciner le cinéma africain sur son propre sol. Pour y parvenir, il faut que chaque pays mette en œuvre une politique cinématographique cohérente et pragmatique se fondant sur une utilisation rationnelle des ressources humaines, techniques et financières existantes au plan national et résolument engagée dans la coopération régionale. La gestion du domaine cinématographique commence à préoccuper un certain nombre de pays et des codes se mettent peu à peu en place.

Nous le voyons, le devenir du cinéma africain est essentiellement entre les mains des pouvoirs publics et des opérateurs politiques. Est-ce pour autant que nous cinéastes, nous devons dormir la conscience tranquille ?

Je ne crois pas, car d'autres interrogations non moins tragiques et pressantes s'adressent à nous par rapport à la qualité des œuvres que nous réalisons. Je pense qu'il est utile que nous nous départissions de notre bonne conscience de génies incompris.

De quelles exigences nous nourrissons-nous dans la pratique de notre métier ? Nous connaissons-nous nous-mêmes ? Que savons-nous de notre culture, de notre histoire, des peuples au nom desquels nous aimons parler ? Avons-nous toujours vraiment quelque chose à dire et maîtrisons-nous fondamentalement la façon de le dire ?

Bien que de façon générale et par rapport à ses débuts, le film africain soit aujourd'hui produit avec des moyens techniques et financiers moins dérisoires, il est difficile d'affirmer qu'il en a résulté une plus-value qualitative proportionnelle tant du point de vue de la forme que du contenu. Il faut dire que le cinéma africain est dans une certaine mesure en perpétuel recommencement. Les films déjà produits n'étant pas vus du fait de leur non-distribution, ils ne peuvent guère constituer des références et un patrimoine instructif pour de nouvelles créations. Autrement dit, il ne se réalise pas une capitalisation notable d'expérience professionnelle et de culture cinématographique africaines exploitables par de nouveaux auteurs, or précisément 90 % des films africains sont de premières œuvres. Dans ces conditions, on comprend un peu que nos films se répètent dans leurs faiblesses, leurs tâtonnements et leurs promesses inassouvies.

Pourtant, ces circonstances atténuantes objectives ne sauraient tout justifier.

Il nous faudra comprendre que l'auto-complaisance est notre pire ennemie. Chaque film africain qui peut se faire est une chance inouïe qu'il faut s'interdire de gaspiller.

Les gouvernements africains et les cinéastes africains sont

des « partenaires obligés aux responsabilités illimitées » car les peuples africains ont faim et soif de leurs images.

Combien de temps survivront-ils encore avant d'être culturellement étouffés ?

Gaston KABORÉ
Cinéaste - Producteur
Secrétaire général de la FEPACI

SHARED RESPONSIBILITIES

In spite of the success of some African films on the European screens, the African cinema remains crippled because African films have failed to conquer the African screens and their funding is problematic.

This situation could change with the will of African countries to promote film industry. However, Government Authorities seem rather suspicious of film makers who are often critical of their own country and would rather encourage the distribution of foreign films which are considered politically less dangerous though they can be particularly harmful to the people.

In this predicament, the African film maker is forced to turn to the outside world for the production and distribution of his works. Remarkable films have been produced thanks to a North/South partnership but the ensuing necessity of a profitable external market for the African films is becoming more and more obvious with the danger that African film makers could lose their authenticity and originality because of their obligation to answer the demand of this external market.

To avoid this situation, North/South partnership should operate in such a way that each partner stays free on the creative level. It remains that a judicious policy on the part of the African States would be the best incentive for the film industry. Over the years, the Panafrican Federation of Film Makers (FEPACI) has carefully pointed out directions along which it would be possible to develop a viable film industry and has insisted time and time again on the urgency of establishing a coherent film policy especially in view of the fact that it is necessary for the African continent to produce images of its own to be able to preserve its cultural identity.

The ball is in the court of the Authorities, however African film makers should keep on working and questioning the meaning of their works. The few African films which are produced are not well distributed and cannot serve as references for other film makers who are thus not able to capitalize on the experience of their colleagues. However, jointly with African governments, the African film maker is responsible for feeding his people with images which are culturally significant and beneficial.

LA FEPACI ET NOUS

Tahar CHERIAA

> *« Non à tout avenir qui ferait de notre monde la simple reproduction en couleurs des modèles d'autrui. »*
>
> Seydou Badian KOUYATE

La Fédération Panafricaine des Cinéastes est une ONG, comme on dit aujourd'hui. Fondée officiellement, c'est-à-dire dotée de ses statuts et de son premier Bureau Fédéral élu et reconnu par les deux gouvernements des pays des sièges de son Secrétariat général (Le Sénégal) et de sa Présidence (La Tunisie) ainsi que par la quarantaine de réalisateurs de cinéma africains réunis en Assemblée générale constituante, en octobre 1970 à l'occasion des IIIe Journées Cinématographiques de Carthage à Tunis, cette fédération regroupe, statutairement, simultanément, toutes les Associations Nationales de Cinéastes organisées et actives dans un pays d'Afrique ainsi que tous les réalisateurs de films de nationalité africaine, isolés ou inorganisés encore au sein d'une Association Nationale spécifique.

Depuis longtemps reconnue, à titre d'observateur par l'OUA (Organisation de l'Unité Africaine) et comme ONG représentative par l'UNESCO, et d'autres instances internationales (comme l'ACCT francophone, l'ALECSO de la Ligue Arabe, etc.), la FEPACI a déjà une Histoire, fort honorable de près de 25 ans jalonnés d'actions fondatrices assez remarquables surtout si on se réfère par comparaison, aux bilans éventuels d'autres ONG africaines (ou arabes !).

Les réalisations les plus importantes de la FEPACI sont à mon avis les suivantes :

1) L'élaboration, l'adoption en Congrès ou en Assemblée générale et la divulgation, à la plus grande échelle accessi-

ble aux plans africain et international, de TEXTES DIRECTEURS, idéologiques et stratégiques, notamment la CHARTE d'ALGER DU CINÉASTE AFRICAIN (adoptée au 2e Congrès de la FEPACI, à Alger, le 18 janvier 1975) ; les RÉSOLUTIONS DU COLLOQUE DE NIAMEY (Mars 1982) ; ainsi que les règlements généraux des festivals panafricains du cinéma, remarquables par l'unicité, de philosophie comme de vocation, des articles qui y définissent les objectifs de ces manifestations.

2) Le soutien de ces festivals panafricains du cinéma. Davantage et bien mieux qu'un simple soutien, il s'agit là pour la FEPACI, de son premier champ d'action prioritaire à l'échelle continentale. Sauf pour les JCC (Journées Cinématographiques de Carthage) qui ont précédé et ont contribué essentiellement à sa fondation et à l'élaboration de sa stratégie et de ses programmes, la FEPACI est en fait fondatrice, organisatrice directe et encore aujourd'hui, le principal « Acteur » qui détermine l'identité, la vocation et le développement qualitatif de tous les festivals internationaux exclusivement ou principalement consacrés à la promotion des films réalisés par les Africains.

Il y a eu deux époques, un peu distinctes et séparées par une période de léthargie dans cette histoire de la FEPACI.

Une première époque de militantisme exalté et de dynamisme multiforme, profondément empreinte de la personalité hors pair du premier Secrétaire général de la FEPACI, le cinéaste sénégalais Ababacar Samb-Makharam, bien appuyé, avec conviction, détermination et abnégation, par une bonne douzaine de pionniers de cette organisation : les Tunisiens Tahar Cheriaa, Hassan Daldoul, et Hatem Benmiled, les Sénégalais Ousmane Sembène, Paulin Soumanou Vieyra et Momar Thiam, l'Ivoirien Timité Bassori, les Nigériens Oumarou Ganda, Mustapha Allassane et Madame Zalika Souley, le Mauritanien Mohamed Hondo, le Sud-Africain Lionel N'Gakane, le Nigérian Ola Balogun, le Malien Souleymane Cissé, le Guinéen Moussa Diakité, etc.

Cette première époque allant approximativement de 1968/1970 à 1978/1979 permit à la FEPACI, notamment :

- de créer d'abord le FESPACO (Festival Panafricain du Cinéma de Ouagadougou) organisé d'abord, sous le nom de

« Semaine du cinéma africain de Ouagadougou » dès le 1er février 1969, soit trois mois à peine après la 2e session des JCC par les cinéastes et les films d'Afrique de l'Ouest qui venaient de participer de la manière la plus active et la plus créative à ces JCC de 1968, puis repris en Février 1970, suivant la même formule (juste un peu élargie à 9 pays et 40 films africains de court et de long métrages, au lieu de 5 pays et 18 films en 1969). Le FESPACO proprement dit est institué par un décret de la Présidence de la Haute-Volta de 1970 avec l'engagement total de la toute jeune FEPACI ;

- de créer également le MOGPAFIS (Symposium Panafricain et Arabe du Cinéma de Mogadiscio) par un décret présidentiel de la République de Somalie en 1982, dans les conditions d'appui officiel et d'engagement au plan de l'organisation technique, similaires à celles qui prévalent au profit du FESPACO ;
- de soutenir l'organisation de SEMAINES DU CINÉMA AFRICAIN partout où cela s'avère possible et, naturellement d'abord en Afrique même : à NIAMEY, DAKAR, NAIROBI, BAMAKO, DJIBOUTI, HARARE, MAPUTO, BISSAU.

Durant ces années de militantisme « politique » pour que les cinémas africains existent, la FEPACI a déployé d'immenses efforts de mobilisation des cinéastes africains, les incitant à s'organiser en Association Nationale et à rallier en groupe la fédération. Il s'agissait de multiplier les cellules nationales d'action solidaire et d'interpellation des gouvernements afin qu'ils s'engagent dans des véritables « politiques » — nationales, régionales et panafricaines — de développement des cinémas africains. L'objectif principal de cet activisme tous azimuts était d'amener les gouvernements africains par les manifestations/démonstrations cycliques des JCC, FESPACO et Semaines du Cinéma Africain relayées par les Associations Nationales agissant localement en groupe de conscientisation et même... de pression, là où ces associations nationales étaient plus consistantes, avaient par chance des leaders plus influents (Sembène, Samb, et Vieyra, à Dakar par exemple) ou bien se trouvaient miraculeusement mieux écoutés par le chef d'État, il s'agissait d'amener ces gouvernements africains à doter les cinématographies naissantes de structures nationales et surtout régionales, diagnostiquées comme indispensables à la viabilité et au développement de ces cinématographies : des structures africaines pour la distribution et l'exploitation des films africains en Afrique et dans le monde, de coopération réorganisée plus solidaire et plus efficace, des marchés nationaux de ces films et aussi déjà dans les années 1970/1976 de recherche et de structuration d'une Coopération Internationale réaménagée avec les Cinémas d'autres pays du monde qui semblaient souffrir des mêmes lacunes et éprouver des besoins semblables de réorganisation et de reprise en main.

Deux grandes réalisations de la FEPACI ont pu voir le jour et ont capitalisé d'immenses espérances en Afrique d'abord et en Amérique latine ainsi que dans certains pays occidentaux globalement logés à la même enseigne (Belgique et Hollande, Suède et Danemark, Québec, Irlande et Portugal). Il y eut d'abord à Montréal en juin 1974, les Rencontres du Tiers Cinéma, expression reprise du manifeste de même nom des cinéastes Argentins Getino et Solanas, où la participation majeure de la FEPACI a suscité, au-delà de l'enthousiasme et de l'adhésion des dizaines de réalisateurs d'une trentaine de pays du monde, la création par les délégations latino-américaines d'une organisation sœur, la FELACI (Fédération Latino-Américaine des Cinéastes) ainsi que l'ébauche d'un « partenariat » et de méthodes nouvelles de coopération, financière, commerciale et technique, entre la FEPACI, la FELACI et certains « réseaux parallèles de distribution et d'exploitation des films » opérant alors en Europe comme « Filmcentrum » à Stockholm « Fugitiv-cinema » en Hollande et en Belgique ou l'AFCAE (Association Française des Cinémas, d'Art et d'Essai) en France etc.

Il y eut ensuite au plan africain ce que la FEPACI avait considéré quelques années comme un fleuron parmi ses « petites victoires » : un certain engagement officiel de l'OUA à prendre en compte les résolutions. Dans l'article 22 de la Charte culturelle de l'OUA adoptée au 18e Sommet de ses chefs d'État et de Gouvernement à Port-Louis (île Maurice) l'Organisation de l'Unité Africaine reprenait cette recommandation soumise par Ababacar Samb Makharam au nom de la FEPACI : « les gouvernements africains devront assurer la décolonisation totale des moyens d'information et accroître la production de films cinématographiques reflétant les réalités politiques, économiques, sociales et culturelles des peuples africains, afin de permettre aux masses d'avoir un plus grand accès et une plus grande participation aux richesses culturelles. Ils doivent établir une coopération interafricaine afin de briser les monopoles détenus dans le domaine cinématographique par des structures de pays non africains ».

Pour faire concrétiser cette dernière recommandation, la FEPACI dont la majorité des « pères fondateurs » et des membres de son Bureau Fédéral étaient ressortissants des pays francophones des zones Nord et Ouest de l'OUA, concentra ses pressions et ses propositions à partir des années 1970/1971 sur une autre organisation africaine l'OCAM (Organisation Commune Africaine et Malgache) pressentie comme « plus sensible que l'OUA » à ses revendications.

Parallèlement, en 1971, Tahar Cheriaa, toujours « Président d'Honneur »[1] de la FEPACI, a été détaché de sa Direction du cinéma au ministère tunisien des Affaires Culturelles, aux services alors en création de l'Action Culturelle de la Nouvelle Organisation Intergouvernementale Francophone, l'ACCT (Agence de Coopération Culturelle et Technique)[2]. Il s'attacha résolument à y faire adopter les positions et/ou prendre les mesures pratiques de soutien et d'encouragement aux actions de la FEPACI. Il s'agissait surtout de sensibiliser et de convaincre d'abord les institutions françaises et accessoirement belges ou canado-québécoises qui sont autant de « parties prenantes dans les enjeux véritables » provoqués par cette stratégie de libération économique et culturelle des écrans africains. L'élection au poste déterminant de Secrétaire général de l'ACCT, en décembre 1973, du Professeur Doukoulo DANDICKO ex-ministre de l'Éducation Nationale du Niger vint opportunément catalyser tous les efforts des cinéastes et de leur FEPACI.

Après pas moins de onze conférences, dont quatre de chefs d'État, trois ministérielles et quatre d'experts, une Convention est enfin signée le 12 août 1974 à Ouagadougou, entre

1. Tahar CHERIAA qui n'est pas cinéaste a toujours eu un statut particulier au sein de la FEPACI.

2. Créée en mars 1970 à Niamey, l'ACCT a son siège permanent au 13, quai André-Citroën 75015 Paris.

huit (8) États membres de l'OCAM. Cette convention créait enfin officiellement deux structures fondamentales préconisées par la FEPACI. Le CIDC (Consortium Interafricain de Distribution Cinématographique) et le CIPROFILMS (Consortium Interafricain de Productions des Films). La Haute-Volta s'engageant avec de plus en plus de résolution et de sacrifices bien étudiés dans ce « combat pour le cinéma africain » et le FESPACO s'imposant de mieux en mieux comme « le Festival privilégié des cinéastes africains », Ouagadougou a été choisie comme siège du CIDC et du CIPROFILMS.

Dans les mêmes années 70, le gouvernement voltaïque institua avec le concours de l'UNESCO, la première école de formation des cadres du cinéma, l'INAFEC (Institut Africain d'Éducation Cinématographique) et un groupe d'entrepreneurs privés s'aventura à édifier toujours à Ouagadougou un complexe technique de laboratoire, de salles de montage et de matériel de prises de vue cinématographique, CINAFRIC (Consortium Interafricain du Cinéma) ce qui commençait véritablement, à accréditer la réputation panafricaine et internationale de Ouagadougou, capitale du cinéma africain[3]. Objectif poursuivi avec une généreuse constance par les régimes successifs de la Haute-Volta/Burkina Faso depuis un bon quart de siècle. Le bilan de cette période militante de la FEPACI d'une durée de dix ans environ 1968/1978 peut donc apparaître comme très positif. Malheureusement, la réalité des choses en 1994, est objectivement bien moins satisfaisante.

En effet quand on pense aujourd'hui à ces cinémas africains, au sens précis des financements et de la production des films africains, de la distribution et de la circulation des films africains en Afrique et dans le monde, de la commercialisation, de l'exploitation et de la rentabilisation économique des films africains dans les salles de cinéma, sur les chaînes de télévision et dans les réseaux de vidéothèques en Afrique, de la formation des techniciens du cinéma et de l'audiovisuel africains et même, de cette fameuse mutation stratégique des festivals panafricains du cinéma (à commencer par les JCC de Carthage et le FESPACO de Ouagadougou) en mar-

3. D'aucuns parmi les médias marchands d'illusions européens, parlaient déjà du « Hollywood africain ! ».

chés privilégiés des films et des productions télévisuelles de l'Afrique, on doit se montrer bien plus circonspect.

En effet, à peine sa Direction générale installée à Ouagadougou, avec, à sa tête, les cinéastes Inoussa Ousseini du Niger et Yves Diagne du Sénégal, après quelques années d'installation et de tâtonnements très maladroits dus autant à l'inexpérience et au manque tragique de conviction militante de ces dirigeants qu'aux manœuvres de sabotage très bien planifiées des adversaires étrangers de ces deux structures et malgré l'émouvant baroud d'honneur du Président burkinabè Thomas Sankara tentant en 1985/1987 de le sauver *in extremis*, le CIDC est finalement sabordé par les États membres de son Conseil d'Administration les plus directement concernés par son succès et les mieux outillés — colonialement parlant — de moyens politiques et humains capables de lui assurer sûrement à terme, ce succès que d'autres, évidemment, avaient tant intérêt à lui interdire. De même, l'INAFEC, lâché par tous les autres États africains dont il devait être le grand Institut Commun d'Enseignement Supérieur des Sciences de l'Image et des Spectacles, et ne pouvant indéfiniment compter sur le concours de l'UNESCO (d'autant moins que l'ACCT s'en désintéressait impérialement ! Ce qui n'est un mystère que pour les imbéciles !) a dû circonscrire ses ambitions, ses programmes et ses objectifs, aux besoins et aux intérêts propres du Burkina Faso, décidément le seul État africain à avoir une politique cinématographique cohérente et conséquente au cours du dernier quart de siècle. Quant au CIPROFILMS et au CINAFRIC, l'un n'a jamais été inauguré[4] et le second a dû fermer ses portes faute de clients africains (ou autres). Que subsiste-t-il donc aujourd'hui, de tout cet honorable palmarès de la FEPACI, si durement acquis au bout de cette décade de militantisme et qui justifiait, faute de mieux la réputation de Ouagadougou, capitale du cinéma africain ? Plus réaliste et plus franche, ma question personnelle serait : qu'en reste-t-il qui soit réellement, au service prioritaire du développe-

4. Le Conseil d'administration du CIPROFILMS refusa même une proposition de la Guinée Conakry qui aurait mis à sa disposition son laboratoire et ses équipements techniques, alors inemployés à Conakry...

ment des cinématographies et des télévisions africaines vraiment autonomes, solidaires... et culturellement libératrices ?

Quantitativement, il nous en reste deux choses : d'une part les deux festivals, les Journées Cinématographiques de Carthage et le Festival Panafricain du Cinéma et de la Télévision de Ouagadougou[5], puis d'autre part, la Fédération Panafricaine des Cinéastes. L'une comme les deux autres, gagneraient à être sérieusement évalués par les cinéastes et les autres intellectuels africains. (Le premier centenaire du cinéma serait une bonne occasion.)

Qualitativement, et pour ma part, autant pour les JCC et le FESPACO que pour la FEPACI, je me sens surtout assailli par les interrogations et je ne rencontre aucune « réponse » satisfaisante, mais plutôt des « explications » très discutables et qui ont surtout le malin défaut de m'entraîner à un pessimisme accablant, tout à fait démobilisateur et aussi désagréable que vain.

Je vois bien cependant, ce que certains pourraient me rétorquer...

Mais les grands réalisateurs africains reconnus et couronnés de par le monde (un certain petit monde bien à soi, n'exagérons rien, camarades !) ? Mais les films africains proclamés chefs-d'œuvre du 7e art et qui raflent les lauriers (et quelques sous pour couvrir les frais de voyage et quelques rafraîchissements) ?

Cela existe et c'est bien autre chose que les balbutiements du temps du mégotage d'avant les JCC, le FESPACO et la FEPACI, libre à quiconque de le croire et même, peut-être de le faire croire. Mais moi, je n'arrive pas à me désenliser de mes très sournoises interrogations.

Il me revient par exemple, cette « sortie » de Med Hondo, aux débats du 8e FESPACO, en février 1983 : « Je suis parmi ceux qui ont toujours dit qu'il n'y a pas de cinéma africain, même s'il y a des cinéastes et des films africains, c'est une nuance capitale pour moi... Tant qu'il n'y a pas de structures de création permanente de films africains en Afrique même, tant que les spectateurs africains des salles de cinéma

---

5. Avec, ou malgré ses « Jumeaux » ? Pour la plupart de ceux-ci la question mérite d'être posée. T.CH.

et les téléspectateurs africains ne se nourrissent pas prioritairement et en part conséquente, des images africaines, on ne peut parler de cinémas africains. » Med Hondo avait raison. La situation actuelle lui donne toujours raison ; à une nuance près, qu'il aurait pu, du reste formuler déjà en 1983. Ne pouvait-on pas déjà citer Sembène Ousmane, Babacar Samb, J.P. Dikongue-Pipa, Abdellatif Ben Ammar, Souleymane Cissé, Ridha Behi, Haïlé Gerima, Mohamed Lakhdar Hamina, Mahmoud Ben Mahmoud, Kaceur Ktari, et Med Hondo lui-même ?... avec des « films pièces-à-conviction » victoires, comme ***La Noire de..., Le Mandat*** et ***Xala, Kodou*** et ***Jom, Muna-Moto, Sejnane et Aziza, Soleil des Hyènes, Baara*** et ***Finye, La Moisson de 3 000 Ans, le Vent des Aurès*** et ***Chronique des Années de Braise, Traversées, Soleil O*** et ***West Indies, les Ambassadeurs*** etc. ? tout cela « existe bien » non ?

Justement en ces temps-là, de simple mégotage selon Ousmane Sembène, aucun de ces films n'aurait pu être réalisé sans « le concours »[6] des structures cinématographiques et financières étrangères. Comment ces œuvres (et... leurs auteurs !) pouvaient-elles donc exister vraiment en Afrique même ?... Tout film existe « là et par le fait » des structures spécifiques qui en assurent la production, là et par l'accueil du public qui en a l'accès normal. Les réalisateurs africains de films existent, bien évidemment et par voie de conséquence socio-culturelle directe, exactement là et par les structures financières, techniques et commerciales spécifiques, là et par les publics qui donnent quelque forme d'existence[7] à leurs films.

Quelle que soit l'importance ou l'ampleur de leur « existence » au moment où Med Hondo avançait sa « nuance capitale » en 1983, les films africains et les cinéastes africains existaient bien, un peu ou davantage en France ou ailleurs... Mais

---

6. Timide euphémisme ! Le financement de ces « chefs-d'œuvre du cinéma africain » comme leur confection, sont de 80 à 100 % dus à ces structures extra-africaines.

7. Fût-elle aussi exotique et éphémère que le passage de ces films dans des festivals étrangers, un jour ou deux, et pour quelques dizaines de spectateurs d'occasion.

existaient-ils, en Afrique, pour autant ? C'est l'une de mes questions actuelles ?...

Nul ne peut se développer avec la culture d'autrui certes. Mais une culture, en état de carence caractérisée, peut-elle prétendre à quelque développement par les moyens financiers techniques et créatifs de la culture d'autrui ?

J'ai bien conscience qu'on peut me chicaner mon scepticisme. Ousmane Sembène, Henri Duparc, Gaston Kaboré, Gnoan M'Bala, Souleymane Cissé, Idrissa Ouedraogo, Nouri Bouzid, Abderrahmane Tazi, Mohammed Hondo, Mohammed Chouikh, M. Lakhdar Hamina, Férid Boughedir, Ridha Behi, etc., existent un peu mieux (je peux en convenir et c'est heureux) qu'ils n'existaient il y a dix ou quinze ans en tant que cinéastes africains. Certains de leurs films sont un peu mieux distribués, exploités et donc vus même en Afrique.

Mais en quoi consiste ce mieux ? A quoi (à qui ?) est-il dû ? et, surtout... à quoi mène-t-il au bout du compte ?...

Ce mieux-là serait-il autre chose que les retombées locales du lointain succès ponctuel de ces films « ailleurs » bien loin de l'Afrique et de leurs publics (?) africains ?... et n'est-ce pas grâce aux structures (de coproduction, de distribution, d'exploitation et de télédiffusion) de cet « ailleurs » lui-même ? N'est-ce pas ces structures étrangères qui, ayant déjà investi dans le succès ponctuel de ces produits étalons exemplaires selon leurs propres normes dans leurs propres festivals et leurs zones appropriées de diffusion et de fructification de ces produits, les refilent naturellement à leur propre réseau africain (?) d'importateurs redistributeurs de films ? Enfin ou surtout quelle part objective, et tant soit peu qualifiable ou seulement « approximativement évaluable » de ce mieux-là... (de l'existence africaine de ces films et de ces cinéastes) pouvons-nous aujourd'hui attribuer sans vergogne... aux JCC, au FESPACO, ou à la FEPACI ? Si la réponse est malaisée et si incertaine... n'aurais-je pas un peu raison de m'interroger : où tout cela mène-t-il ? Serais-je à ce point « myope et sénile » pour la raison que je ne vois pas que cela mène à l'existence réelle d'un cinéma africain pas plus à Abidjan,

Ouaga ou Dakar qu'à Carthage, Alger ou Casablanca[8] ? Je crois encore que Med Hondo a toujours raison.

Mais peut-être que la vraie question de fond, ou la question préalable, est celle-ci : Qu'entendent les uns et les autres par ces cinémas africains qui existent ou n'existent pas encore ? Ma formation littéraire originelle, qui marque obstinément ma perception des choses — et des œuvres d'art en particulier — m'entraîne sans doute à ce rapprochement inattendu. Mais voilà : pas plus que je n'arrive à reconnaître dans l'œuvre littéraire de Tahar Ben Jelloun, par exemple, le moindre petit Apport Réel (constructif, incitatif ou mieux seulement contributaire ou encourageant) à la littérature marocaine alors que la contribution du prix Goncourt à la « littérature française universelle », donc y compris au Maroc francophone est aussi évidente qu'incontestable, je n'arrive à percevoir l'apport cinématographique des films américains, anglais ou même franco-tuniso-américains d'un Roman Polanski au cinéma polonais ni celui des films américains de Milos Forman au cinéma tchèque, etc.

Voilà exactement (et humblement, devrais-je ajouter) pourquoi je suis si myope quant à l'apport putatif des derniers grands succès européens des Idrissa Ouédraogo, Abderrahman Tazi, Souleymane Cissé et autres Férid Boughedir... à un cinéma quelconque en Afrique... et pour les Africains, de Tlemcen, Thiès, Tozeur, Bouaké, Agadir ou Bobo-Dioulasso...

En conclusion, que pourrais-je constater et écrire, aujourd'hui, à propos de ces deux Festivals Panafricains du Cinéma et de cette Fédération Panafricaine des Cinéastes ?

LES J.C.C.

Les JCC sont devenues une des plus importantes manifestations politiques et vaguement, socio-culturelles. La Tunisie est un petit pays dont l'économie est manifestement condi-

8. ... Mais où est donc passé... le cinéma nigérien par exemple ? les cinémas gabonais, et nigérian, et guinéen ? etc.

tionnée par un souci majeur et une course conséquente, à l'exploitation de produits touristiques, manufacturés (textiles, artisanat), agro-alimentaires et industriels aussi, accessoirement. On y rêve donc et on s'efforce comme on peut d'y ajouter quelques « produits culturels » financièrement de bon aloi. Cela impose (?) à ce pays une politique générale de plus en plus polarisée sur une culture de l'ouverture frénétiquement extravertie. On y est inconditionnellement disponible et accueillant. On y organise plus de cent festivals internationaux par an, et de quatre à cinq cents autres colloques et séminaires tout aussi internationaux.

Les JCC n'en sont pas les plus importants. Ce n'est même pas l'unique festival international de films en Tunisie... où l'on « réalise » environ deux (2) films par an... dans les conditions que j'ai évoquées. Cette course à l'exploitation, et cette « culture de l'ouverture » qui la sous-tend et la sert en priorité absolue, font de ce pays naturellement ouvert et accueillant celui du partenariat international... ce drapeau fascinant des temps nouveaux, va donc pour le partenariat militant (il faut bien vivre et autant que possible avec son temps non pas « ailleurs » ; la Tunisie, c'est vrai, n'en a pas tant d'autres moyens), mais alors quels partenaires séduire et comment mettre au service de leur bonne volonté ses quelques atouts ? Ceux-là qui à l'évidence possèdent le fric ?... Vision réaliste peut-être... Mais si c'était une mission trop courte ? Si « Illi Yehseb Ouahdou... Youf dhoullon ! » comme dit précisément un proverbe tunisien[9] ? Les JCC se voulaient peut-être, prétendaient en tout cas, être une manifestation de combat et d'édification, au service des cinémas et des cultures en Tunisie, et dans les autres pays africains et/ou arabes. Aujourd'hui, ces JCC avec et comme les autres centaines de festivals « culturels » en Tunisie sont au service, prioritaire, du partenariat international recherché, naturellement là où on subodore les parfums alléchants du FRIC... au nord : en Europe et en Amérique. Pour ce faire, des films (arabes, africains et même tunisiens) doivent aussi bien faire l'affaire et la fête ! que les tapis de Kairouan ou les fantasias du Zlass.

---

9. « Celui qui fait lui-même ses propres comptes... peut toujours en attendre la plus-value ! »

Petite (?) conséquence directe : ce sont les cinéastes tunisiens les plus performants qui dirigent désormais les JCC[10] et y animent la recherche de ce partenariat international, et ce sont les films tunisiens présumés ou jugés les plus séduisants qui y sont leurs meilleures « pièces à conviction »... étant déjà coproduits avec ces partenaires étrangers et, de plus en plus souvent, déjà un peu reconnus et mis en promotion dans leurs propres festivals : Cannes, Valence, Montpellier, Bastia, Taormina, Montréal, Namur, etc. C'est là tout ce que je constate et pensais honnêtement pouvoir écrire aujourd'hui à propos des JCC. Quant à y porter quelque jugement de valeur, je ne crois plus que cela soit utile.

Le FESPACO a suivi, à peu près, la même évolution. C'est depuis 1985/1987, non pas l'une des, mais bien la plus importante manifestation politique et culturelle, non seulement au Burkina Faso mais à l'échelle de toute l'Afrique au sud du Sahara et de la diaspora noire du monde entier.

A quelques nuances près, mon constat sur les JCC vaudrait donc pour le FESPACO, au moins à nos propres yeux et pour l'essentiel c'est-à-dire : le devenir des cinémas africains. Cependant les différences, qui ne sont que des nuances à l'échelle du continent existent entre les deux « grands rendez-vous des cinéastes et des films africains ».

Le développement quantitatif du FESPACO : nombre de gens du cinéma, de la télévision et de la presse en général, nombre de films et de productions audiovisuelles présents sinon forcément programmés, etc., en progression plus flagrante. Une autre catégorie de VIP y est aussi invitée et y participe extensiblement en nombre de plus en plus grand, surtout depuis 1985 : ministres africains par dizaines, français, canadiens, belges, suédois, italiens et même haïtiens ; Secrétaire général ou Représentant Spécial de l'ACCT, de l'OUA, de la CEDEAO, du Conseil des pays de l'Entente, du CDE italien et de multiples Associations professionnelles euro-américaines. Les artistes noirs de la diaspora, cinéastes, musiciens et écrivains, s'y retrouvent par dizaines. A tout ce beau

---

10. Ce que j'approuve absolument dans ce contexte : c'est plus cohérent... et cela ne peut être que plus efficace en vue des objectifs véritablement poursuivis...

monde vient s'ajouter d'autres centaines de simples touristes amateurs de safari-photo et aussi de « jeunes » européens profitant des tarifs des charters spécialement affrétés pour se payer des vacances séduisantes. Il s'ensuit que la fête au FESPACO est celle de toute une capitale et non d'un quartier comme c'est l'affaire de tout un gouvernement et non seulement d'un ou deux ministres concernés du Burkina Faso.

Les facteurs économiques sont ici moins contraignants, la quinzaine du FESPACO représente tout de même le sommet de la haute saison touristique dans ce pays, enclavé et très pauvre mais dont la population est très laborieuse.

La culture de l'ouverture semble également se développer et s'amplifier à la mesure et à la vitesse d'accélération de la « manifestation événement FESPACO » elle-même... De même, le règne du partenariat international[11] semble comme la priorité principale, à Ouaga comme à Carthage, même si l'activisme en ce sens paraît être aux JCC, le fait des Tunisiens et des Maghrébins participants (Marocains et Algériens notamment) plus que celui des partenaires potentiels du Nord qui commencent à bien vouloir y venir... alors qu'au FESPACO, le même phénomène paraît plus nettement se dérouler selon un schéma inverse : ce sont les partenaires du même Nord qui y prennent l'initiative et déploient l'activisme le plus démonstratif (multiplication des conférences de presse et des tables rondes animées par des délégations nombreuses et parfois présidées par Messieurs les Ministres, Directeurs d'institutions, etc.). En somme la nuance de différence entre les deux manifestations qui se soucient de partenariat, est qu'aux JCC la demande prévaut nettement sur l'offre tandis qu'au FESPACO, c'est bien l'inverse... et cela depuis 1985, soit déjà depuis quatre sessions et huit années.

En conclusion, il me paraît irrémédiablement acquis que déjà bien loin de sa prime vocation au service des cinémas africains c'est tout ce que comptent les cinémas africains de « présentable » qui est, au FESPACO, exposé au service d'autres objectifs politico-économiques sans doute et aussi socio-culturels du pays hôte, le Burkina Faso bien sûr et, en

---

11. Entendre : Avec l'Europe, l'Amérique... et (peut-être demain) : le Japon.

partie non négligeable, de beaucoup d'autres pays africains, plus particulièrement ceux de l'Ouest et du Centre[12].

Tahar CHERIAA
Azzahraa. Tunisie. le 29 mai 1994.

WE AND THE FEPACI

An ONG recognized by several African and international authorities, the FEPACI (Panafrican Federation of Film Makers) has been in existence for twenty five years and has a certain number of positive actions to its credit particularly the Algiers Charter of the African Film Maker (January 1975), the Niamey Resolutions (March 1982), the regulations of the Panafrican festivals, a continuous support and contribution to these festivals.

After a first militant period (1968-1978) that saw among other actions :

- the creation of the FESPACO and MOGPAFIS (Panafrican and Arab Symposium of Cinema of Mogadiscio) ;
- the support of the FEPACI to the organization of weeks of African cinema in many places ;
- the development of National Associations of film makers whose action was to stimulate the contribution of African States in view of the development of a film policy and industry ;
- the participation of the FEPACI to the Third World Cinema Meeting in Montréal (June 1974) ;
- an official commitment of the OAU to stimulate film industry ;
- the raised awareness of French, Belgian and Québec institutions to the problems of African cinematography ;

12. L'extension de l'intérêt pour le FESPACO (et de sa part) au-delà de ces deux zones de l'Afrique sub-saharienne suit assez fidèlement les contours géopolitiques des zones post-coloniales d'intérêt, d'influence et d'intervention... de la Francophonie.

- the creation of the CIDC and CIPROFILMS ;

a period of latency and even disintegration started. As we now stand, two festivals (Carthage and Ouagadougou) remain operational out of all what was implemented.

There are also African film makers in increasing number, but where are they ? Where do they work ? From where do they operate ? The relative success of a number of African films comes as the result of whose intervention, whose investment, what distribution network ? Finally, what is the contribution of the JCC, FESPACO and FEPACI to the success of these films ? How does the European success of an African film contribute to an authentic cinema ?

It seems that nowadays the main purpose of the JCC and FESPACO is to offer, though in different ways, a forum for the search of international partnership.

PRODUIRE NOS PROPRES IMAGES... MALGRÉ L'ÉTAT DE L'AFRIQUE

François VOKOUMA

« Vous connaissez l'état de l'Afrique. » Ce fut le seul commentaire de Gilles Jacob, le Délégué Général de Cannes, lors de sa conférence de presse du 21 avril 1994, sur la totale absence de longs métrages africains dans le palmarès 1994. Un seul film, ***Xime*** de Sana Na N'Ilada (Guinée-Bissau), représentait l'Afrique noire. Va-t-on bientôt arrêter de tourner au sud du continent ?

Aujourd'hui la gravité de la crise, qui n'est pas seulement celle du cinéma, va ralentir le développement cinématographique de l'Afrique et conduire plus d'un cinéaste africain à choisir la voie de la facilité. C'est pourquoi, il paraît nécessaire de redoubler d'efforts malgré cette situation.

Puissant support médiatique mondialement reconnu, le cinéma s'est avéré au fil du temps être un moyen de transmission d'informations sur le mode de vie, les idéologies, les pratiques et les cultures des peuples du monde. Il a donc servi à façonner, à former et à transformer les représentations sociales que les groupes sociaux se font les uns des autres. On ne peut contester que l'image de l'Afrique véhiculée par le cinéma constitue un élément majeur dans la formation des représentations sociales que se sont faites les publics européens. A ce propos, Denis Bélanger[1] écrit :

> *« Rares sont les films tournés en Afrique par des Européens ou des Américains dans lesquels les Africains sont plus*

1. Denis BELANGER, « Ciels d'Afrique et droits de la personne » in *Cinébulles*, volume 10, numéro 1, sept. nov. 1990.

que des comparses interchangeables, sans caractère, ayant à peine la fonction de meubles ou de potiches. Parfois, un personnage africain ressort du lot mais, corrompu jusqu'à la mœlle, il sert surtout à montrer la supériorité des colons et à souligner les bienfaits de la civilisation. »

Ceci a eu pour conséquence de transmettre des informations parfois erronées, simplifiées et réductrices avec des significations et des représentations souvent éloignées de la réalité africaine.

Le colonel Marchand, explorateur français de l'Oubangui Chari et « célèbre bâtisseur d'empire colonial » écrivait ceci : « Au-delà de l'avantage de désarmer l'homme primitif et de le faire rire, le cinématographe comique est, de toute évidence, l'arme de conquête de l'Afrique. »

Le père Boudin[2] de la société des missions africaines de Lyon s'expliquait à propos des vertus de l'image sur les populations africaines illettrées en ces termes : « L'expérience m'a appris que l'emploi des images réussit à merveille. En leur montrant des images, la doctrine leur était expliquée, sans qu'ils se doutassent du piège innocent qui était tendu à leur âme. »

Analysant l'impact du cinéma pendant la période coloniale, Marc Mangin[3] a pu écrire ceci :

« Le cinéma a été introduit en Afrique à une époque où l'homme noir était dépossédé de sa destinée, où il était considéré comme un être primitif, sans culture et sans histoire. Le cinéma fonctionnait alors comme un pont, reliant des "missions civilisatrices" installées dans des "contrées inhospitalières" à la puissance de leur métropole tutélaire. Pour les "bons blancs" résidant en Afrique, déjà le cinéma intervenait comme un divertissement, les rattachant aux seules valeurs admises, celles de la civilisation occidentale. Puis, vint le temps où le cinéma se transforma en un outil de propagande, efficace dans les deux sens. Il "éduquait" les indigènes, tandis que les Européens, restés sur le vieux conti-

---

2. Christian BOSSÉNO, « Afrique, continent des origines » in *La revue du Cinéma* numéro 424, février 1987, p. 64.
3. Marc MANGIN, « L'Afrique sans fric » in *Cinéma* numéro 386, février 1987, p. 10.

nent, pouvaient voir de leurs propres yeux, combien l'entreprise civilisatrice de leurs gouvernements respectifs était nécessaire. »

Le fait colonial est incontournable dès que l'on veut mener une réflexion sur le cinéma africain. En effet, le contexte socio-politique de la colonisation et les premiers producteurs européens de films sur le continent constituent deux variables fondamentales à prendre en compte dans toute approche de la question. En 1955 lorsque Paulin Soumanou Vieyra tournait à Paris ***Afrique-sur-Seine***, il n'existait pas sur le continent noir de structures cinématographiques. Il faudra même attendre 1963 (qui est aussi l'année de naissance de l'Organisation de l'Unité Africaine) pour qu'un film entièrement conçu et réalisé par un Africain soit produit, réhabilitant le regard d'un Africain sur sa propre société. Il s'agit de ***Borom Sarret*** du Sénégalais Sembène Ousmane, programmé en salle et primé au festival de Tours en France.

Depuis lors beaucoup de choses ont été initiées sur le continent pour organiser l'activité cinématographique. Ces dernières années on a également constaté un réel essor, en qualité et en quantité des cinématographies d'Afrique au sud du Sahara. On pourra retenir comme des réalisations concrètes la création des structures cinématographiques suivantes : le CIDC-CIPROFILMS, L'INAFEC, la FEPACI, le FESPACO ainsi que les Sociétés Nationales de Distribution et d'Exploitation Cinématographiques telles la SONACIB au Burkina-Faso, la SONIDEC au Niger, l'OBECI au Bénin, l'OCINAM au Mali, la SIDEC au Sénégal.

D'autre part, il serait aussi fastidieux de prétendre dénombrer les colloques, les tables rondes, les séminaires qui ont eu lieu sur le continent et ailleurs dans le monde sur le cinéma africain. De Carthage à Ouagadougou, de Milan à Moscou, de Namur à Montréal en passant par Amiens et Paris, de Los-Angeles à la Havane, pour ne citer que ceux-là, les festivals se multiplient qui permettent aux films africains d'être vus. Mais comment de pas s'inquiéter devant la multiplicité de ces festivals ! Téléfilm Canada en a dénombré 170 à travers le monde mais il est probable qu'il y en eut plus. En France on compte plus d'une soixantaine de festivals reconnus. Chaque maire, chaque responsable culturel rêve de faire connaître sa ville grâce à ce mot devenu magique de festival ?

On constate que, de plus en plus, les villes européennes rivalisent dans ce type de manifestations alors que les salles commerciales restent closes et que les télévisions diffusent les films africains soit pendant les vacances (histoire de boucher les trous de programme) soit à des heures tardives. C'est déjà beaucoup diront certains ! Les rares succès de films africains notamment à Paris ne suffisent pas à cacher la réalité des faits. (...)

Pour les autres et c'est le plus grand nombre, ce qu'ils appellent réussite de leur festival tient parfois à la présence de quelques personnalités invitées aux frais de l'organisation.

Étant donné l'abondance hors de l'Afrique, il est pratiquement certain pour un film africain d'obtenir un prix.

Pour ou contre un cinéma commercial ? Nous pensons que cette question est secondaire dans le débat qui se tient. Ce dont il s'agit ici c'est de la qualité artistique des œuvres, de leur valeur culturelle, de la maîtrise des principes de base de la communication, de la nécessité vitale de produire nos propres images. Il est presque sûr maintenant qu'une œuvre cinématographique réussie sera distribuée.

Depuis le début, les cinéastes africains se sont servis du cinéma comme d'un outil de description sociale, avec un réel désir d'agir sur les mentalités. Dans leurs pays qui témoignent d'un retard dans beaucoup de domaines, ils pensent que le cinéma est susceptible d'aider à une diffusion plus rapide des connaissances, de sensibiliser à de nouveaux comportements et de toucher le plus grand nombre de personnes à la fois. Les films visent surtout à faire évoluer les mentalités que le fatalisme et la tradition ont figées. Belle profession de foi qu'ont partagée tous les premiers intellectuels africains.

On constate aujourd'hui qu'à peine né, le cinéma africain se débat, noyé par les problèmes de la distribution, de la production, de la taxation et de la formation des hommes. Il y a plus de salles de cinéma en France que dans tous les pays africains réunis.

La plupart des structures nationales de distribution sont

tombées en faillite, ou connaissent d'énormes difficultés de fonctionnement et d'approvisionnement en films.

L'espoir de construire une politique cinématographique et de constituer des marchés communs au niveau des régions en Afrique est fortement compromis. Pas d'harmonisation des systèmes de taxation, pas de création de fonds de financement des films nationaux grâce aux recettes, pas de billetterie nationale. Les films des cinéastes ne sont même pas vus par leurs publics nationaux parce que la majorité des populations vit en milieu rural et qu'il n'y a pas de salles. La circulation du film africain d'un pays à l'autre reste encore marginale. A titre d'exemple, le Burkina Faso consomme chaque année entre sept et huit cents films pour un parc de cinquante salles environs. La société nationale de distribution (la SONACIB) dispose d'un stock permanent de plus de quatre cents copies. Dans ce portefeuille on compte moins de cinquante films africains. Et pourtant ce pays fait figure de pionnier dans la diffusion des films africains.

On estime aujourd' hui l'ensemble de la production africaine de longs métrages à quelque cinq cents films. C'est peu à l'échelle du continent mais comment, ne pas reconnaître le dynamisme et la richesse exceptionnelle de ce cinéma-là !

Ce qui est encourageant pour l'avenir du cinéma africain c'est qu'on note chez tous les créateurs comme un consensus sur la nécessité de produire de plus en plus d'images sur le continent et de les faire voir partout dans le monde.

Le Secrétaire Général de la FEPACI, Gaston Kaboré[4] résume ici cette urgence en ces termes :

« L'Afrique doit se former de toute urgence la capacité endogène de produire ses propres images, sinon elle est condamnée à perdre son identité culturelle et du même coup son aptitude à penser et gérer son auto développement... L'Afrique doit produire ses propres images ; il s'agit d'une nécessité vitale sinon les Africains seront dépouillés de leur réel spécifique et rendus inaptes à concevoir eux-mêmes leur destin. »

---

4. Gaston KABORÉ, « Le cinéma africain un enjeu et des responsabilités » in *Cinéma d'Afrique noire,* p. 21.

LISTE DES SIGLES ET ABRÉVIATIONS

AFRAM :	Filiale de la West Africa Export Co Inc.
CIDC :	Consortium Interafricain de Distribution Cinématographique
CIPROFILM :	Centre Interafricain de Production de Films
CINAFRIC :	Société Privée de Production de Films
FEPACI :	Fédération Panafricaine des Cinéastes
FESPACO :	Festival Panafricain du Cinéma et de la Télévision de Ouagadougou
OBECI :	Office Béninois de Cinéma
OCINAM :	Office du Cinéma National Malien
SIDEC :	Société d'Importation, de Distribution et d'Exploitation Cinématographiques
SONACIB :	Société Nationale d'Exploitation et de Distribution Cinématographiques du Burkina
SONIDEC :	Société Nigérienne de Distribution et d'Exploitation Cinématographiques.

François VOKOUMA

PRODUCING OUR OWN IMAGES IN SPITE OF THE SITUATION IN AFRICA

The serious crisis which affects Africa is going to slow down the development of cinematography. Film being a powerful means of communication and information, a tool that fashions and transforms the social representation of groups, the African film makers would have to work even harder than before to ensure they are present on the screens.

There are many festivals and symposiums on African cinema throughout the world but African films remain absent from the commercial halls and the television screens.

In fact most national structures of distribution have failed, taxation systems have not been harmonized, there is no possible funding from the sale of tickets, films do not circulate and there is no real hope of implementing a film policy and create film markets at the regional level.

The only encouraging aspect is the will of the African creators to produce more and more images and to show them all over the world. This capacity to produce images is of vital necessity if Africans want to preserve the aptitude of taking charge of their own destiny.

LA CONSÉQUENCE INÉLUCTABLE D'UN FESPACO ANNUEL AVANT L'AN 2001

Filippe SAWADOGO

1 - INTRODUCTION

Lors du FESPACO 93, une banderole annonçait aux milliers de participants qu'en l'an 2001, le FESPACO serait annuel !

Cette assertion qui semblait avoir pour objectif d'annoncer, de provoquer, n'est pas passée inaperçue des amis du FESPACO et beaucoup d'encre n'a pas manqué de couler...

La peur légitime du changement, le souci de ne pas nous laisser nous endormir sur nos lauriers ont fait que plusieurs voix se sont élevées, tantôt contre un FESPACO annuel, tantôt pour...

Afin d'apporter notre contribution au débat, il m'a semblé indiqué de réfléchir sur les avantages et les inconvénients d'un tel changement.

2 - NAISSANCE ET ÉVOLUTION DU FESPACO

Lorsqu'en 1969, le coup d'envoi a été donné pour une rencontre cinématographique à Ouagadougou, le succès fut tel qu'il a été réédité en 1970, soit un an après, avec le même succès et enthousiasme auprès des cinéastes et du public africains.

Si nous nous plaçons dans la situation logique de l'offre et de la demande, on peut dire que le coup d'envoi ayant été un coup de maître, il a fallu « re-belotter » pour satisfaire une clientèle avide de films africains.

Quelque temps après, la réserve s'est vite épuisée et il a fallu déchanter car le rythme de la production cinématographique africaine ne permettait pas de montrer des films tous les ans.

Aujourd'hui, le paysage cinématographique africain a subi un changement ; dans les années 70, plusieurs pays aspiraient encore à l'indépendance et ne rêvaient même pas de faire du cinéma, ce qui n'est plus le cas maintenant.

En outre de nouveaux pays médiatiques arrivent au FESPACO en l'occurrence les pays d'Afrique australe et l'Afrique du Sud auxquels s'ajoutent des pays de grande tradition cinématographique qui snobaient jusqu'à présent le Festival !

Face à cette réalité concrète et à l'envergure que prend le FESPACO, il est temps de redéployer le Festival pour ne pas être surpris.

Au fil du temps, le FESPACO s'est agrandi de nouvelles réalités qui ont apporté un plus au Festival :

- Le Marché International de la TV et du cinéma africains (MICA) créé en 1983 pour apporter une réponse à la vente des productions africaines connaît un franc succès par la fréquentation et le sérieux des résultats obtenus à chaque session.

- La dimension compétitive de la TV et de la vidéo qui est devenue réalité depuis 1993 donnera au FESPACO une nouvelle dynamique due à la participation intéressée des professionnels du petit écran.

Au regard de ces nouvelles données, il est difficile de continuer à voir évoluer le FESPACO de manière statique et dans un prisme figé.

Le paysage audio-visuel international est en pleine révolution et nous devons nous amarrer solidement au risque de nous faire larguer ou de quitter précipitamment l'orbite.

Autant l'homme doit vivre avec son temps, autant une institution doit s'adapter à l'évolution du temps.

3 - LE FESPACO, UN DES RARES FESTIVALS BISANNUELS

Il est important de noter que le FESPACO est l'un des seuls festivals au monde à se tenir tous les deux ans ; au départ, pour des questions de production, il n'était pas possible de faire autrement !

Actuellement, le fait que le FESPACO et les JCC (Carthage) soient des manifestations biennales les desservent énormément car tous les petits festivals à base de productions africaines ravissent toujours les films d'exclusivité.

En effet, deux ans c'est trop long pour la vie d'un film qui ne peut pas attendre un festival qui prend tout son temps.

Les exemples foisonnent de films africains dont la notoriété s'est estompée à cause d'une longue carrière internationale avant la session suivante du FESPACO.

- ***Tilaï*** d'Idrissa Ouedraogo,
- ***Blanc d'Ebène*** de Cheick Doukoure,
- ***Hyènes*** de Djibril Diop Mambety. Pour ne citer que ces trois exemples.

Certains estimeront que l'alternance avec les JCC doit nous conduire à une certaine prudence mais il faut dire franchement que cette alternance ne joue plus positivement pour nos deux festivals.

D'abord le FESPACO s'est agrandi de nouveaux programmes comme indiqué plus haut et a intégré réellement toute la **DIASPORA AFRICAINE** ; Carthage a évolué différemment en intégrant le Proche et le Moyen-Orient, ce qui donne à chaque festival toute sa spécificité.

Ensuite la proximité des dates de Carthage et du FESPACO distantes de 4 mois, proximité qui n'a jamais pu être résolue ne joue pas favorablement pour le FESPACO et liquéfie l'alternance.

Enfin, une multitude de petits festivals annuels en gestation même sur le continent finiront pas nous **« couper l'herbe sous les pieds »** si on ne réagit pas au moment opportun ; l'histoire sera là pour en témoigner un jour.

L'annualité du FESPACO permettra certainement aux professionnels de mieux l'intégrer dans leur programme international car ils sont peu enclins à faire le saute-mouton.

4 - D'AUTRES RAISONS PARTICULIÈRES

Le FESPACO est devenu un **repère culturel** du monde noir et le nier serait faire preuve de myopie culturelle. Dans cette situation, une soif réelle de découvrir le FESPACO se fait de plus en plus pressante et nous devons combler cette demande.

Au regard de la participation grandissante, il faut être inventif : il est indéniable que Ouagadougou ne peut pas augmenter indéfiniment son parc hôtelier qui ne se remplit que lors du FESPACO ! un FESPACO annuel aurait donc l'avantage de mieux réguler le flux des participants et de ne pas frustrer ceux qui manquent une session et sont obligés d'attendre deux ans.

Par la même occasion, une réponse sera trouvée à ceux qui pensent que huit jours de festival c'est peu et deux ans une trop longue attente.

D'un point de vue **« économique »** un FESPACO annuel multipliera certainement les retombées économiques du FESPACO, nous amenant à tendre vers le souhait de l'UNESCO qui encourage le développement des industries culturelles.

Concernant les retombées médiatiques, nul doute que la proximité des éditions tiendra en haleine et polarisera les feux de l'actualité sur le cinéma africain, le Burkina Faso et l'Afrique... si l'on pense au Festival de Cannes qui se passe à un rythme régulier tous les ans, on se rend compte qu'il n'y a que des avantages et peu d'inconvénients.

Des voix s'élèveront pour dire que l'organisation du FESPACO va nous coûter encore plus cher, que le Burkina va trinquer ! En réalité la tendance qui se dessine de plus en plus va probablement se préciser : les gens ont admis le fait de payer pour venir au FESPACO et nous devrions continuer à les y encourager ; de ce fait, le budget prévisionnel du FES-

PACO ne pourra que tendre à la baisse et la compensation viendra des participants de tous les horizons.

Il est indéniable qu'une décantation se fera au niveau des participants habitués à la prise en charge pour laisser la place aux véritables professionnels comme dans tous les festivals.

5 - CONCLUSION

Un festival de films est en réalité un produit qui doit constamment se remettre en cause pour garder toute la dynamique nécessaire.

C'est pourquoi les festivals de films sont sujets à des changements et innovations afin de garder leur éternelle jeunesse.

Je pense que le Conseil Économique et Social, organe de consultation par excellence, avait vu juste lors du colloque ***« Quel Fespaco demain ? »*** en affirmant que **« l'augmentation de la production cinématographique et la croissance prépondérante des professionnels du Cinéma qui se rendent au FESPACO devrait permettre à terme de passer d'un festival biennal à un festival annuel ».**

Un homme de culture mauricien a dit que le FESPACO est un des battements de cœur du Burkina, nous devons faire en sorte qu'il batte au rythme de l'Afrique du XXIe siècle.

Juin 1993 - Essai.

Filippe SAWADOGO

Secrétaire Général du FESPACO

AN ANNUAL FESPACO BEFORE THE YEAR 2001

The FESPACO started in 1969 with so much success that it was repeated the following year. But the rythm of production being slow there were not enough films to sustain an annual festival.

However, with time, the biennial festival has become an event of such importance that it is today necessary to look into a possible reorganization and change of periodicity.

On the one hand, there is now an African diaspora programme in addition to the normal programme of African films. The film and TV market created in 1983 is ever since developing while the video and TV competition has revamped the participation of TV professionals.

On the other hand, the international audio-visual landscape is undergoing a great mutation and we have to catch the train of change or be left out.

The fact that the FESPACO and JCC are biennial events is not to their advantage as festivals of lesser importance have an opportunity to screen the new films before them. So many African films arrive at the FESPACO already exposed.

An annual FESPACO would give the professionals a better opportunity to put the festival regularly on their agenda. Moreover, the FESPACO has become a cultural reference in the black world with more and more participants, so an annual festival would help regulate the flux of visitors at the same time as it would have beneficial economic and mediatic repercussions.

As for the cost of organizing an annual FESPACO, it is observed that there is a tendency, to be encouraged, to have more and more paying participants.

If FESPACO is the heart beat of Burkina Faso, it has to follow the rythm of XXIst century Africa.

BORROWING A LEAF

Afolabi ADESANYA

Screen adaptation of literary works is a veritable source of serious films, and as diverse as they come (bio/autographical, war, sci-fi, adventure etc.). These literary works include the holy bible, novels, poems, plays ; the screen rights' purchase of which has further popularised the said works and enrich the authors.

In the last three decades, African film and television producers have tapped literary works of both local and continental writers for feature films and television programmes. Segun Olusola's ***Palmwine Drinkard*** (1964), ***Song of a goat*** and ***The Trials of brother Jero*** are adaptations of the dramatic works of fellow Nigerians, namely late Kola Ogunmola, J.P. Clark and Wole Soyinka respectively. They were produced during his stint at Nigeria's premiere television station WNTV, now NTA-Ibadan.

For his two films uptodate, Nigerian film producer Francis Oladele extracted his screenplays from ***Kongi's Harvest***, by Soyinka — the Nobel Laureate — for his very first feature of the same title. And Chinua Achebe's novels — *Things fall apart* and *No longer at ease* — for his second feature entitled ***Bullfrog in the sun***. African Continental Bank (ACB) was years later to sponsor NTA's television adaptation of *Things fall apart* at the blustering of Oladele. Other Nigerian examples include the recent television adaptation and serialisation of Cyprian Ekwensi's *Jagua Nana's daughter* by Albert Egbe's Capitol Production. Bode Sowande, the playwright and novelist, has also adapted his novel *Without a home* for television. For the Pan-Africanist and visionary ***Cry freedom***, Ola Balogun adapted Meja Mwangi's *Carcase for hounds*, a novel about Kenya's historical Mau Mau rebellion for independence from the British colonial masters. Adebayo Faleti's *Idamu Paadi* has the distinction of having been adapted for both the television and film media. It was first adapted for the tube by NTV (now NTA) Ibadan ; and as a feature film, ***IWA***, by Labs Deroy/Cinekraft under the direction of Lola Fani-Kayode (now Macaulay). The television adaptation by the author is closer to the original concept and more acceptable perhaps than its updated film version, the plausibility and cast line-up of which are suspect. Earlier in 1978, Friendship Motion Picture had adapted Faleti's novel *Omo Olokun Esin* as a feature film entitled ***Ija Ominira*** (Fight for freedom).

Isola Ogunsola's debut, ***Efunsetan Aniwura***, is a film adaptation of Akinwumi Isola's play of the same title. In spite of its box-office success, it was decried by its mainly Yoruba audience as being « unfaithful » to the original source. Sadly, Akinwumi Isola's other play, *Madam Tinubu*, adapted for television by Segun Bankole, failed woefully to capture the look of its period — colonial Lagos. « Its very tough shooting period picture », admitted the Japanese filmmaker, Akira Kurosawa (*Time*, October 28, 1985). He should know. He is one of the very few living masters of the genre. Bayo Aderohunmu is another filmmaker who made his debut and a safe bet on an existing literary work, D.O. Fagunwa's *Ireke Onibudo*. Wale Adenuga took a bet with his popular *Ikebe Super* cartoon strip and won with his only feature film so far, ***Papa Ajasco*** made in pidgin English.

So far, Abubakar Imam is the foremost Hausa writer to have two of his works adapted for film and television. Labaran Nuhu's *Ruwan Bageja* (Water of cure), was adapted as a feature film screenplay by Yusuf Ladan ; and *Magana Jari Ce* by NTA as a television programme. NTA's Portfolio of literary adaptations include Elechi Amadi's *Isiburu*. As Nigeria's official film entry for FESTAC'77, which the country hosted, Adamu Halilu adapted late Abubakar Tafawa Balewa's *Shelu Umar*. The late Nigerian first Prime Minister and novelist's son, Sadiq Balewa made his debut as a filmmaker with ***Kasamu CE***. Though yet to be seen on either Nigerian television or cinema hall screen, Duro Ladipo's *Oba Waja* has been adapted into film by a German television company. The reknowed Senegalese filmmaker, Ousmane Sembène, is perhaps Africa's best known author-cum-filmmaker who has successfully adapted two of his literary works *Xala* and *The money order* (with *White Genesis*) to the cinematic medium in the films ***Xala*** and ***Le Mandat***, respectively. Commenting on his intellectual advantage, Paulin Soumanou Vieyra (a pioneer African filmmaker and friend of Sembène) says, « Sembène's background as a writer helps him to research and prepare his films with great accuracy ». (Ousmane Sembène : his films, his art by Françoise Pfaff in *Black art* vol. 3 n° 3, 1979).

Down south, the late Doris Lessing's novel *The grass is singing* was adapted and directed by Michael Raeburn as his first feature film. He started his film career making documentary films. Athol Fugard is another African writer who also has made a successful foray into film as a scriptwriter, and collaborator with film director Ross Denvenish for whom he adapted his works *Marigold in August, The guest* and *Boesman & Lena*. Fugard's screenwriter's credits include the Anant Singh produced ***The road to Mecca.*** Singh has also required the film rights of Alan Paton's classic, *Cry the beloved country*.

The screen adaptation trend will definitely continue, but it is more likely to favour recommended literary works on national or regional examination councils' syllabi than a favourite novel, play or poem.

Afolabi ADESANYA
Filmmaker and author of the Nigerian Film/TV Index.

L'adaptation d'œuvres littéraires au cinéma, à commencer par l'œuvre de Sembène Ousmane, a donné naissance à de nombreux films en Afrique. Au Nigeria, des œuvres de Wole Soyinka, Chinua Achebe, Cyprian Ekwensi, Fagunwa, Ogunmola, Faleti, Amadi, Tafawa Balewa ont été adaptées pour le cinéma et la télévision.

STRIDES IN FILM PRODUCTION

Emil DE RAATZ

Barely a decade ago, the Ghanaian film industry scene was rather depressing. No new films were being made either by local film makers, on their own, or through co-production with foreign producers. Suddenly, the situation has changed. Video technology has eliminated so many stages which made film production an expensive business. Therefore, video has done to the film industry what the audio cassette has done to the music industry — in that it has enabled many talented people with little capital to direct or produce films. In the past, lack of film financing, colour processing laboratories crippled the creative instincts of our best men.

Though many people may not know it, the basis of the present film explosion is in the pioneering work done by the Gold Coast Film Unit of the Information Services Department. The Film Unit was the mother of the Ghana Film Industry Corporation (GFIC). Among Ghanaian films makers, many have at one time or the other, been trained by the GFIC or have used its facilities for production.

The Gold Coast Film Unit began in a small way. In 1948, it had two technicians, one cameraman, a director and one scriptwriter, Mr. Odunton, later to become the first African head of the Information Services Department.

Its early films were usually documentaries and educative films in which development and social issues featured prominently. They hade such titles as ***Cut to Cure*** — to explain the swollen shoot disease — ***Armistice Day in Accra, Departure of Sir Alan Burns***. He was one of the first Governors of Gold Coast. With time, feature films such as ***The Boy Kumasenu*** was produced ; this won the

Mogadishio prize. Other well known films of the Film Unit include, ***Amenu's Child, Progress in Kojokrom.*** These were all shown to different communities in Ghana by the Mobile Cinema Vans of the Information Services Department.

The man behind the Film Unit was Mr. Sean Graham. In a widely published broadcast in 1948, he described the state of film going in the Gold Coast as follows : « Few of the films you have seen deal with the Gold Coast, or even West Africa. They are made for and about people far away from here, and have very little in common with the country you live in. Even when occasionally, a film is made by a visiting film unit it frequently fails because it was made, as it were, by strangers — and too much in a hurry at that ! » He therefore set out to reverse the trend and explained : « I want to see a documentary film unit grow up here ; a unit composed of African technicians, writers, musicians, directors and cameramen — who will dramatise the way of life which is emerging here in Africa, and focus public opinion on social achievement — and social problems. For they can do more than entertain ; they can interpret and sometimes, perhaps, inspire and move us deeply. I am sure the way of reaching a large number of people quickly is by speaking to them with authority and understanding. »

On the type of films he wanted to make, he stated : « We are determined not to make our films dull : will not preach, lecture, or grind any particular axe. But we want to say all the things that need to be said as effectively as we can. In the films we make — from the purely educational and instructional films on hygiene and health, agriculture and forestry to story documentaries which will project the Gold Coast to the outside world — we want to use as far as possible the local idiom and tradition and for this we need your help. On recruitment, he pointed out : « We are looking for writers — native to West African who can re-create for us the mood and essence of the country : Writers with imagination, and a flair for story-telling, an eye for significant detail, and if, that isn't too much to hope, with a gift of what I call poetic realism. Recapturing the essence and feeling of a people is never easy. It demands, on the part of the writer, in addition to talent, a personal integrity, a certain distance and objectivity and liking for the people about whom he writes. All writers, to a greater or lesser extent mirror their social environment and if the mirror is clouded, or contact of sympathy, the reflection will not be faithful. »

It can be seen that, Mr. Graham, was an excellent exponent of African films. He explained that : « Traditional African story-telling was once and in places still a high and popular art. Well, film-making is but a new technique of story-telling. I am hoping in the Gold Coast Film Unit we can gather together a small group of people determined to experiment with this new and exciting technique, and use it for education to responsible citizenship, or if you like, Mass Education. Everywhere on the Coast and upcountry, the people are thirsting for knowledge and some aspects of knowledge — education for instance — are in danger of becoming catchwords, ends in themselves rather than a mean. Well, films can play their part ; they can quicken the imagination, suggest wider horizons and help prepare the ground for the new society which you are determined to build. »

Appealing to the general public as a whole, he said he wanted gifted story-tellers, writers of unpublished manuscripts tucked away somewhere. Anyone who feels he has something to say and the knack of saying it well. « Appart from writers, he appealed to men and women who perhaps have taken part in amateur theatricals at school, and are able to spare sometime to act in one of our films. We want composers and musicians for film-music ; sculptors and painters to help us with ideas, set-designs and special effects ; in fact, we want to meet anyone with an ounce of genuine creative talent and enthusiasm for the kind of things we are trying to do » :

The exact words of Sean Graham, the father of Ghanaian film industry are relevant today so that the impression is not given that we are starting a new process altogether.

EARLY BEGINNINGS

After the early beginnings, the GFIC was established to carry on the tradition. In fact the rationale for changing the name of the Gold Coast Film Unit and incorporating it was to shift the focus of the film organisation to a self supporting commercial enterprise. To this end, new premises were built and equipment and the necessary infrastructure were acquired for the corporation. In the beginning, the corporation produced a lot of documentaries for the government. Few feature films like ***No Tears for Ananse, I told you so, Genesis chapter X, Tongo Hamile*** (an adaptation of the Shakespearian play *Hamlet*). In coproduction, it produced ***Contact*** and ***Cobra Verde***. However problems of cash flow created stagnation. At this point in the 1980s private enterprise came to the rescue of the industry.

Kwaw Ansah produced ***Love Brewed in an African Pot.*** Ten years later, he followed it up with ***Heritage Africa***.

In the late eighties, Mr. William Akuffo, produced ***Zinabu I and II*** and ***Mobor***. Suddenly, it occurred to many people that they could also make films suit Ghanaian taste using the video medium. So Sidiku Buari came up closely to the heels of Akuffo, with ***Ayalolo*** and others. Since 1992, almost 46 video film productions have been released and shown throughout Ghana. These include, ***The Schemers, Baby Thief, The other side, Child at 6.30*** produced by the GFIC. Others by private individuals which have become « box office » success, are ***Ghost Tears Abrantie*** and ***Heart of Gold***.

These films are of unequal quality. Some have condemned them as being no better than TV productions. But no matter what, it is an encouraging beginning. Films made for Ghanaian audiences, taking into considération, Ghanaian norms, mentality and preoccupation can never be like films written for European or American audiences. We must accept ourselves and accept our films as our best efforts at this still pioneering stage.

Emil DE RAATZ

Acting Director Information Service Department — GHANA.

LES PROGRÈS DE LA PRODUCTION CINÉMATOGRAPHIQUE

Grâce à la vidéo, l'industrie de l'audio-visuel qui était réduite à la quasi-immobilité au Ghana, a repris vie en permettant à des gens de talent, mais ayant peu de capital, de s'exprimer.

Tout remonte, dans cette industrie, au Gold Coast Film Unit (l'unité de cinéma de la Côte de l'Or), créé en 1948 avec pour effectif deux techniciens, un opérateur, un réalisateur et un scénariste, qui produisait surtout des documentaires et des fictions de type éducatif.

Mr Sean Graham, directeur du Film Unit, voulait des films distrayants et enracinés dans la tradition orale qui servent à ouvrir l'imagination et à préparer le terrain pour l'édification d'une nouvelle société.

La Ghana Film Industry Corportation (GFIC) n'a fait que continuer dans la voie indiquée par le Gold Coast Film Unit mais s'est vite heurtée, malgré un nombre de productions intéressantes tant documentaires que de fiction, au problème de liquidité. A ce stade (au début des années 80), le secteur privé est entré dans le jeu de la production. C'est alors que peu à peu l'idée d'utiliser la vidéo s'est imposée, idée mise à profit à la fois par le secteur privé et le GFIC avec des résultats étonnants quant à la quantité (46 productions depuis 1992) et variables sur le plan de la qualité, mais cependant encourageants dans la mesure où les productions s'inscrivent dans les normes et la mentalité ghanéennes.

DEVELOPING FILM DISTRIBUTION AND EXHIBITION IN REGION

Lionel NGAKANE

Since Fepaci was created 22 years ago, African film makers have discussed ways and means not only of producing films, but also how to get their films screened in the continent, and raising the standard of films dumped on the people by uncommitted distributors and cinema proprietors. But it must be said that very little has been achieved in pushing forward the development of cinema in Africa.

In francophone West Africa there have been attempts to create structures for importation and distribution of films, and providing training. But governments, who were partners with the film makers in this important development, reneged on their commitments, thus the demise of what was the beginning of a liberated pan-African film industry. It is now for the film makers to take the initiative and devise strategies to achieve our goal of a liberated, vibrant, African film industry.

When the Fepaci Congress decided to create regional structures, it was with the idea of the national associations collaborating in the development of all facets of cinema, nationally and regionally. I still believe the regional concept to be the most effective, considering the limited resources of our individual countries, especially in Southern Africa, excluding South Africa. It is more forceful to confront our governments with regional strength than as three or four national film makers.

To quote from the Niamey Manifesto which was drawn up at the First International Conference on Cinema in Africa in 1982 : « The development of national cinema should take into consideration regional and pan-African co-operation by integrating cinema to political and economic ties that already exist between States. »

The second quote being : « The development of national cinema should take into consideration the joint development of its cinema industry with that of neighbouring States and also of the region. » The problen here is that, as far as the Southern Region is concerned, the only governments that have some kind of cinema policy have been Mozambique and Zimbabwe.

Mozambique was an examplary country whose government realised the importance of cinema and, despite its economic problems, ensured that cinema thrived and played an important part in national development. It produced films and newsreels, and had a wide distribution network that reached villages. Alas, it seems that the government commitment on cinema is being eroded. One hopes this will not be so.

Zimbabwe has for many years developed the film infrastructure to attract foreign productions. It did not have a national policy on the development of a national cinema. However recently it has begun to recognise the importance of a national cinema, the film school and the mobile cinemas for the rural areas, not forgetting the post-production facilities and laboratory at the Central Film Laboratories. It has become the leader in the region as far as cinema is concerned.

Regarding regional distribution and exhibition, I think we should begin with considering exhibition, because without the theatres and other venues for screening films, there is no point considering the importation and distribution of films.

Let us consider some facts. The estimated anglophone population of the region, excluding Mozambique and Angola, is 72 million. Mozambique and Angola about 18 million. These figures show that there can be a viable distribution network. Angola, Mozambique and Guinea Bissau could form their distribution structure because of the common Portuguese for films.

Considering the population of cities and towns in each country in the region I estimate that the minimum number of 600 seater theatres could be as follows :

Botswana 10 ; Swaziland 4 ; Zambia 11 ; Namibia 10 ;

Lesotho 6 ; Mozambique 12 ; Zimbabwe 20 ; Malawi 6 ; Angola ? (because of situation).

There should also be mobile cinemas and other forms of informal screenings that can be arranged.

What are the options for providing this minimum number of cinemas in each country ? There is Governement participation, corporate investment and entrepreneurship.

But before we consider those options, let us consider the few existing cinemas. In countries such as Zimbabwe, Namibia and Swaziland, where there is a settler population, there are cinemas that are of international standards regarding the equipment, the furnishing and the film programming, usually films from distributors in South Africa. These cater for the white inhabitants and the few middle class Blacks. They are usually situated in the center of the cities. But there are also the few independent cinemas that cater for the black populations in the townships. They are usually owned by non-Africans ; the equipment, that is the projectors and sound equipment, is unacceptable. The films are the cheapest that can be leased from distributors, or bought cheaply in countries such as India and the Far East. They have little value educationally and culturally to our people. One feels that the proprietors are not committed to providing good cinema but are merely in it for the money.

What then do we do with these two categories of cinemas ? The first, the cinemas in the cities, should be encouraged to screen African films, to expose the insulated white population to their living context, Africa. The second category has to be encouraged or compelled by government policy to upgrade their cinemas, improve the standard of films screened and lastly have significant space for African films. This can be done by having a quota system that ensures that African films are available to the majority African audiences. But they should be monitored to thwart their blatant untruths that Africans don't appreciate African films, and this would also be a much needed boost for film production on the continent.

To consider the difficult problem of providing cinema theatres for the people, let us deal with the options we mentioned.

THE GOVERNMENTS

We have recognised over the decades since the Independence of a majority of African countries, that support for the Arts is always at the bottom of priorities of our governments. Fepaci, the national associations and individual film makers have to impress upon governments that the film makers are as committed, and sometimes more committed to the political, economic, social and cultural development of their countries, and wish to be junior partners in this development. We, as film makers, have to lobby the governments, district councils and town councils that they should build theatres as real estate investments. They would then earn revenue by leasing the theatres to entrepreneurs. This would also be a means of encouraging the development of small businesses, cinema proprietorship being a small business. The governments should put in place incentives for businessmen to take up these theatres and run them, through tax concessions that can be devised in line with the Fepaci policies on cinema taxes.

CORPORATE INVESTMENTS.

In our countries we have several companies ; multinationals, foreign and national. These companies should be made aware that investment in theatres contributes not only to the entertainment of the people, but the cinemas are a very important form of education. In the old days the mining companies realised this and provided films for their miners. The same awareness should exist today for their employees and their families in the townships. Each major company can afford to at least build one or two cinemas, or create a fund with other companies for building cinemas for leasing. This would not only be publicity for them but would also be an effective public relations exercise.

ENTREPRENEURS

To be a black businessman, in the old days, one started with having a little shop selling sugar, tea, parrafin, meat, etc. The successful businessman is the one who expanded to several little shops, or, today, has a supermarket. But now we also have entrepreneurs ready to explore new business opportunities that can give returns bigger than their previous businesses. These businessmen have to be introduced to the lucrative business of running a cinema. To convince them, there should be a pilot cinema, probably put up by the government and run by the National Association, to prove the viability of cinemas as business.

There are of course the many development agencies which should be approached and made aware of the lack of leisure facilities and that cinemas would provide some leisure and that films are also a form of education, and through cinema documentaries can be an important source of information for development. They could perhaps contribute towards the pilot cinemas I mentioned.

We in the region are fortunate to have the SADCC as our economic, and cultural regional organisation. We film makers of the region need to have discussions with the SADCC about introducing films to our people through cinemas, mobile units and informal film screenings in Church and School halls. We already have relations with the organisation, the ball is in our court.

DISTRIBUTION

Regarding distribution, we have to take into consideration importation of films from Africa and abroad.

We have to be clear that for a long time to come films will have to be imported from the United States, Europe and the East. Our African productions can eventually claim about 20 % of screenings. We have thus, as a region, to create a distribution structure that will make the importation of films viable. By importation, I mean the Regional Distribution Company negotiating directly with overseas distributors and independent producers, rather than being appendages of the South African Distributors. This will not only give independence, but would also mean we cut one major middleman, which would boost revenue.

A distribution company will need capital for up-front payments for films ; travel expenses to seek out films ; lab charges for prints and trailers, staff, etc. It will be necessary to identify possible initial funders for a period of at least two years. It is possible through SADCC or collaborating governments to apply to the EEC for funds. There are also foundations to be identified, grants from international organisations, etc. Governments can also be persuaded to guarantee loans to set up the distribution company.

There is also a possible alternative, to create a limited company and recruit investors. But in all cases there has to be a feasibility study, hence the importance of having theatres.

We must not put off what we can do today for tomorrow. I suggest that two regional sub-committees be formed, one to work on the strategies for providing film theatres in the region, and the other on the creation of a regional importation and distribution organisation.

Theatres and distribution are the parents of productions.

Lionel N'GAKANE

Assistant Regional Secretary
for Eastern Africa - FEPACI
Harare, Oct. 1993.

DÉVELOPPEMENT RÉGIONAL DE LA DISTRIBUTION ET DE L'EXPLOITATION DES FILMS

Le problème de la distribution et de l'exploitation des films en Afrique préoccupe depuis longtemps les cinéastes et la FEPACI sans que pour autant l'on soit parvenu à des résultats satisfaisants.

En Afrique de l'Ouest francophone où l'on a tenté de créer des structures pour faire face à la question, l'on s'est heurté à un échec car les gouvernements impliqués sont revenus sur leurs promesses.

Le Manifeste de Niamey (1982) précisait que le développement du cinéma devait se faire dans un contexte de coopération régionale et panafricaine ; malheureusement peu de pays à l'époque avaient élaboré une politique de développement du cinéma.

En Afrique australe, par exemple, seul le Mozambique a montré une attitude cohérente en matière de politique cinématographique, suivi plus tard par le Zimbabwe. Pourtant cette région a une population anglophone assez nombreuse pour permettre la viabilité d'un réseau de salles et de cinébus. Or, à ce jour, les salles de cinéma des centres-villes sont surtout fréquentées par la population blanche et une petite frange privilégiée de la population noire tandis que les salles des townships qui ont un public populaire noir sont souvent la propriété de non-africains, sont mal équipées et montrent en majorité des films étrangers de deuxième catégorie sans valeur culturelle ou éducative pour le public concerné.

Une politique cohérente en matière de cinéma pourrait d'une part assurer que des films africains sont offerts au public et que les films importés sont de meilleure qualité.

Le soutien du gouvernement, des agences de développement et de la SADCC (Southern Africa Development Coordination Conference), la participation des firmes et l'esprit d'entreprise des hommes d'affaires devraient être encouragés en vue du développement d'une structure de distribution et d'exploitation cinématographique au niveau régional.

THE CINEMA IN SUDAN

Gadalla GUBARA

A HISTORICAL SURVEY

Cinema was introduced in Sudan in March 1925 when the first silent film was shown in a cinema house situated south of the post office in Khartoum. The cinema house was a spacious area surrounded by tamarind bushes to prevent prowlers to get in. It was owned by a Greek fellow called Mr. Uios. In 1937, a new cinema house was officially opened in Omdurman, the native city of Sudan. It was owned by a copt called Mr. Giddis Abdulsayed.

After two years, when the Sudanese discovered there was profit in showing films, they formed the Sudan Cinema Company. This company established three cinema houses simultaneously two in Khartoum, and one in Omdurman. These cinema houses were showing mainly Egyptian films while American and European films represented nearly 40 % of the programme. One of the cinemas (Blue Nile Cinema) was aloted exclusively to the British troops till they left Sudan.

In the early 40s, the British created a fleet of mobile cinema vans. Their aim was to show British propaganda films and to advertise for the victory of the Allied Forces over the German and Italian troops. These films were produced by the Colonial Film Unit and dubbed in Arabic in order to be shown in British colonies. When screened in Sudan, these films were well received at first, but as from 1946 the audience dicreased, which compelled the British authorities in Sudan to create the SFU (Sudan Film Unit) in order to produce local short films to be shown to sugarcoat the propaganda films presented to the public.

The present government of Sudan realizing the value of mobile cinema has renewed the fleet of vans and started touring the Sudan again, but 16 mm films that will satisfy the needs of an anxious audience are needed. The Sudan Film Unit still produces documentary films but on a small scale since the budget alloted to film production is very small, in regard of production expenses. However, production has to be encouraged since motion pictures have a great effect on people who are looking for a better way of life and are ready to copy the traditions and behaviour presented in American films in particular but also in French films. We all know that foreign films, partly because they are designed to do so, tend to drive people, especially educated people, away from their own traditions, with an immediate effect on the way they dress and behave in society.

The pioneers of film making in Sudan are not many. The first cameraman in the history of Sudan film making, may be in the history of African film making, is Gadalla Gubara who used to work with the British troops as a signal officer. His job was to show films to Sudanese soldiers who were very impressed to watch war films. In 1950, he filmed the first colour film, photographed by a black African, entitled ***Song of Khartoum***. It reflected the beauty of Khartoum, the capital of Sudan, showed the green fields by the River Nile and other nice places and beautiful sceneries. Mr. Gubara and Mr. Kamal Ibrahim, a script writer and director, who in 1959 went both to London for training, established the SFU (Sudan Film Unit) with their chief Mr. Mathew.

When Sudan became independent in 1957, Gadalla Gubara was put in charge of the SFU. In 1957, after independence, the Sudanese governement decided to produce a fortnightly newsreel to be filmed in 35 mm B & W. The idea was that since Sudan is a very large country with a varied topography and culture, the newsreel would be distributed in the capitals of the nine provinces of Sudan and this would help people to link and know each other. By this time, the number of cinema houses had reached 62 equipped with

35 mm projectors plus 2 cinema vans equipped with 16 mm projectors to show films in remote villages.

The African cinema did not play a big role before independence in the struggle for freedom since most African countries were colonized and controlled by the great European countries (England, Germany, Italy, Portugal, France...). With independence, even though the government Film Units were only heralding the activities of Ministers and other officials as they functioned as the official film crew to record government activities, there was a development in the production of African films directed to the struggle for freedom. The Egyptian cinema was able to produce some films reflecting the effort of the nation to fight imperialism. One of these films produced by the Egyptian actress/producer Magda was the biography of the Algerian galant girl Gamila Abuheraid who was a member of an underground movement and fought during the French occupation of Algeria. Egypt was the first African nation to show interest in producing war films ; particularly after the victory of the Egyptian army over the Jewish army in 1973, many films were based on the strategy the Egyptians used to deceive the Jews and cross to the Sinaï. Libya also produced a film about Omer Elmokhtar, the Libyan leader who fought the Italians. The part of Omer Elmokhtar was played by American actor Anthony Queen. These historical films have been of great importance to the populations of Egypt, Libya, Algeria since they reminded them of the cruelty of the invadors.

CINEMA AND CULTURE

Africans speak many different languages but most of the films produced in West Africa are in French while films made in Egypt, Morocco, Algeria, Tunisia are produced in Arabic. I think that films could be produced in local languages and later dubbed in French, English or Arabic if they are successful.

African technicians, film makers and learned men should

help tackle the problem of the contribution of oral tradition to the aesthetics of African cinema. I think that up till now African films have not had much impact internationally since most African films have been produced with foreign money invested in view of gaining cash or moral profit. The control over African films will remain with foreign producers unless African film makers unite and form production and distribution companies, which is becoming more and more difficult with the invasion of satellite and TV programmes. The problem could be overcome only with a great effort of the African film makers and of the FEPACI.

CINEMA AND ECONOMY

Cinema can play a great role in the economy of Africa and in the information of people about their environment, their mineral and agricultural resources, the way they can make use of new excavation tools and repair equipement, the way children should be fed and houses should be cleaned... Illiterates can be educated through the use of films and so film making can contribute to the economic development of Africa.

FILM MARKET

If the African film makers fail to find a solution to the distribution problem, they might not be able to go on producing films. The African film market was often discussed in festivals but always without practical results. Film festivals should provide a forum for realistic discussions and exchanges and film makers should produce films aimed at their African audience.

THE FEPACI

The FEPACI fought its way through a thorny road. It depends mainly on foreign funds for its survival. It is our responsibility to stand for our Federation and to press our governments to pay the annual subscription. The FEPACI shoud be financed with our own African resources and I appeal to my colleagues not to ignore this message if we want our Federation to be effective and powerful.

AUDIOVISUAL FOUNDATION

The creation of an audio-visual foundation is very important to keep high standards. Many people are qualified to teach cinematography but funds are needed to do so. Why then create new audio-visual centres ? Wouldn't it be better to develop existing ones such as the Kenya Film School in Nairobi or the Audio-visual Centre in Sudan where there are good training facilities.

Some people feel that African cinema has no future, while others are of the opinion that it will have a bright future since African films presents new sceneries and new trends of thoughts. In this perspective it is our responsibility, as film makers, to look forward and continue to make films based on our African culture without diverting our efforts to the West otherwise we might lose our identity and not be able to recover it.

Khartoum 22/1/1994

Gadalla GUBARA

Assistant Secretary (Eastern region) FEPACI and film maker.

LE CINÉMA AU SOUDAN

Le premier film est arrivé au Soudan en 1925. Deux ans plus tard, la Sudan Cinema Company était créée et ouvrait trois salles. Au début des années 40, beaucoup de films de propagande britannique furent déversés sur la population grâce aux cinébus et lorsque leur succès commença à tomber, les autorités britanniques créèrent le Sudan Film Unit (SFU) pour faire des productions locales destinées à allécher le public qui pourrait ainsi mieux tolérer les produits de propagande.

Gadalla Gubara qui a photographié ***Song of Khartoum*** (1950) est le pionnier du cinéma soudanais. En 1957, il prit la charge du SFU qui, une fois l'indépendance acquise, se mit à produire des actualités bimensuelles destinées à être montrées dans les neuf provinces du Soudan.

Actuellement, le Film Unit continue à produire des documentaires mais en nombre restreint étant donné les limites budgétaires.

Ce n'est qu'après l'indépendance que le cinéma africain libéré de l'emprise des colonisateurs a pu contribuer à la lutte de libération. Outre le choix de la langue et la place de l'oralité, l'indépendance financière et la distribution restent les problèmes majeurs du cinéma africain. Cependant il est clair que le cinéma peut contribuer au développement de l'Afrique et qu'il a un grand avenir à condition que les cinéastes africains continuent à ancrer leurs œuvres dans la culture africaine.

BRETELLES D'ACCÈS AUX AUTOROUTES ÉLECTRONIQUES

Lams YARO

Le grand paradoxe du cinéma africain, c'est d'avoir un public (cela a été largement démontré au FESPACO) et de n'être pas vu. En tout cas peu vu et peu connu en salle comme à la télévision car son humus demeure encore les festivals de films (souvent professionnels). Demain, le monde entier sera inondé de milliards d'images offertes par les (500) chaînes de télévision potentielles provenant du satellite et du câble.

Face à l'hégémonie américaine, l'Europe finalise en ce moment même sa stratégie de défense. (On se souviendra des tribulations au sujet de l'exception culturelle). Qu'en est-il en Afrique ? A-t-on vraiment pris conscience de cet enjeu ? Existe-t-il des bretelles d'accès aux autoroutes électroniques ?

Interactivité, CD-Rom, CDV, MPEG, images virtuelles et de synthèse, télévision numérique, autoroutes électroniques... des mots à la mode pour annoncer « la génération multimédia ». La culture « écranique » qui s'annonce n'est pas en soi une véritable innovation puisque nous connaissons le téléphone, la télévision et l'ordinateur. Cependant, c'est le mariage, la combinaison, en un seul écran piloté par une unique télécommande (de la taille d'un clavier d'ordinateur) qui sera révolutionnaire en ce qu'elle peut offrir.

Dans son principe, la communication des temps modernes veut obéir à une logique toute simple : constituer des bases de données universelles que l'on pourra interroger de chaque point du globe. Pour cela, les « majors companies » de Hollywood (concentrées sous 2 ou 3 bannières, 4 tout au plus) prévoient de construire des autoroutes d'information, constituées de réseaux en fibre optique capables de transmettre un haut débit d'informations numériques (l'équivalent de 320 000 communications téléphoniques simultanées).

La télévision du futur proposera plusieurs innovations :

- Une croissance quantitative d'offres de programmes : les chaînes de télévision seront assimilables à des cinémathèques et les câblo-opérateurs proposeront des bouquets de chaînes permettant au client des choix. Le principe du « pay per view » (le téléspectateur ne paye que pour le film qu'il a vu) est déjà fonctionnel en France.

- Une augmentation qualitative des images et du son, grâce aux techniques numériques de compression des signaux. Par ailleurs, le mixage d'images réelles et de synthèse dans les films va redimensionner les techniques cinématographiques. Dans le film, ***Dans la ligne de mire***, Clint Eastwood a été clôné pour figurer dans le cortège accompagnant le Président Kennedy lors de son assassinat. On peut aussi se rappeler les « dinosaures de ***Jurassic Park*** plus vrais que nature ».

- Une possibilité d'interaction qui transformera le téléspecteur en télé-acteur. Ce télé-acteur sera metteur en scène puisqu'il pourra entre plusieurs scénarios proposés, pour le même film, choisir son propre montage selon qu'il préfère un happy end ou au contraire un sad end. Les studios hollywoodiens prévoient de concevoir un film avec des adaptations possibles pour les musulmans, les protestants... On pourra composer sur mesure son propre journal télévisé à partir de plusieurs reportages.

Les événements culturels et sportifs, en interactif, permettront au télé-acteur de préférer tel ou tel angle de prise de vue ou de choisir de suivre son match ou son concert à partir de son musicien ou de son joueur adoré.

Les enjeux de la télévision du futur (ou plus exactement la télévision de demain) sont considérables. Nous entrons dans l'ère de la « télé-civilisation » et il faut que l'Afrique puisse revendiquer sa part de présence en termes d'informations et de culture afin de continuer à exister dans les banques de données universelles. Le danger étant que si les Africains ne peuvent pas voir leur propre culture à l'écran et se questionner perpétuellement à ce sujet, ils épouseront (ou continueront à épouser) la culture d'autrui. « Le seul véhicule performant demeurera l'image » précise le philosophe Virilio.

« Les pays du Tiers-Monde assistent, faute de moyens financiers, au développement fulgurant du marché des technologies de l'information. Leur participation est estimée à seulement 10 %. Et d'ailleurs, toutes les positions satellites, stratégiques et géostationnaires sont déjà occupées[1] ».

Tout comme on a parlé de l'arme alimentaire, on parlera de l'arme technologique d'information et de communication. La concurrence est amorcée. Une concurrence déloyale.

Que faire ? Voici la réponse du Secrétaire Général du FESPACO : « Il est clair que nous ne pourrons pas lutter contre l'envahissement des images du satellite et du câble, alors il faudra y être. C'est d'ailleurs pour cette raison que le FESPACO, depuis maintenant quelques années, a pris en compte la dimension télévisuelle afin qu'il y ait des programmes qui puissent aller sur les satellites et concerner l'Afrique[2]. »

Pris isolément, les micro-États africains, dans leur expression culturelle, sont condamnés à une mort certaine. C'est en cela qu'il est impératif que ces États puissent se doter d'une structure panafricaine (une Afrique-Images) qui pourra imposer sur le grand marché audiovisuel ainsi créé (un public potentiel d'environ 600 millions de spectateurs), des quotas de produits audiovisuels africains et promouvoir des alliances de production et de distribution entre télévisions nationales. Il n'y a pas de cinémas africains, il y a un cinéma africain. Parce qu'il n'y a qu'une culture africaine qui se définit à travers sa diversité des pratiques, des langues...

La création d'un fond de soutien, à l'échelle du continent, sera la condition *sine qua non* pour conserver une véritable identité culturelle et une production plus accrue de ces images.

Il s'agira aussi d'être inventif pour éviter les effets pervers des mécanismes de soutien qui en développant des com-

---

1. Citation de Mahdi ELMANDJARA. Professeur à Rabat. *Terminal* n° 62, 1992.

2. Interview de Filippe SAWADOGO. Diffusion BBC-World Service. Mai 1994.

portements d'assistés empêchent les différents corps professionnels du cinéma d'intégrer les impératifs de marché et/ou de stratégie. Aussi longtemps que le cinéaste africain demeurera son propre producteur, troquant localement sa liberté de création en fonction des subventions gouvernementales et dépendant des financements institutionnels occidentaux, il court le risque de finir par fabriquer des films de commande. Et par la même occasion, il fait courir le risque au cinéma africain de perdre sa spécificité.

La technicité du cinéma africain doit devenir compétitive. « Il n'y a pas de règles valables pour le Nord et d'autres pour le Sud : ce sont les mêmes. Il s'agit de la conquête des parts de marché. A nous de montrer que nous sommes des interlocuteurs compétents » affirmait, récemment, le Directeur de TV5-Afrique[3].

Tant que la diffusion des images était hertzienne, on a pu ériger des politiques audiovisuelles à l'échelle nationale. Les systèmes de diffusion par satellite en permettant la réception directe en même temps que l'interconnexion possible des réseaux câblés, transgresseront les frontières géo-politiques et leurs réglementations. Par conséquent, l'audiovisuel africain doit s'organiser en fonction de ce « new-deal » et se positionner dans ce qui fait sa force. C'est-à-dire son âme.

Lams YARO
Communicateur burkinabè

ACCESS TO THE ELECTRONIC HIGHWAYS OF INFORMATION

It is paradoxal that the African cinema has a potential public but practically no distribution or exhibition outside the film festivals.

---

3. Citation de Mactar SILLA. *Le Monde,* Radio-Télévision, 20-21 février 1994.

What will happen in Africa when tomorrow the multimedia generation is a reality and one has a choice between 500 TV channels ?

The principle of modern communication is to implement universal data bases which can be interrogated from any point of the globe. In order to establish the highways of communication, it is necessary to increase the number of programmes, the quality of image and sound thanks to digitalisation and the possibilities of interactions.

The African continent has to contribute on the cultural and informative levels to the tele-civilization of tomorrow, otherwise Africans would not have access to their own culture on the screen.

As it is impossible to fight the spread of satellite and cable television, it is advisable to take part in its development. In this perspective, it is necessary to create a panafrican structure that will impose quotas of African audio-visual productions on the African market and promote coproduction and distribution that defend an authentic cultural identity. African has to enter the competition and conquer its own share of the audio-visual market.

CINÉMA ET TÉLÉVISION QUELLES PERSPECTIVES POUR L'AFRIQUE ?

Mahamoudou OUEDRAOGO

Les rapports entre le cinéma et la télévision ont été le plus souvent plutôt conflictuels qu'aimables.

Très tôt le **« grand écran »** a vu dans le **« petit écran »** un rival sinon prétentieux du moins assez habile pour tirer profit de ses lacunes circonstancielles ou de ses erreurs organisationnelles. D'où la méfiance, sinon la défiance, qui ont longtemps caractérisé les relations entre les deux. Cependant une approche plus positive a progressivement pris consistance ; elle vise à créer un cadre de dynamisme ambiant autour des deux médias ; elle s'efforce d'assurer d'abord et de pérenniser ensuite des liens fructueux entre cinéma et télévision.

Il s'agit, ce faisant, de déboucher sur une dialectique cinéma-télévision riche en questionnements et féconde en solutions.

LES DÉBOIRES DU CINÉMA

« Le cinéma est le seul art, avec la musique, qui soit immédiatement accessible au monde entier, exactement tel qu'il a été créé. » Lorsque **Sydney Kauffmann** faisait cette assertion, il songeait surtout à la fameuse « dette émotionnelle » qui lie le spectateur des salles obscures aux personnages de l'écran indépendamment du langage utilisé, des propos tenus. L'important ici c'est le climat, l'ambiance, les angoisses, les sentiments, le vécu. C'est sans doute ce point capital qui fait que le sous-titrage, lorsqu'il est utilisé, avoisine les trente pour cent (30 %) des paroles échangées. Mais malgré les ressources phénoménales de cette invention, le cinéma rencontre depuis près d'un demi-siècle des problèmes gigantesques.

Aux États-Unis d'Amérique en l'espace de 45 ans le cinéma a perdu les 3/4 de ses clients. En Europe le mouvement est similaire qui aboutit à la baisse sévère de la fréquentation des salles et par voie de conséquence à la fermeture de nombreuses salles. Et, de façon indéniable, partout où la télévision se développait, le champ du cinéma se rétrécissait. Mais cette coïncidence était loin de tout expliquer même si l'expansion de la télévision jouait sur la vitalité du cinéma. Et c'est ce qui ressort du fameux diagnostic de l'économiste anglais John Spraos dans son ouvrage **The decline of the cinema**. John Spraos y explique que c'est par un processus circulaire que le cinéma s'atrophiait dans la mesure où à la baisse de la fréquentation succédait celle de la production filmique qui cédait à son tour la place à la fermeture des salles, donc on avait à nouveau moins de spectateurs et ainsi de suite.

En Afrique le constat n'est pas plus enviable. Malgré les tentatives audacieuses de production et de réglementation de la distribution (CIDC — CIPROFILMS) le secteur est vite devenu atone ; le taux de remplissage des salles est médiocre et le plus souvent on n'atteint même pas 40 % d'occupation des sièges.

En Occident le cinéma a pu contre-attaquer par une politique de construction de salles juxtaposées ou superposées, de « drive-in » que sont les cinémas géants dans des parcs automobiles.

En un mot il fallait rapprocher les salles des spectateurs potentiels. La technique du cinémascope venait apporter un plus technique à la reconquête des publics du cinéma. En outre, le cinéma va viser une clientèle jeune, urbaine, branchée et s'intéresser aux initiés par le biais des salles d'art et d'essai et devenir par ce fait aussi un « class média ».

LE PETIT ÉCRAN OU LA FENÊTRE SUR LE MONDE

Une autre merveille que l'invention de la télévision ! Elle a rapidement conquis les publics les plus divers et les plus composites sur tous les continents. Véritable « art d'accession et art de représentation » selon André MALRAUX, la télévision est un miroir même si les mauvaises langues parlent de mirage ; elle reflète les réalités, irrigue l'imaginaire et son pouvoir de création se mesure à l'aune de la puissance d'inspiration de ses animateurs et des capacités techniques dont ils disposent.

A l'heure actuelle, l'articulation entre la technologie et les usages conduit à la typologie suivante en matière de télédiffusion. D'abord la diffusion par réseaux hertziens que ce soit par les bandes VHF (au-delà de 30 MHZ) ou que ce soit par les bandes UHF (au-delà de 300 MHZ), c'est le système le plus ancien qui a comme inconvénients de ne pas franchir les accidents de relief ou les immeubles et de voir ses signaux se perdre dans les airs faute d'être réfléchis par les couches ionisées de l'atmosphère. Par ailleurs, ses fréquences sont en nombre limité. Mais sa facilité de réception rend ce système très prisé.

Ensuite il y a la télévision par câble. Elle est surtout connue dans les pays industrialisés. Le câble résout la pénurie des fréquences hertziennes. Certains réseaux aux USA peuvent diffuser jusqu'à 100 chaînes.

Tandis que son architecture en **« arbre »** s'adapte très bien aux programmes spécialisés, son architecture en **« étoile »** autorise et stimule l'interactivité. Quant aux supports, ils peuvent tenir du coaxial ou de l'optique.

Enfin il y a le satellite surtout celui de radiodiffusion mais sa location revient cher. Toujours est-il qu'on peut retracer l'évolution commerciale de la télévision en quelques points.

- Il y a une télévision de masse qui est celle de la « gratuité » mais qui, dans les faits, repose sur la méthode de la redevance qu'elle soit fixe (environ 150 F CFA par foyer et par jour en France ou 5 000 F CFA par foyer et par an dans de nombreux pays africains) ou qu'elle soit indexée sur la consommation d'électricité (comme ce fut d'abord le cas en

Grèce, au Burkina, etc.). Les ressources publicitaires, si elles n'y sont pas interdites, y sont planifiées et l'État y intervient très peu.

- Une génération ultérieure est celle de la télévision à péage. Elle fonctionne soit par abonnement soit par la méthode du **« pay per view »** qui consiste à régler une somme proportionnellement aux images choisies. Techniquement cette génération relève du câble ou du satellite ou des deux.

De nos jours les recherches vont dans le sens de la mise au point de la télévision de haute définition qui devrait harmoniser la moitié de la définition cinématographique. La concurrence est à ce propos très forte entre Européens et Japonais pour la mise au point d'un système peu onéreux et si possible compatible avec les récepteurs actuels.

Au niveau de l'Afrique il est à constater la forte dépendance du continent que ce soit en matière de matériel ou que ce soit en matière de contenu. Lorsque 90 % du spectre des fréquences sont détenus par les pays industrialisés, que plus de 50 % des programmes sont fournis par ces mêmes pays au Sud, on comprend pourquoi on avance que « l'impérialisme culturel peut être considéré comme un manque de coordination entre la naissance du hardware et la croissance du software des médias, c'est-à-dire de la capacité de produire des contenus pour eux ». Comme l'ont fait Wang et Dissanayake.

LES ÉCHANGES ENTRE LE CINÉMA ET LA TÉLÉVISION

La télévision a été rapidement perçue comme le cinéma à domicile. Et elle a eu besoin assez vite de proposer de la fiction et des documentaires aux téléspectateurs. Encore une fois ce sont les Américains qui ont ressenti les liens entre les deux médias. C'est ainsi que Hollywood vendit aux réseaux de télévision ainsi qu'aux stations indépendantes entre 1955 et 1958 environ 9 000 longs métrages. Plus tard la relation d'interdépendance conduisit à l'utilisation des studios de cinéma pour produire des téléfilms. Bien entendu cela a conduit à adapter le style d'écriture à un écran plus petit donc on met l'accent sur les gros plans.

Une chose est évidente : lorsqu'on tourne un film pour la télévision les techniques de gros plans et les angles de prises de vues sont différents. On peut suivre à la trace la carrière d'un film. C'est d'abord les salles d'exclusivité, ensuite les vidéo-cassettes puis la télévision en « pay per view » et après celle de la cotisation régulière de la télévision commerciale et enfin la télévision publique. Il est clair que l'industrie cinématographique compte à l'heure actuelle beaucoup plus sur les différents types de télévision et les vidéo-cassettes que sur les recettes des salles qui tournent autour de 2 %. Certes, de manière générale le cinéma estime être lésé par la télévision qui lui achèterait à bas prix ses films.

Mais au niveau de la télévision on estime donner une occasion supplémentaire de rentabilisation au cinéma. Toujours est-il que les discussions entre les deux médias en Europe ont pour objectif de limiter ou de retarder l'appel aux films sur le petit écran. D'où la politique des quotas, les délais et les horaires de passage. En outre les négociations ont abouti à des accords de coproduction cinéma/télévision, à des droits d'antenne pour les films coproduits et à des droits de passage pour les autres. Des producteurs cinématographiques ont pris des parts dans le capital de télévisions privées comme pour illustrer les étroites relations entre les deux médias.

ÉLÉMENTS DE RÉFLEXION POUR UNE COMPLÉMENTARITÉ DYNAMIQUE ENTRE LE CINÉMA ET LA TÉLÉVISION EN AFRIQUE

Continent marginalisé dans tous les secteurs, l'Afrique l'est aussi dans le domaine de l'audiovisuel. La très forte consommation des œuvres étrangères a conduit à une dévaluation des valeurs africaines et à une consolidation des valeurs étrangères. Hormis cela, l'inflation de 12 à 15 % des coûts de production des films fait qu'il faut à présent 2 milliards de F. CFA pour réaliser un film de long métrage en Europe et 5 fois plus aux USA. Le coût est encore plus élevé aux États-Unis d'Amérique. Un autre élément est venu compliquer la situation en Afrique : c'est la dévaluation. Elle a renchéri pour beaucoup les coûts de réalisation et augmenté de façon très sensible les frais de post-production. Enfin, la grande désorganisation de l'audiovisuel africain n'est pas de nature à arranger les choses. Pour faire évoluer favorablement les choses il faut agir simultanément et de façon concertée sur plusieurs aspects.

- Premièrement, établir un environnement législatif protecteur de l'espace audiovisuel africain. Ce qui signifie qu'il s'agit, n'ayons pas peur des mots, de créer un protectionnisme culturel semblable à des barrières douanières, à démanteler seulement lorsque l'Afrique sera assez forte pour échanger ses produits avec les autres. Si les Africains francophones ont pu appuyer la France lors du Sommet de la Francophonie de l'Ile Maurice en 1993 au sujet de l'exception culturelle dans les négociations du GATT comment ne pourraient-ils pas le faire pour leur propre cause ? Et cela d'autant plus que nous subissons et les USA et l'Europe en matière de programmes de télévision et de cinéma.

- Deuxièmement, il faut instituer une politique de coproduction à l'échelle continentale non seulement pour freiner l'invasion des programmes étrangers mais également pour proposer des œuvres de grande qualité qu'on pourrait exporter partout dans le monde, grâce à une distribution éblouissante et à une maîtrise technique sans faille.

- Troisièmement, il y a la nécessité de mettre en place toute une batterie de mesures pour renflouer les caisses du cinéma tout en offrant de bons programmes au petit écran. Cela est d'autant plus urgent qu'avec la libéralisation de l'audiovisuel et l'arrivée des chaînes cryptées, le paysage audiovisuel africain va se transformer complètement.

Au niveau des quotas on pourrait fixer un nombre de films récents ou anciens à ne pas dépasser. En France il est de 192 pour les télévisions publiques et commerciales et de 364 pour les télévisions payantes.

Pour les quotas de nationalité il serait indiqué de prévoir un pourcentage de films africains à programmer par an au petit écran.

En ce qui concerne les délais de programmation on peut prévoir un délai moins long en matière de coproduction et encore plus court dans les télévisions payantes quitte à prévoir des dérogations. La grille horaire pourra être aménagée en vue de programmer tardivement les films le week-end à la télévision pour inciter les spectateurs à aller au cinéma.

Enfin, en matière de contribution financière, il faudra instaurer une participation financière à un compte de soutien au cinéma qui peut varier entre 1 et 2 % des ressources et atteindre le quart des recettes des chaînes à péage en ce qui concerne l'achat de droits de diffusion.

Pour couronner l'ensemble, l'élaboration d'un programme de mesures à l'échelle régionale, mieux, au niveau continental est indispensable dans l'optique de mesures se renforçant les unes les autres pour aboutir à une présence et à une puissance audiovisuelle de l'Afrique. Ces propositions de création de structures s'inspirent de la batterie d'initiatives érigée par l'Europe et pointée en fin de compte sur l'extérieur (nous ?).

- Afrikimages

Fonds d'aide africain à créer au sein de l'Organisation de l'Unité Africaine. Il participera au financement de la coproduction et de la distribution des films et des documentaires de cinéma et de télévision.

- L'union de l'audiovisuel

Elle visera, par son soutien à l'industrie de création des programmes audiovisuels, à mettre au point une politique visant à conserver et à dynamiser les cultures de l'Afrique face aux ambitions étrangères. C'est un programme qui accorde la priorité à l'obtention de ressources additionnelles auprès de partenaires privés et publics. Conditions d'éligibilité : réunir au moins deux entreprises de pays africains différents, avoir déjà des engagements financiers fiables et garantir des avantages à la coopération continentale.

• Média

Ce programme de mesures pour l'encouragement et le développement de l'industrie audiovisuelle devrait bénéficier de l'appui financier de tous les pays membres de l'OUA selon leur degré de richesse. Il visera à créer un marché unique de cinéma et de télévision. Il devra être dirigé par des professionnels de l'audiovisuel et venir en aide surtout aux PME de ce secteur.

On peut affiner ses missions de la manière suivante :

Les finances

- Média venture : c'est un fonds d'aide à la production et à la distribution de films ou de séries commerciaux.
- Média garantie : il garantit le financement des productions avec des banques et des institutions financières.

La production

- Le fonds africain de script : il accordera des financements pour le développement des scripts pour la télévision et le cinéma.
- Cartoon : il fournira de l'aide pour produire des films d'animation.
- Map-TV (Mémoires archives programmes de télévision). Cette instance vise l'exploitation et la conservation des archives par les diffuseurs et les propriétaires des images.

La distribution

- AFDO (Le Bureau de diffusion des films africains). Il accordera des aides pour distribuer les films africains.

- EVA (Espace Vidéo Africain). Il va s'efforcer d'organiser la distribution des films africains en vidéo.

- Africa-sim (Africa organisation for an Independent Market). Ce sera une agence de promotion de services et de logistique pour le marketing et la vente des œuvres des producteurs africains indépendants.

- BABAL (Broadcasting Accross the Barriers of African Language). Cette institution s'occupera des aides financières pour doubler ou sous-titrer des œuvres africaines pour les promouvoir en-dehors de leur pays de départ.

La formation

- Les entrepreneurs africains de l'audiovisuel. Ce sera un cycle de séminaires pour l'enseignement des aspects de la production.

- L'école des marchés de l'audiovisuel. Elle organisera des séminaires d'information sur les tendances du marché.

Enfin les SOFICA (Société de financement d'œuvres cinématographiques et audiovisuelles) en tant que fonds spéciaux d'investissements pouvant réunir les banques, les opérateurs économiques et les individus constituent une possibilité de plus pour investir le champ du possible et créer les conditions d'émergence d'une industrie réelle et rentable de l'audiovisuel africain.

En attendant la mise en place de ce système il revient aux télévisions et aux producteurs et réalisateurs indépendants de s'entendre, pour collaborer. Par exemple que les cinéastes puissent accepter de vendre à des prix raisonnables leurs films surtout aux télévisions d'État qui n'ont pas beaucoup de moyens. 200 millions pour l'équipement et les programmes à la TNB pour 1994. Il leur faut également participer aux festivals et proposer la vente de leurs films.

Il va sans dire qu'ici également il nous est donné le choix d'être objet ou sujet, consommateur passif ou producteur actif, ou encore une symbiose voulue et raisonnable des deux. Mais en matière de télévision et de cinéma, les bonnes intentions ne suffisent guère. Il est donc nécessaire et urgent, d'aménager un espace rigoureux nourri par le partenariat et la qualité et reposant sur le socle de la volonté des professionnels et de la détermination du politique. Quant au FESPACO il lui revient l'honneur d'avoir suscité une rencontre à l'échelle africaine des produits du grand et du petit écran ; non pas uniquement pour chercher ou prouver l'existence d'un savoir iconique, mais aussi pour entretenir et promouvoir le dialogue des cultures par images entreposées au niveau de l'écran ; des écrans.

Ouagadougou, le 18/02/1994

Mahamoudou OUEDRAOGO

Directeur de la Télévision Nationale du Burkina
Enseignant en Sciences et Techniques
de l'Information et de la Communication.
Consultant.

CINEMA AND TELEVISION : WHAT PROSPECTS FOR AFRICA ?

The traditionally conflictual relationship between cinema and television is evolving towards a more positive approach. While cinema has been progressively declining and has lost part of its public, television, served by continuous technological progress has rapidly conquerred a wide audience, so much so that nowadays a film depends more on the television and video distribution rights for returns than on the sale of cinema tickets.

This situation applies to Africa with an added handicap as the continent depends mainly on the West for both equipment and programmes.

There is therefore an urgent need to reorganize the African audio-visual sector to cope with the vital need of feeding the audience with local productions. In this perspective, it is necessary to initiate a protectionist policy as well as to encourage co-production between African countries in order to stop the invasion of foreign programmes. Moreover, ways should be devised to raise money for the development of the African film industry while high standard television programmes should be made available.

This can only be obtained through an audiovisual policy at the regional and continental level. In this regard, the creation of a Fund, under the OAU, which would help film distribution and production, is suggested as well as an audiovisual association that would propose a cultural policy in defence of African productions. A MEDIA programme directed at the creation of a single film and television market would encourage all aspects of the sector : funding, production, distribution, training.

Pending the implementation of such programmes, television and independent producers in Africa should come to an understanding and join efforts for the africanization of the screens.

The FESPACO has so far been instrumental in promoting a dialogue between cinema and television at the continental level, however it is only through a well established partnership and a clear governmental policy that it is possible to obtain a meaningful development of the audio-visual sector in Africa and instigate a dialogue of cultures.

OUAGADOUGOU, FUTURE MÉMOIRE DU CINÉMA AFRICAIN

Filippe SAWADOGO

Depuis plusieurs années, la FEPACI et le FESPACO se battent en joint-venture pour créer, à Ouagadougou, le lieu dit où l'on pourra garder en archive la plupart des films africains.

Bien que le cinéma africain n'ait que 30 ans, plusieurs œuvres sont menacées de disparition ! L'exemple le plus malheureux est la disparition en laboratoire du négatif de l'Étalon de Yennenga 1973, ***Les mille et une mains*** du Marocain Souhel Ben Barka dont on ne pourra plus se procurer la copie !

Tous les Continents ont leurs Archives de films sauf l'Afrique !

Lorsque nous jetons un regard rétrospectif sur la présence d'archives de films à travers le monde, on se rend compte que dès les années 1938, les pays européens et les USA ont commencé à s'organiser en vue de sauver la mémoire de leurs images en mouvement. Cela se passait environ 40 ans après la naissance du cinéma et le mot d'ordre reste encore plus que d'actualité. Il a été tellement suivi que la plupart des pays dont la France, l'Angleterre, la Suisse et les USA ont mis sur pied un réseau efficace d'échange à travers la Fédération Internationale des Archives de Films (FIAF).

Ils ont été suivis rapidement par les pays d'Amérique latine, d'Asie avec la bénédiction de l'UNESCO, laissant à la traîne notre continent où peu d'initiatives ont été entreprises à ce jour.

Pourtant le problème est tellement sensible qu'il a été plusieurs fois évoqué par les cinéastes africains. En 1972 pour la première fois. Ensuite le FESPACO a demandé une étude de faisabilité à l'UNESCO en 1985 sur le sujet, et à nouveau la FEPACI a évoqué la question au cours des 2e Journées du Partenariat sur le Cinéma africain qui se sont tenues au FESPACO 91.

Un consensus réel s'est dégagé à plusieurs niveaux et des pays africains autant que des partenaires extérieurs sont décidés à nous prêter main forte pour la réalisation de ce projet porteur à tous les niveaux.

L'ESPRIT DE LA CINÉMATHÈQUE AFRICAINE DE OUAGADOUGOU

La cinémathèque africaine de Ouagadougou, au regard de la particularité de la production des films africains qui est très faible, va prendre l'option d'une cinémathèque panafricaine dont la collection sera axée essentiellement sur les films africains et sur l'Afrique en vue de sauvegarder cette catégorie de films qui parlent de nous-mêmes.

Toujours dans l'esprit d'en faire une cinémathèque et des archives dynamiques, il sera prévu une option réelle de consultation et de recherche universitaire des œuvres qui seront déposées en double. Ainsi seront organisés des universités d'été, des séances de projections d'art et d'essai, des séminaires scientifiques et historiques.

La cinémathèque de Ouagadougou respectera l'éthique de la profession en recherchant le plus grand éventail possible d'images à conserver. Dans le même esprit, « les archives ne doivent pas conserver que les films mais aussi les photographies tirées de ces films ou les concernant ; les livres traitant du sujet, les affiches, les scénarios, les dialogues et les génériques, les critiques, les dessins de décors et de costumes, les documents écrits et matériels cinématographiques ».

Il est donc évident que ce projet sera abordé avec une

planification rigoureuse qui impose des actions à court terme et surtout à long et moyen termes.

Le cinéma africain, dans une Afrique traditionnelle en pleine mutation restera une source précieuse d'enseignements et de recherches de toutes sortes dans un avenir plus proche que lointain.

a) Les objectifs immédiats

Compte tenu de l'urgence de la question, nous nous devons de travailler inlassablement pour mettre en place des structures de conservation des œuvres actuelles et futures, tout en scrutant le passé pour rechercher les œuvres oubliées.

Une recherche minutieuse dans les archives hors d'Afrique et en Afrique devrait nous permettre de faire un recensement exhaustif de la production, de la distribution et de l'exploitation des films du continent.

Cela comblera certainement un manque d'informations crucial dû à l'inexistence d'une telle initiative émanant du continent.

En créant un réseau de collectes à travers le continent, Ouagadougou sera le point clé des traitements des données et de leur redistribution vers le continent africain et les autres régions du globe grâce à une banque de données performante et à un centre de documentation fourni.

L'avantage dans la création de cette Cinémathèque à Ouagadougou vient du fait que le FESPACO constitue à lui seul une source intarissable d'informations accumulées depuis 23 ans d'existence auxquelles s'ajoutent à chaque nouvelle session des informations complémentaires à la richesse accrue et insoupçonnée.

Les actions immédiates nécessiteront l'aménagement de structures d'accueil des films et de traitement de l'information dont :

- la médiathèque ;
- un bâtiment d'entreposage et de vérification.

Ces services techniques nécessaires à un travail efficace et à un bon rendement exigent un suivi rigoureux que toute bonne cinémathèque se doit de s'imposer.

L'érection de ces services techniques qui s'accompagne d'acquisition de films et des droits afférents même si elle est entamée, devra être poursuivie avec plus de méthodologie. Cette action sera du reste une activité permanente de la cinémathèque dans la mesure où de nouvelles copies viendront toujours s'ajouter aux anciennes, au rythme de la production qui ne fait qu'évoluer positivement.

La médiathèque poursuivra ses activités conventionnelles en procédant au classement des informations écrites, visuelles et audio selon les normes en vigueur. Cette documentation sera complétée par une banque de données informatisées.

Ce travail gigantesque de sauvegarde de nos propres images profitera immédiatement aux générations actuelles de cinéastes pour leur apprentissage du passionnant métier du 7e Art ainsi qu'aux cinéastes qui viendront se ressourcer à chaque FESPACO.

Un effort particulier sera fait pour mettre à la disposition du public les informations utiles sur notre cinémathèque grâce au lancement d'un bulletin de liaison.

b) Les objectifs à moyen et long termes

Au regard de la riche histoire du continent africain, beaucoup de films missionnaires, ethnologiques, d'actualités de la période coloniale des archives des armées ont été réalisés et dorment dans les laboratoires hors du continent.

Ces documents filmiques sont une richesse scientifique et historique et nous apprendront énormément sur notre continent. Ainsi, des recherches devront être entreprises pour la récupération de ces films aux fins de recherches de toutes sortes.

Il est par exemple édifiant de comprendre la participation des Africains à la Première et à la Seconde Guerres mondiales grâce aux images tournées pendant ces deux guerres par l'armée française à l'époque.

Le temps effaçant peu à peu les souvenirs, seules les images de ce genre peuvent mieux rafraîchir les mémoires.

On peut par exemple remonter dans le temps et étudier

l'évolution de l'école William-Ponty sur laquelle plusieurs films ont été réalisés dans la première moitié du XXe siècle.

Plusieurs réalisateurs d'avant les Indépendances Africaines ont suivi plus d'une fois par l'image la marche vers les indépendances et les espoirs qui les animaient, les relations et les rapports avec les pays colonisateurs, etc. Autant d'images dont le retour enrichirait notre patrimoine.

Ainsi, la cinémathèque africaine sera un lieu du donner et du recevoir continuel grâce à la formation continue et aux échanges possibles entre cinéastes, étudiants, chercheurs et universitaires du monde entier.

Ce travail de longue haleine qui nécessite un engagement consciencieux pourrait se faire avec toutes les cinémathèques affiliées à la Fédération Internationale des Archives de Films (FIAF) qui encourage la politique d'échanges de films.

L'urgence aujourd'hui et demain est de sauver des images qui peut-être dans quelques années ne pourront plus être disponibles dans les laboratoires ou seront tout simplement abîmées.

CONCLUSION

L'esprit de la cinémathèque africaine répond parfaitement à la résolution de l'UNESCO adoptée en janvier 1975 recommandant aux pays membres d'entreprendre immédiatement des démarches d'ordre juridique et technique pour préserver et conserver les films. Cette interpellation s'adressait particulièrement aux cinéastes, aux hommes de culture, aux chercheurs en science sociale et en histoire, aux politiciens et hommes d'État. La résolution disait entre autres que « les générations futures ne nous pardonneraient pas d'avoir fait la sourde oreille à cet appel ».

Au cours du XXe siècle, l'histoire de notre continent s'est accélérée à cause de la colonisation ; il nous faut sauver toute cette partie de l'histoire immortalisée par le cinéma : c'est là un grand défi que nous devons relever car il ne peut en être autrement.

Ouagadougou sera le dépositaire de la mémoire cinématographique de tout un continent.

Filippe SAWADOGO
Secrétaire général du FESPACO.

OUAGADOUGOU : THE INTENDED MEMORY OF AFRICAN CINEMA

The FEPACI and FESPACO are jointly working on the creation of an African film library in Ouagadougou. This project is in response to the demand of African film makers and to a UNESCO resolution of January 1975 about the necessity of preserving film heritage.

In view of the low number of African films produced up to date, the Ouagadougou film library will serve at the continental level and will provide film archives as well as other archives (photographs, posters, books, scripts and other documents) about films.

A first step is to establish physical and technical structures for the preservation of films, to look for all possible acquisitions in and outside Africa and to establish an up-to-date data bank. The search and acquisition of films and documents on films will be facilitated by the fact that Ouagadougou hosts the FESPACO which for the past 23 years has provided a continuous source of information on African films.

The Ouadadougou film library will serve film makers and researchers as well as provide informations to the general public.

A long term objective is to gather films from the colonial period, missionary films, ethnographic films, newsreels which are very informative on the history of pre-independent Africa.

The Ouagadougou film library will stand as the cinematographic memory of a continent.

Quatrième partie/Fourth part

OPINIONS — TÉMOIGNAGES

OPINIONS — STATEMENTS

الملتقى الرابع
للسينما الإفريقية

خريبكة : 17-24 مارس 1990

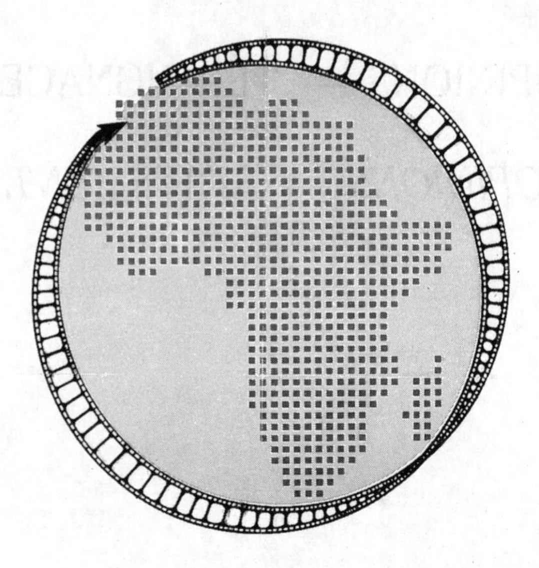

QUATRIEME RENCONTRE
DU CINEMA AFRICAIN

khouribga : 17 - 24 MARS 1990

royal air maroc الخطوط الملكية المغربية

FABULA RASA

Nour-Eddine SAIL

1 - Il y a
des pays en
développement qui produisent
trois films par an
qui en importent deux cents
 - par an -
pour les salles et cent ou deux cents
 - par an -
pour les chaînes
de télé-nationale.

Ils sont nombreux
ces pays
ils sont africains
et latino-américains
parfois asiatiques

Et sur la carte
mondiale
du cinéma
ils sont marqués
du signe de l'absence.

Mais ils consomment
ces absents ! Ils consomment !
Ils consomment surtout
ce qu'on leur donne
par charité
par habitude
par mauvaise conscience même
 - encore !

2 - Il y a
des pays en
développement qui produisent
cinquante films
 - par an -
parfois plus.

Ils en importent,
bien sûr.
Ils en consomment !
Mais quand même
et tout de même

Ils ont une industrie
un artisanat
des corps de métiers
et des corps d'acteurs

Une histoire de leur cinéma
dans l'Histoire du cinéma
et des histoires de Stars
de Studios
et de Scandales
et cætera

(Il y a même un de ces pays
qui bat tous les records de production.
Huit cents à neuf cents films
 - bon an, mal an -

Et des salles immenses
et bondées de spectateurs
qui paient
qui font la queue
et qui rêvent
de lendemains qui
chantent et dansent
sur les bords du Gange
 - putride)

Ces pays ont un
marché intérieur

et quelques îlots
de marché extérieur.

Leurs films ne coûtent pas cher
Leurs vedettes non plus
Même quand on se suicide pour elles !

Riches parmi les pauvres ces pays
sont
comme leurs démographies

et leurs films
comme des lapins
cul de jatte
incapables de passer
les frontières !

On tourne. On tourne
en rond.

3 - Et il y a
les pays riches
développés
qui ont fait des études
qui ont été à l'école
qui savent produire
qui savent exploiter
qui savent marketer
qui savent
et qui se bouffent
le nez
entre eux
pour la moindre
parcelle
de marché

de faisceau hertzien
de câble
de satellite
partout où existent
une salle avec un écran
une télé avec
une main zappeuse

Partout !
Parmi ces pays savants
il y en a qui produisent
quinze films
 - par an -

et qui en importent
trois cents
dont deux cents
des États-Unis

il y en a qui en produisent
quarante - par an -
et qui en importent
quatre cents
dont trois cents
des États-Unis

il y en a même
qui produisent
plus de cent films
(cocorico !)
et qui en projettent
ou diffusent des milliers
dont cinquante, soixante,
en tout cas moins de cent pour cent
des États-Unis.

Et
Il y a
les États
Unis
d'Amérique
qui
occupent
le Monde
par le bas
évitant aux pays
    sur-développés
    développés
    presque-développés

sous-développés
et les autres
les soucis et tracas
de la production

Nour-Eddine SAIL
C.A.C.

FABULA RASA

There are
Developing
Countries that produce
Three films a year
And import two hundred films
A year
For the halls and one or two hundred
For the national
TV channels

These countries
Are many
African,
Latino-American
and sometimes Asian
And on the world map
of cinema
they are marked
absent

But they consume
these absents ! They do consume !
They consume mainly
what they are given
out of charity
out of habit

even out of a guilty conscience
 - still !

There are
developing countries
that produce
fifty films
 - a year -
sometimes more
They do import films
of course !
For they do consume !
But still
All the same.

They have an industry
Crafts
Corporations
Actors

A history of their cinema
in the History of cinema
histories of Stars
of Studios
of Scandals
and so on.

(There is even one of these countries
that beat all production records
with eight to nine hundred films a year
on the average
and huge halls
packed full with spectators
who pay
who queue up
who dream
of better tomorrows
that sing and dance
by the river Ganges
 - putrid -)

These countries have
a domestic market
and some outlets
to the external market.

Their films are not expensive
Neither are their stars
Even when people commit suicide in their names !

Rich among the poor, these countries
resemble
their demography

and their films
unable to cross
the borders
like cripple rabbits !
They make films. They get
nowhere

There are
rich developed
countries
that have studied
    have been to school
    know how to produce
    to trade on
    to market
they know
and they are
at each other's throat
for the smallest
part
of market

of Hertzian beams
of cable
of satellite
wherever there is

a hall with a screen
a tele and
a zapping hand
Everywhere !

Among these clever countries
some produce
only fifteen films
 - a year -
and import
three hundred films
two hundred
from the United States

Some produce
forty films a year
and import
four hundred films
three hundred
from the United States

There are even some
that produce
more than a hundred films
(cocorico !)
and screen
or exhibit thousands of films
in any case less than a hundred per cent
from the United States

Finally
we have
the United
States
of America
that occupy
the world
at the root level
and spare
the over developed

developed
under-developed
almost developed
and other countries
the troubles and worries
of production

LE CINÉMA ET NOUS...

Idrissa OUEDRAOGO

L'Afrique aujourd'hui est en crise et la Banque Mondiale oblige à des politiques d'ajustement où la culture est loin d'être une priorité. Tout ce qui n'est pas productif va en prendre un sacré coup. Le cinéma, à tort ou à raison est considéré comme un luxe. Les films coûtent très cher, et la faiblesse de notre marché ne permet pas de les amortir financièrement. En outre comme partout, le cinéma subit la concurrence de la télévision et du satellite. Avec une antenne parabolique et un seul poste de télévision, on peut rassembler autant de gens qu'une salle de cinéma... Un problème de fond demeure cependant : l'Afrique a trop longtemps considéré le cinéma dans ses aspects culturels ou éducatifs, en oubliant les impératifs de la production. Aujourd'hui, la nécessité de tisser des accords de coproduction pose le continent en situation de dépendance. Nous n'avons rien à donner en échange. L'Afrique ne dispose ni de producteurs, ni de techniciens et pas suffisamment de salles... Si nous avions perçu plus tôt l'importance du cinéma en tant qu'industrie nous aurions pu former des techniciens compétents, disposer d'infrastructures.

Le problème des films africains est qu'ils sont toujours homogénéisés par la perception de l'autre, l'Occident, qui finit par penser que nous ne travaillons ni sur les mêmes données, ni sur les mêmes valeurs que les siennes. En dépit d'une philosophie particulière et d'une originalité propre, chaque film réalisé en Afrique par un Africain est rangé par avance dans la case « cinéma africain ».

QUEL CINÉMA ?

Le vrai cinéma africain ne peut naître que de différentes formes de sensibilité. C'est la prise de conscience du rire, de la poésie, du drame, de la comédie, qui seule peut permettre l'éclosion du cinéma. (...) Je cherche avant tout à sortir d'une situation misérabiliste et à mettre en scène une Afrique sans folklore. Le problème, c'est que nous sommes encore hybrides, à la fois auteurs, réalisateurs et producteurs, et même spectateurs.

Les réalisateurs africains pensent au discours revendicateur plutôt qu'au cinéma tout court. ***Yeelen, Bal Poussière, Tilaï*** sont la preuve pour moi qu'un grand pas a été franchi. Mais il faut maintenant cesser de pleurnicher et d'intellectualiser à tour de bras. Le public africain attend de nous de l'inspiration et de la qualité, de l'évasion intelligente.

Filmer la campagne, les villages, les relations entre les hommes, correspondait à une étape de ma carrière cinématographique. Dans mes prochains films, j'accorderai plus d'importance à la force de l'histoire et des acteurs qu'à la beauté des décors. Ce sera toujours le même univers, avec un travail très différent dans le son, la mise en scène, l'image. L'histoire sera plus ouverte, plus accessible à d'autres publics.

Aussitôt que les gens aperçoivent une case dans un film, ils pensent TRADITION.

L'Afrique traîne des clichés, par rapport aux soi-disant traditions, au film contemplatif, au conte primitif... En Afrique, nous vivons dans des contradictions énormes. Le public du cinéma sur notre continent est habitué à voir des films étrangers parce que le rythme de production de nos films est tellement faible qu'il ne lui permet pas de voir plus de trois films africains par an. Le goût dominant est aux films américains, français et surtout hindous. C'est un public beaucoup plus mûr que nous ne pouvons le penser. D'un autre côté, historiquement nous avons connu en Afrique cette vague de luttes pour l'indépendance et l'affirmation d'une culture noire dominante qui a débuté avec Senghor en 1936 avec sa fameuse phrase : « Nous sommes suffoqués par ce monde bourgeois, capitaliste. » Le rêve à l'époque consistait à faire tout ce qui était possible pour que la culture noire soit reconnue.

On a alors commis pas mal d'erreurs car, en voulant magnifier cette culture, on a aussi perdu l'essentiel et forcément le cinéma a emboîté le pas aux autres formes d'art. Au bout du compte, le cinéma, la littérature, le théâtre n'avaient plus qu'un rôle éducatif. Cela demeure encore inscrit dans l'esprit des gens, de certains : des intellectuels, des politiques, ceux qui détiennent la force morale et financière capable d'infléchir le cheminement d'une activité artistique. Le créateur lui-même a peur d'aller au-delà d'un créneau qui lui a été imposé. L'Europe de surcroît, en exprimant un intérêt accru, a assis cette situation en refrénant involontairement la liberté du créateur. On se retrouve alors partagé, désorienté, sans l'audace nécessaire pour évoluer. Tous les films finissent par se ressembler. Quand j'ai fait ***Yaaba*** et ***Tilaï***, j'essayais déjà d'aller à l'encontre de cette conception et cela n'avait pas été bien compris. On a estimé que ce n'était pas représentatif du cinéma africain, qu'il y avait trop de belles images. Aujourd'hui la situation commence à bouger, les cinéastes en Afrique ont de plus en plus besoin des techniciens européens et ***Samba Traoré***, je pense est un film moderne à ce titre. Il correspond assez à un acte de rébellion par rapport au ghetto dans lequel on tente de nous mettre.

Mon ambition est que mes films soient vus en Afrique et ailleurs dans le monde, que le public les choisisse en tant que films et non pas parce que mes films sont « africains ».

Les critiques schématisent trop vite. En Europe, quand un cinéaste propose ***Cyrano de Bergerac, Manon des Sources, Urga*** ou ***Arizona Dream***, la question ne se pose pas. On parle de recherche du passé, et on conclut au génie. Et pourtant c'est le même regard que nous posons tous sur le passé. Pourquoi dès qu'il s'agit d'un film « africain » en est-il autrement ? Il faut veiller à ne pas se laisser aller au misérabilisme et travailler avec beaucoup de soin l'esthétique de nos films. Peut-être pourrons-nous un jour travailler en cinémascope ! Notre monde fabuleux de rêves et de contes ne demande qu'à être défriché. Il existe en Afrique des décors merveilleux mais le manque de structures ne permet pas de les exploiter. Lorsque le problème des structures sera résolu, des Français, des Américains ou des Chinois viendront en Afrique.

Nous devons y travailler afin de donner la possibilité aux cultures de se rencontrer visuellement.

Il nous faut tenir compte de la formidable diversité de nos cultures et de nos créateurs pour construire une Afrique forte. Chaque différence est un apport au monde, et ce n'est pas rendre service à l'Afrique que de traiter du cinéma dans sa globalité. Il n'y a pas de cinéma africain unique. Tant que l'on ne traitera pas individuellement chacune de nos différences, nous serons marginalisés. Ce n'est pas la meilleure façon d'encourager la diversité.

QUELLES PERSPECTIVES D'AVENIR POUR LE CINÉMA EN AFRIQUE

En Afrique nous ne pouvons pas nous opposer à la distribution telle qu'elle se présente dans la mesure où l'Afrique ne produit que peu de films par an. Le Burkina Faso l'a tellement bien compris que, dès 1970, il a institué une taxe sur tous les films étrangers qui passent sur ses écrans : 15 % des recettes brutes vont au fonds de promotion du cinéma burkinabè. Un minimum de moyens de production est dégagé grâce à cette taxe qui permet au cinéma du Burkina Faso d'être l'un des plus dynamiques d'Afrique. S'intégrer au système d'exploitation occidental des films, c'est également avoir accès aux satellites : aujourd'hui, 12 mois après leur exploitation, les films peuvent être diffusés sur les chaînes de télévisions du monde entier. Ne pas s'intégrer c'est courir le risque d'écarter nos films de nos propres écrans.

Le fait de s'intégrer dans des systèmes de production universels conduira l'Afrique à sa juste place. Les structures ou les acquis du cinéma n'appartiennent pas en exclusivité à un peuple ou à une race ; ils appartiennent au monde. J'insiste bien sur cette idée.

La disparition du CIDC (Consortium Interafricain de Distribution Cinématographique) a porté un coup assez dur à la distribution des films africains, mais la question qu'il faut se poser est de savoir si cette structure aurait pu régler tous les problèmes. La gestion des structures de cinéma en Afrique est souvent confiée à des gens qui ne sont pas des gestionnaires de cinéma, qui ne sont pas des distributeurs. Tous les pays africains qui parlent du cinéma dans leurs structures politiques consentent une faible part des recettes d'entrées, 30 %, aux cinéastes. Quand on sait que le billet d'entrée coûte 200 F CFA, la part du réalisateur apparaît fort dérisoire. Les pays africains doivent être conséquents avec eux-mêmes. L'exemple du Burkina qui consent 60 % des recettes d'un film devrait inspirer les autres pays africains.

Nos États doivent cesser de traiter nos films au même niveau que les films hollywoodiens. Cela est aberrant, devant les problèmes que connaissent les cinéastes africains pour produire leurs films. Il y a donc nécessité pour ces cinéastes de quitter de plus en plus le type de cinéma que nous nous sommes habitués à produire et qui ne nous est pas profitable pour aller vers le cinéma du monde. Certes nous avons un public dans nos États pour nos films, mais le problème réside dans la manière d'assumer leur promotion, de les aborder.

Nous avons besoin d'autres marchés plus grands. Le véritable marché du cinéma se trouve en Europe, en Amérique et non pas en Afrique où nous n'avons pas de marché propre.

L'Amérique et les auteurs américains, eux aussi, ont besoin de nous. Il y aura toujours le cinéma spectaculaire, mais aussi le cinéma d'auteur. Il faut que le cinéma d'auteur se renforce dans le monde entier. Mais il ne faut pas dire que le cinéma de spectacle est mauvais parce que c'est celui-là qui permet au cinéma d'auteur d'exister.

Le FESPACO devrait être un véritable tremplin pour lancer nos films. Si après le festival nos films ne peuvent plus exister, cela veut dire qu'il nous faut repenser les politiques nationales de distribution et d'exploitation des films. Il nous faut savoir compter sur les institutions qui peuvent être des sources de financement d'appoint mais surtout commencer à chercher d'autres sources de financement. Dans le monde d'aujourd'hui, ce sont les télévisions qui sont capables de financer des films grâce aux recettes publicitaires. Elles sont par conséquent des sources non négligeables.

J'estime qu'aujourd'hui les esprits ne sont pas très mûrs pour s'entendre dire certaines vérités. La FEPACI (Fédération Panafricaine des Cinéastes) pour être efficace devrait pouvoir canaliser toutes les énergies des associations nationales de cinéma que la fédération réunit en son sein. Cependant, l'inefficacité des associations nationales elles-mêmes ne permet pas à la structure panafricaine d'être opérationnelle pour atteindre les buts qu'elle s'est fixés. Il est temps que chaque État africain prenne enfin des dispositions pour mettre en place une véritable politique cinématographique. Ces politiques cinématographiques respectives devraient être par la suite harmonisées. C'est un travail de longue haleine qui reste la responsabilité de la FEPACI.

L'Afrique n'a pas de politique commune. Nous nous sommes laissé prendre par un discours séduisant à propos du rôle du cinéma. Cela nous fera tourner en rond tant que nous n'arriverons pas à nous dire que nous sommes « des individus », que nous partageons la même culture fondamentale de l'être humain. Le cinéma c'est d'abord la technique et aujourd'hui la technique est universelle. La sensibilité, la créativité n'ont ni couleur ni race. Ayant compris cela nous pouvons évoluer vers une meilleure qualité dans nos rapports avec les autres et devenir moins complexés.

Pour exister il nous faut tourner beaucoup. Il nous faut entrer dans une logique de production : Plaire... Le cinéma je ne l'oublie pas, c'est d'abord de l'argent !

Idrissa OUEDRAOGO

Cinéaste, metteur en scène de théâtre, producteur burkinabè. Il a été plusieurs fois primé à des festivals internationaux (FESPACO, Cannes, Berlin, Venise, Milan etc.).

In today's Africa, cinema is considered as a luxury especially with the development of satellite television. We have no producers, no technicians, not enough halls, no infrastructure. We, film makers, are authors, producers, directors. I want to get out of this predicament and make films which are real films, entertaining films with a good story line and not only an educative purpose. I want to make films that will be shown in Africa and elsewhere, films that the public will see because they are good and not because they are African.

Our cinematography reflects the diversity of our cultures. Unfortunately, Africa does not produce enough films to satisfy the needs of the audience.

We therefore have to enter the international production system ; for this we need competent producers who will help us make profitable films and adequate film policies that the FEPACI should harmonize and promote in view of a rational production and distribution while the FESPACO could be the showcase to launch the films.

For the African cinema to survive, it is necessary to have a coherent production policy.

A PROPOS DU CENTENAIRE DU CINÉMA

Anne Laure FOLLY

N'Y AURAIT-IL PAS ERREUR SUR LA DATE ?

Sans doute 1895 est-elle l'année où le cinéma fait son entrée dans le nouveau monde de l'image, cependant l'archéologie cinématographique a commencé bien avant et le cinéma africain bien après.

Le premier travelling du Belge Robertson ou la première épreuve sur métal de Daguerre en 1882 ont posé les balbutiements de la technique, comme le premier film sonore de 1928, la sortie du Technicolor en 1937 ou celle de l'Eastmancolor en 1951. En ce sens, 1895 n'est pas une date mais un tournant qui inaugure le long développement de l'industrie visuelle.

Généralement l'évolution d'une technique va de pair avec le fait culturel. Pourtant, en ce qui concerne l'Afrique, le cinéma n'a pas été un vecteur de culture, du moins pas tout de suite et en tout cas pas en 1895 ni même un demi-siècle plus tard.

Disons plutôt que la nouvelle technologie a longtemps répugné à donner naissance au cinéma africain. Car en cette époque de fin de l'esclavage et de début de colonisation, aucun champ de beauté ne pouvait s'organiser hors de la dynamique de l'exploitation.

A bien y regarder, il y a du pathétique à avoir dû attendre six décennies pour pouvoir s'approprier l'image de soi, non parce que la technique est chère ou difficile, mais parce qu'avant tout elle contrôle la mémoire.

C'est pourquoi, le cinéma a dû attendre 60 ans pour devenir africain, pour montrer et raconter, car pour moi qui vient d'Afrique francophone, le cinéma africain a 40 ans, il est né avec ***Afrique-sur-Seine*** de Mamadou Sarr et Paulin S. Vieyra.

Anne Laure FOLLY
Réalisatrice togolaise

1895 is a turning point in the development of the visual industry and the African cinema started long after. In fact it took sixty years before Africans could appropriate images of themselves, not because it was technically difficult or expensive but because their memory was under control.

L'ÉCRAN VAUT LE DÉTOUR

Kahéna Réveill ATTIA

Un projecteur, un substrat magique et un public, en un clin d'œil nous basculons avec délice dans un univers imaginaire où les limites du quotidien par l'effet d'une baguette magique se désintègrent au bénéfice de l'émerveillement, de la passion, du bonheur, et d'une émotion intense. Je crois que je ne pourrai jamais oublier cette onde de joie éprouvée en communion avec les acteurs du film italien ***Cinéma Paradiso*** de Tornatore primé d'ailleurs au festival de Cannes, quand le projectionniste merveilleusement interprété par Philippe Noiret, par amitié et pour épater son petit copain, enfant passionné par le cinéma, a par un jeu de miroir, transgressé le réel pour atteindre les limites toujours plus lointaines de l'imaginaire.

En effet par un faisceau lumineux adroitement orienté il a déplacé l'image de la fenêtre de la salle de projection déjà bondée et devant laquelle un public dépité hurlait sa colère, il s'est fixé sur la façade d'un immeuble voisin donnant libre cours à la passion de deux êtres brûlés par l'amour.

Une dimension nouvelle s'est matérialisée bousculant les références ordinaires, suspendant le temps, le lieu et l'espace. Une communion totale scellait ces gens simples portés par leurs rêves et les accrochait au souffle de la vie.

Combien fut dérisoire la vie ordinaire quand elle apparut sur la façade du même immeuble, à l'intérieur de l'image même, par l'ouverture d'une fenêtre de balcon et la protestation d'un homme en bonnet de nuit et pyjama dérangé dans son sommeil.

Cette magie, presque physiquement palpable qui enveloppait cette rencontre entre un public et son imaginaire, restera l'apanage du cinéma. Cette capacité de transcender le réel par la connexion entre l'œil, le cœur et le rêve sera la pulsation vitale de l'image.

Je souhaiterais aussi faire part de mon bonheur de rencontre et de découverte d'un espace d'expression nouveau pour un continent si ancien qu'est l'Afrique et pourtant je suis africaine, et cela par le biais du film ***Camp de Thiaroye*** qui retrace le courage, la force, la loyauté et aussi le désir de vie en égalité, fraternité et respect entre les hommes.

Ces hommes, constitués en bataillon de tirailleurs venus de toute l'Afrique noire, de retour au Sénégal en 1944, dans un camp de transit étaient porteurs d'espoir et fiers d'avoir combattu contre le nazisme, dans les rangs de l'armée française. La réalisation est de Ousmane Sembène en 1988. Ces soldats, habités par les valeurs humaines, victimes d'un racisme rampant et puant et enfin anéantis pour des raisons mercantiles, dans l'indifférence de la hiérarchie militaire implacable, alors que cette guerre s'est imposée à eux par le jeu diabolique de l'histoire.

Le cinéma, au service cette fois de la vérité a permis d'exhumer cette tragédie jusque-là écartée à dessein dans la trajectoire de la mémoire.

Cet art multidimensionnel touche par une palette d'expressions émotionnelles aux touches infinies — il sonde l'âme, il fouille dans les tréfonds de chacun, traverse les océans, les siècles, anticipe ; l'homme dans son futur ou dans son passé reste pour lui l'essentiel ressort biologique pour aller vers l'Universel, sans distinction de sexe ni de race. C'est ainsi que le cinéma s'inscrit dans cette pensée merveilleuse de Gibran, écrivain et penseur libanais (1883-1931) sur l'Art :

> *« De même que la valeur de la vie n'est pas en sa surface mais dans ses profondeurs, que les choses vues ne sont pas dans leur écorce mais dans leur noyau et que les hommes ne sont pas dans leur visage mais dans leur cœur, l'art n'est pas dans ce que nous entendons et ce que nous voyons il est dans les distances silencieuses et dans ce que le tableau suggère, de telle façon qu'on voit en le regardant ce qui est plus lointain et plus beau que lui »* (Lumières nouvelles sur Gibran d'Adonis).

Kahéna Réveill ATTIA
Cinéaste/Monteuse — Tunisie.

A cine-projector, a magic substrate, a public and the immediate opening on a world of intense emotion. When I watched ***Cinema Paradiso*** I strongly felt the transgression of reality which gave access to the imaginary. The magic link between reality and the eyes, dreams and feelings generates the vital pulsation of the image.

Another film, ***Le camp de Thiaroye*** by Sembène Ousmane, also left me with a strong impression : in this case, cinema was serving a truth, something which had been carefully diverted from our memories.

Cinema explores the human soul, crosses oceans and centuries, anticipates and rides over « silent distances » to reach the Universal.

FEMME AFRICAINE : L'HEURE DU DÉFI

Margaret FOMBE

Cinq décennies après la naissance du cinéma africain, et trois autres après la télévision, la femme africaine est toujours à la recherche d'une issue pour s'imposer de manière significative, dans l'univers de la production audiovisuelle. Ainsi, y retrouve-t-on quelques-unes, plutôt actrices des spots publicitaires, et documentaires, scriptes ou monteuses. Les hommes se taillant la part du lion dans le secteur de la production, la réalisation, et à la caméra.

Toutefois, cette situation ne saurait demeurer éternelle. Pour cause : quelques femmes africaines sont en train, grâce à des efforts louables, de « violer » cette chasse gardée de leurs collègues masculins, dans le domaine de la production audiovisuelle.

Alors, question : pourquoi cette réticence féminine face aux domaines principaux de production et de l'industrie cinématographique ? Les raisons sont multiples : financières, politiques et sociales.

D'abord, la production audiovisuelle, requiert des investissements énormes pour l'achat d'équipement, le financement de la formation du personnel, et la prise en charge (salaire et autres) de l'équipe technico-artistique. Or, face aux multiples problèmes de développement, plusieurs pays africains négligent l'importance de la production cinématographique. Même ceux qui en sont conscients y consacrent des budgets dérisoires. Au niveau du réalisateur africain indépendant l'accès au financement relève de l'utopie.

ARMES POLITIQUES

La plupart des producteurs, réalisateurs africains, sont fonctionnaires ou employés d'État. Recevant des salaires relativement bas, ils doivent pourtant suivre les instructions des régimes en place — c'est la tradition dans la fonction publique. Ainsi, les considérations politiques affectent le produit final. En clair, la carrière dépourvue d'esprit de créativité devient sans intérêt. La télévision, particulièrement, est utilisée comme un instrument de propagande politique, afin de bâtir l'image de marque des régimes agonisants.

La situation est pareille dans l'industrie cinématographique. Là, la production indépendante, seule voix valable sur les sujets culturels, d'environnement et de développement durable, n'est pas encore une réalité palpable dans les pays africains. Dans certains pays, comme le Cameroun, il n'existe pas encore de législation pour libéraliser ce domaine.

CONSERVATISME SOCIAL

Plusieurs sociétés africaines sont toujours attachées à certains rôles stéréotypés attribués à la femme. Elle doit garder la maison et élever les enfants. Le travail de média, croit-on, implique l'exhibition de la femme au public, un acte « gênant » pour les hommes. On comprend dès lors pourquoi les femmes africaines ayant quelques succès dans la réalisation audiovisuelle ou les médias en général sont soit célibataires soit divorcées. Elles ont brisé le mythe en défiant les hommes.

Toutefois, dans les médias publics un autre obstacle se pose à l'épanouissement de la femme : l'efficacité et la compétence constituent toujours, une menace pour le chef hiérarchique souvent homme. Le courage et l'engagement sont donc de mise à l'image de certaines Africaines, pionnières dans le secteur audiovisuel. On peut citer : Selma Baccar (Tunisie), Aminata Ouédraogo et Franceline Oubda (Burkina

Faso), Kadiatou Konaté (Mali), Anne Mungai et Grace Kanyua (Kenya), Afi Yakubu (Ghana), Palesa Ka Letlata (Afrique du Sud), Flora M'bugu-Schilling (Tanzanie), Linda Mvsi (Zimbabwe), Debra Oga Zuma (Nigeria). Au Cameroun — et surprise ! — elles sont plus de dix qui relèvent le défi.

Aujourd'hui, la femme africaine de l'audiovisuel, fière de cette nouvelle conquête, se retrouve en regroupements professionnels à travers le continent. Objectif : défendre leur statut de femme, et promouvoir leur carrière. D'où des séminaires organisés dans ce sens au Burkina Faso en 1990, 1993 et au Ghana en 1991. Dès lors, la réalisatrice est appelée à faire preuve d'excellence professionnelle, et de probité morale à toute épreuve, pour tenir un pari noble et légitime afin de sauvegarder sa carrière. « Notre tâche est facilitée par la compréhension et la coopération de nos époux », ont déclaré au forum de Vues d'Afrique de Montréal, trois réalisatrices africaines mariées : Franceline Oubda (Burkina Faso), Kadiatou Konaté (Mali) et Margaret Fombe (Cameroun).

Ces hommes méritent un coup de chapeau, tant il est vrai que leur attitude positive, inciterait d'autres hommes à encourager leurs épouses à joindre le trio cité.

En tout état de cause, l'assistance financière aux réalisatrices africaines pour une production audiovisuelle de qualité est indispensable. La morosité de l'environnement économique sur le terrain, milite en cette faveur.

Margaret FOMBE
Réalisatrice — Cameroun.

African women are still to find their place in audio-visual production which seems to be reserved to men.

However, while those who are privileged to work in this field of activities are confined to being actresses, continuity girls or editors, some are becoming film producers and directors, in spite of a tradition which assigns women to their home and children.

Having reached this point, they organize themselves to proudly defend their status and gain access to funding to produce meaningful works.

DEVANT, DERRIÈRE LA CAMÉRA

Sijiri BAKABA

Mon début sur la scène correspond à la période de l'Afrique nouvellement indépendante, où les quelques rares écoles d'art dramatique mises en place à la fin de la période coloniale posaient le problème de la polyvalence des artistes car nous avions besoin d'hommes responsables, capables de défendre une identité culturelle africaine pour former une nouvelle génération de comédiens qui seraient à la fois des instructeurs et des artistes pour répondre aux besoins de la fonction publique qui nous donna le statut de comédiens-fonctionnaires-enseignants. Pour être réaliste, il ne fallait pas seulement penser être amuseur public, car c'est ainsi que l'on voyait le métier de comédien, mais il fallait répondre aux exigences de formation du ministère de l'Éducation nationale.

En Côte-d'Ivoire, les Timité Bassori, Désiré Ecaré, Henri Duparc ont été d'abord des comédiens brillants avant de se spécialiser dans la réalisation cinématographique.

Dans d'autres pays africains, on a pu constater cette même polyvalence : Med Hondo, comédien et réalisateur mauritanien, Djibril Diop Mambety, qui fit les succès de Daniel Sorano au Sénégal, Philippe Maury au Gabon, Daniel Kamwa au Cameroun, Oumarou Ganda au Niger passèrent aussi derrière la caméra ; Wolé Soyinka fut comédien avant d'être dramaturge, metteur en scène et réalisateur.

Plus près de nous, Mory Traoré, comédien ivoirien, Cheick Doukouré, comédien guinéen, Umban Ukset comédien de Guinée-Bissau, ont fait la même expérience et continuent à être comédiens tout en réalisant pour le cinéma.

En ce qui me concerne, j'ai pris à la lettre ma vocation d'artiste ivoirien polyvalent en enseignant, jouant, mettant en scène et, après une série d'expériences théâtrales à travers l'Afrique et l'Europe auprès de personnalités telles que Albert Botbol, André Perineti, Jean-Marie Serreau, Johnn Litlewood, Grotowski, Claude Regy, Patrice Chéreau, Jack Garfein de l'Actor Studio..., j'ai pu passer du travail de comédien à celui de metteur en scène de théâtre, pour venir ensuite au cinéma comme comédien et réalisateur.

Ma rencontre avec le 7e art fut d'abord assez timide et c'est Christian Jacques qui me fit le premier tourner dans le ***Gentleman de Cocody*** en 1964, puis Désiré Ecaré dans ***A nous deux France*** et ***Visages de femmes*** en 1969 et 1973.

Ce ne fut qu'avec ***Bako, l'autre rive*** de Jacques Champreux que je fis ma première grande composition au cinéma en relevant la gageure de tourner en Bambara en 1977 ; ce qui me valut mon premier prix d'interprétation. J'avais derrière moi l'expérience de la construction complexe des personnages des répertoires du théâtre classique et contemporain comme Hamlet ou Estragon (en attendant Godot)...

Ce fut le début d'une aventure fabuleuse aux côtés de nos réalisateurs africains comme ***Le médecin de Gafiré*** de Moustapha Diop (Niger), ***Pétanqui*** de Yéo Kozoloa (Côte-d'Ivoire), ***Desebagato*** de Emmanuel Sanon (Burkina Faso), ***Le camp de Thiaroye*** de Sembène Ousmane (Sénégal). Cette aventure africaine me valut avec le rôle de Ouba une médaille d'or à Alger (1987) et un prix du meilleur acteur à Carthage pour mon interprétation dans plusieurs films (1985).

J'ai eu la chance de pouvoir interpréter de nombreux rôles avec des réalisateurs français prestigieux comme Georges Lautner dans ***Le professionnel*** au côté de Jean-Paul Belmondon, ou Jacques Champreux dans ***L'aventure ambiguë*** ou encore Francis Girod dans ***Descente aux enfers*** avec Sophie Marceau et Claude Brasseur, ce qui me familiarisa avec les techniques du cinéma. Observateur silencieux et avide d'expérience, je profitais de ces multiples tournages qui devinrent de véritables écoles d'apprentissage sur le tas.

C'est en participant comme acteur à plus de vingt-huit films que je me suis passionné pour les techniques du cinéma et particulièrement pour la réalisation et la direction d'acteur ;

c'est ce qui a déclenché mon désir de m'exprimer au cinéma comme je l'avais fait auparavant avec le théâtre en choisissant cet autre moyen d'expression pour faire passer mes questionnements et témoignages d'artiste africain dans mes films comme ***Les Guérisseurs*** (1988) long métrage où je n'ai pas résisté au plaisir de jouer le rôle de composition d'un ivrogne, ou dans mon téléfilm ***Ianowe des Lagunes*** (1994) où j'ai assumé la réalisation et le rôle principal : ce qui ne fut pas le cas de mes deux courts métrages ***Le Daymio*** et ***La Perle*** (1992) où je ne me suis consacré qu'à la réalisation.

Ce qui est frappant dans la démarche de mes aînés et mes promotionnaires comédiens qui sont passés derrière la caméra c'est notre volonté d'utiliser tous les registres de la création artistique et je suis alors toujours surpris qu'il faille se justifier lorsque nous affirmons notre droit d'appartenir à part entière aux structures d'organisation du cinéma africain.

Ce qui fut l'expérience d'un Charlie Chaplin, d'un Laurence Olivier ou d'un Orson Welles, et plus près de nous d'un Clint Eastwood ou d'un Kevin Kostner devient brusquement sur notre continent l'objet d'une méfiance des institutions cinématographiques ou même de certains réalisateurs professionnels, qui par amnésie ou protectionnisme prétendent ne pas savoir où nous situer. Il faudrait que soit nous abandonnions notre métier de comédien, soit nous tournions le dos à celui de réalisateur, ce qui serait une véritable amputation de notre créativité et par les temps de difficultés économiques que rencontre notre cinéma cette suspicion de notre polyvalence nous réduirait à un silence que je ne suis pas prêt, pour ma part, à assumer ! D'autant plus que certains réalisateurs africains ont une tendance fâcheuse à ne pas utiliser les acteurs professionnels par souci d'économie et par méconnaissance de leur apport de créativité à l'œuvre qu'ils réalisent, ce qui a pour conséquence de faire végéter les comédiens qui faute de rôle à leur mesure, restent d'éternels débutants.

Alors, ***devant, derrière ; derrière, devant la caméra*** ; il n'y a plus que la création et ses exigences comme le mouvement incessant de la vie ! Vous me trouverez là où vous ne m'attendez pas ; à la recherche d'une perfection toujours inaccessible ce qui est notre aspiration commune et combien périlleuse. C'est ainsi que par exemple lors du tournage de mon long métrage ***Les Guérisseurs*** j'ai dû essuyer, dans une scène de foule les injures de figurants, qui trouvaient le personnage de l'ivrogne (que je jouais) plus vrai que nature et cherchaient Sijiri Bakaba pour chasser ce fou dangereux qui leur faisait honte sur le plateau du tournage... et ce policier qui ne voulait plus assurer le service d'ordre car il avait peur que ce même ivrogne poignarde Alpha Blondy près de qui il était assis !...

Mais s'il y a péril en la demeure du cinéma africain, n'est-ce pas le destin de toute véritable création sur notre continent en pleine mutation où le statut de l'artiste reste encore très flou et il faut être fou pour être « homme orchestre » comme nous le sommes tous, comédiens, réalisateurs, nous, les « faiseurs de miracle » pour que vive notre cinéma.

Sijiri BAKABA
Comédien/réalisateur — Côte-d'Ivoire
Le 10/07/1994.

IN FRONT OF AND BEHIND THE CAMERA

As Africa became independent, I started a career on stage and took up my mission as an Ivorian artist, seriously : I acted, taught, stage-directed both in Africa and in Europe.

I tiptoed into the film world and finally broke through with a major role in ***Bako l'autre rive*** by Jacques Champreux (1977) which earned me a prize for interpretation. It was the beginning of a great adventure with African and French film directors.

With a participation in more than twenty eight films, I had an opportunity to learn about film techniques and I felt like trying my hands at film directing as a way of expressing myself, which I did in ***Les guérisseurs***. I have the feeling that I fully belong to the profession of film makers whatever the suspicions. I am polyvalent and I want to work in all aspects of creativity in front of or behind the camera, in search of a forever eluding perfection.

100 ANS DE CINÉMA 100 ANS D'ÉMOTION, DE PLAISIR, DE FRUSTRATION : L'AFRIQUE HORS-JEU — QUE FAIRE ?

Cheick Oumar SISSOKO

Au-delà de ses rêves et de ses histoires intérieures, une mission s'impose à tout cinéaste africain : porter à l'écran, c'est-à-dire en quelque sorte officialiser les façons de vivre, d'aimer, de se déchirer, de souffrir, de prendre du plaisir, de lutter qui sont celles des sociétés africaines et que l'état du monde a quasiment écartées de l'univers des images.

J'y ajouterais une autre exigence : à cause de leur rareté et des moyens financiers qu'ils demandent (importants dans le cadre de nos économies, même s'ils sont faibles par rapport au cinéma mondial), nos films ne peuvent pas, me semble-t-il, se permettre le luxe de l'anecdote. Quand ils n'interviennent pas sur les urgences de la société, le public africain qui dispose par ailleurs du flot des images venues du Nord, éprouve une pénible frustration et se demande, sans doute à juste titre, « à quoi ça sert ? ».

J'ai fondé mon projet cinématographique sur cette proximité et cet engagement. Le film ***La Genèse*** (scénario de Jean-Louis Sagot-Duvauroux que je vais réaliser en 1995 année du centenaire du cinéma) en est l'expression. Il propose, en plus, des passerelles inédites, les gestes et les urgences de l'Afrique qui touchent le regard des autres hommes. Parce qu'il associe l'universalité du propos avec un profond ancrage dans la réalité africaine, je crois qu'il peut constituer une étape dans notre cinéma.

De ***Borom Sarret*** (Ousmane Sembène, 1963) à ***Un certain matin*** (Fanta R. Nacro, 1992) le cinéma africain a certes réalisé plusieurs grandes étapes mais n'est-il pas menacé comme l'enfant de ***Borom***? L'enfant qu'il est sera-t-il un jour adopté par nos cultures pour qu'un certain matin... 100 ans de cinéma nous clignent de l'œil ? L'Afrique des indépendances nous interpelle.

Cheick Oumar SISSOKO
Réalisateur — Mali
Nyamanton 1986
Finzan 1989
Guimba 1994.

All African film makers have the duty to transfer on the screen the African way of life which has practically been banned from the international screen. In doing so, they cannot afford to be anecdotic.

My next film project, ***Genesis***, has been conceived to respond to this necessity and associates universality with a firm grip into the African reality.

This is may-be the way to reach the next stage in the development of our cinema.

CINÉMA ET CONNAISSANCE DE SOI

Françoise BALOGUN

Le cinéma, art et industrie, est un moyen d'explorer l'homme, son environnement, son histoire, sa culture.

Si le principe de la caméra est universel, l'œil derrière la caméra la dirige à sa façon, selon sa vision. Parmi les cinéastes africains, Souleymane Cissé est l'un de ceux à avoir bien compris et énoncé clairement le droit et le devoir de cette liberté de point de vue, mais il n'est pas le seul à les mettre en pratique. C'est pourquoi, peu à peu, malgré le manque de structures de production et de moyens financiers, le cinéma africain s'affirme avec son originalité, ses revendications, sa poésie qui dit l'homme d'Afrique, ses problèmes, ses aspirations, ses espoirs et ses désespoirs, sa joie de vivre et sa souffrance, son humilité et sa dignité.

Peu à peu, ce cinéma africain qui n'existe souvent que par la ferme volonté d'hommes qui ont décidé, coûte que coûte, d'employer ce moyen d'expression pour clamer leur révolte face aux meurtrissures profondes des civilisations noires que la traite, la colonisation et l'exploitation éhontée de leurs dirigeants ont tant maltraitées, se démarque du moule occidental, trouve ses accents, ses inflexions, offre ces visages émouvants de vieux sages, ces yeux pleins d'avenir des enfants, cette détresse digne de l'homme aux prises avec la misère et la souffrance, ces paysages où l'exubérance de la verdure s'oppose à l'ocre rouge de la latérite ou aux sols craquelés de chaleur et de sécheresse, cette parole omniprésente, parole spectacle ou parole de sagesse, parole qui cache sous ses débordements polis ou poétiques un respect de l'autre et une grande retenue de sentiments.

Après une longue période de préparation, telle la chrysalide au sein de son cocon, le cinéma africain est désormais prêt à déployer ses ailes et à raconter, à sa façon l'Afrique et son passé, l'Afrique et ses hommes, l'Afrique et ses rêves et, à moins d'être étouffé par la force hégémonique des médias occidentaux et leur multiplicité d'images de plus en plus sensationnelles, il entrera dans le XXIe siècle avec son rythme, sa couleur, sa lumière.

Françoise BALOGUN

Cinema offers a way to explore man, his environment, history and culture.

In spite of the lack of financial and production structures, the African cinema develops along an original line and little by little fashions its own style to tell the world about Africa and its past, African and its peoples and dreams. If it can resist the flow of images from the West, it will enter the next century with its rythm, its colour, its light.

VISAGES VOLÉS, CACHÉS, RECOMPOSÉS...

Marie-Christine PEYRIÈRE

« Avant d'aller vers un autre, il faut imaginer, composer en esprit un espace où l'on sera avec cet autre... »

(Emmanuel Arsan)

J'ai découvert l'Afrique en 1983.

On prend l'avion un lendemain de premier de l'an, la neige et la glace sur Paris et l'on débarque, seule, dans la poussière d'un champ, aveuglée par la nuit frémissante.

Bamako. Des affichettes d'un couple tendre en boubou blanc au titre en bambara, ***Finye***, tracent un cercle autour du marché rose. L'œil intrigué capte cette promesse d'image, le cinéma déjà. Souleymane Cissé. Nous sommes la veille du FESPACO. J'ai en tête le développement du « huitième » art, l'art du Tiers-Monde. L'entretien, assis sur une natte, dans une villa moderne, entre bananeraies et jardins potagers, derrière l'Hôtel de l'Amitié, est chargé d'émotion exotique. La parole se déroule en onde sinueuse, déroute puis simplifie la perspective. Les images, dit Cissé, pèsent plus que le riz. Le cinéaste se concentre, à la recherche, il me semble, de lui-même. L'homme intérieur rectifie. Il veut comprendre son peuple. Le Malien enchaîne en commentant la répression à Bamako des étudiants en grève. Le cinéma russe a façonné son cadre, et le bambara le lyrisme de sa lumière. J'enregistre mentalement d'un regard scénique. Cissé sent dans sa langue, la langue de sa mère peulhe. La nuit tombe dru. On apporte le maffé. Les mots font image. Les images parlent. Le pacte avec l'Afrique, l'ombre de l'Afrique, est scellé.

Tu reprends tes notes de voyage, ces photos polaroïds, les articles de la presse les cartes postales, tous ces jalons de ta quête orphique depuis dix ans. Tu avais pour manie de photographier à Ouagadougou, Lomé, Accra, les entrées de cinéma : les gens des villes aux yeux rêveurs sur l'affiche de Belmondo à Rio, focalisés par la cible des ***Meurtres à Valparaiso,*** petite anthologie visuelle d'un sentiment fécond pour les sensations fortes d'un rêve aux mille visages. L'éloignement rendait mystérieuses ces voix coutumières glanées par haut-parleurs, les corps bronzés, les amours rudes du film français de cinéma de quartier. Mais tu cherchais le film d'Afrique avec l'obstination de celle qui veut apprendre de l'autre. Même aimantée par la peur.

Regarder les images africaines ébranle l'écriture. Langue, rythme, durée offrent des vues soumises au risque de réifier le sujet, d'aligner des clichés, bref, d'être atteint de cécité. Nous sommes quelques cinéphiles, des femmes journalistes, critiques, techniciens, ethnologues, à vivre ce temps latent du récit cinématographique, cette mémoire sensible, approximative. A s'engager dans le dialogue avec les hommes pionniers de la fiction. A suivre la complexité de la parole africaine dans sa manière de mettre en plans.

Dans les revues françaises bousculant les conventions de l'espace Nord-Sud, les *Sans frontière* dessinèrent, un moment, les migrations des représentations. L'Afrique coloniale avait marqué nos pères, nos grands-parents avaient mené les guerres, mais nous, enfants d'une fracture, parole confisquée, nous sommes partis nous perdre et nous trouver dans le labyrinthe d'un nouveau monde.

Des tissus de mémoire surgissent les slogans patriotes du FESPACO de la Révolution. La Patrie ou la mort nous vaincrons. Février 1985. Dans la moiteur des salles ouagalaises, on projette le court-métrage de Séverin Akando, un Béninois de retour d'Union soviétique. Il filme religieusement ***L'histoire d'une vie***, la vie du charismatique Patrice Lumumba. Où est la part de vérité, de mensonge de ce portrait quand les lieux de mémoire ont perdu toute trace du disparu ? La caméra est au service du peuple et Thomas Sankara, son président, le Che Guevara du cinéma. Sur les pas de Malcolm X les artistes américains aux racines africaines se heurtent à la mémoire impossible. Cela n'empêche pas les temps modernes de vibrer aux recyclages mythologiques, d'impulser des dynamiques communautaires. Avec la FEPACI, les cinéastes du continent réunis pour la première fois depuis seize ans, travaillent ensemble à fabuler. Sembène Ousmane en éclaireur, ils inaugurent d'un geste épique la « bataille du rail ». La pose a la simplicité des photos de famille. Une mise en commun des aptitudes et des expériences prend forme. Malgré la tension des contradictions, ce rassemblement de goûts dévoile la face cachée d'une communauté fraternelle. Pourtant, il manque à l'appel encore un homme. Quelques années plus tard sur le tournage du film ***Tilaï*** à Ouahigouya, le speaker de la radio a gravé pour moi cet instant mémoire : le visage blanchi de Mandela prend le soleil en cette belle journée du 11 février 1990.

Les têtes de nègre, têtes d'affiche, m'ont hantée depuis l'enfance. Une tête : les yeux tragiques de l'enfant biafrais, variante douloureuse du sourire du tirailleur Banania, que l'inconscient collectif français a imprimé comme un fossile dans les prunelles de son regard. Mais il y en eut beaucoup d'autres tout au long de ce siècle dont le modelé, l'expression, l'air sur les affiches ramènent la même question. La question nègre de la représentation. La difficulté européenne à donner visage à « l'étranger de couleur », au continent « noir », entendre les doutes sur le regard, l'éthique de l'image, les équivoques des mises en scène. On aurait tort, cependant, de stigmatiser l'uniformité de l'esthétique. L'artiste et l'imaginaire collectif déplacent leur point focal. Et le chercheur renouvelle son interrogation, examine les éclipses, dissèque la blessure quand le statut du modèle change, quand l'homme de la rue fait face à ses fantasmes.

Dans la mise en exposition de ces affiches nègres (*Les Noirs têtes d'affiche, Negripub, Musée noir, la Route de l'esclave*), la violence de l'iconographie sollicite l'implication du spectateur. A vous de traiter en secret avec ce que vous renvoie la matière, les lignes, les assemblages de couleur, les mots accrocheurs. A vous de ressentir l'épreuve du regard, dans ce miroir ingrat, curieux, trouble. A vous d'inventer une figuration libérée de sa négativité, de muter. A Montpellier, en 1991, *Negripub* fut mis en confrontation avec les *Zoulous,* sculptures monumentales d'Ousmane Sow. Le roi Chaka, comme chez les Grecs, toisait l'ethnicité, défiant le temps. Sur le livre d'or, le visiteur pensait. Le passage ouvrait l'angle de vision. Depuis, sur les murs de Paris on expose l'enfant rwandais.

Tu observes le bananier dans le jardin parisien. Chaque hiver, il meurt, chaque printemps, il renaît. L'arbre de vie détruit, déplié, recomposé, requiert cette lente pédagogie du regard. La répétition est ici mode de connaissance. Dans les prochains voyages, avec ou sans exposition, quel sera le paysage de la parole commune d'une relation ? Sans doute un au-delà des négritudes. Le cinéma fraie ce chemin avec élégance. Aussi, en hommage du centenaire du 7e Art, tu garderas l'empreinte du tournage dense du film d'Idrissa Ouédraogo, en France, à Lyon, cet hiver. Hommes et femmes, acteurs stars casting mixte, franchirent avec cœur la traversée des désirs, des inquiétudes, des ouvertures d'un vécu africain en Europe, grâce à Moctar, l'enfant qui voit des hyènes.

Dans ce flux d'émotions, le cinéaste approfondit son expérience du déplacement, dans l'entre deux cultures. Et cet imaginaire libère une possibilité. En renvoyant les signes de sa réalité, sa mise en scène sonde la complicité affective, révèle cette distance, mesure de notre écart avec l'origine. Le cri du cœur porte la voix profonde, cette voix guidée par le cri de la hyène, que l'on ne veut plus entendre, que l'on ne sait pas entendre mais qui nous ouvre à notre insu la piste de la modernité.

Marie-Christine PEYRIÈRE
Auteur/Productrice — France — Août 1994.

First contact with Africa. Bamako 1983. An interview of Souleymane Cissé just before the FESPACO while ***Finye*** is showing in the city.

Then other faces, other places, other African films. The exploration of the complexity of the African cinematography.

A dialogue with African film makers. A permanent effort to discover oneself in another world.

1985. Thomas Sankara presiding over the FESPACO. The congress of the FEPACI : contradictions and brotherhood.

Exhibitions : posters, sculptures. An interrogation over the representation of black faces, their expression, their mystery.

Finally, as a mark for the Centenary, the shooting of Idrissa Ouedraogo's last film in Lyon : Africa confronted to Europe. A journey between two cultures. A secret opening on modernity.

DE L'IMPORTANCE DES CINÉ-CLUBS POUR LA FORMATION DU PUBLIC

Richard LOBE

Les sociologues, les ethnologues, les historiens, voire les linguistes en Afrique, n'utilisent pas le film africain comme appui aux cours magistraux qu'ils dispensent dans les universités comme dans les lycées et collèges. Or, tout le monde sait que le film comme source fondamentale pour l'analyse des sociétés n'est plus mis en cause.

Le cinéma d'Afrique comme tous les cinémas a un langage. Il cristalise l'oralité, traite du sacré. Il est l'expression d'une littérature et le témoin d'une histoire. Il rend compte du politique, il est esthétique. Étant alors tout cela, pourquoi donc n'entre-t-il pas dans l'univers de l'économiste, de l'historien d'Afrique, du professeur de civilisation et de l'homme d'Afrique ?

L'étudiant d'hier et le professeur d'aujourd'hui. Cet étudiant d'hier qui n'a pas connu l'analyse du film comme appui à sa formation scolaire et universitaire, ne peut penser à cet instrument aujourd'hui qu'il est devenu professeur. Il ne l'a considéré que comme distraction et continue à le considérer comme tel.

L'étudiant d'hier et le professeur d'aujourd'hui n'ont pas compris que le cinéaste a mis à leur disposition un instrument pédagogique important. Le cinéaste destine son œuvre à la société toute entière comme l'écrivain. Mais le cinéaste le fait à travers un moyen d'expression qui soulève des questions particulières ne pouvant être résolues sans une étude concrète qui lui est propre. Le film sera donc lu et interprété comme tout livre : livre d'histoire, livre de lecture, livre de contes etc.

Le film, comme le livre, doit être intégré dans notre savoir. Il sera donc lu avec beaucoup de recul, car l'image, qui constitue l'élément de base du langage cinématographique est le produit de l'activité automatique d'un appareil technique capable de reproduire exactement et objectivement la réalité qui lui est présentée, mais en même temps cette activité est dirigée dans le sens voulu par le réalisateur. Il faut dire que l'image filmique est avant tout réaliste, disons qu'elle est douée de toutes les apparences de la réalité. Le mouvement est son caractère le plus important. Le son ajoute à l'image cinématographique une dimension particulière en restituant l'environnement des êtres et des choses que nous ressentons dans la vie réelle ; l'image filmique suscite donc chez le spectateur un sentiment de réalité assez fort en certain cas pour entraîner la croyance à l'existence objective de ce qui apparaît sur l'écran. Cette croyance, cette adhésion va des réactions les plus élémentaires chez le spectateur non évolué cinématographiquement parlant, aux phénomènes bien connus de participation et d'identification aux personnages.

La nécessité donc de se distinguer de ce qui se passe à l'écran est évidente et impérative pour tous les spectateurs. Le spectateur d'Afrique doit savoir que la réalité qui apparaît alors dans l'image est le résultat d'une perception subjective du monde, celle du réalisateur. Cette réalité est façonnée selon le milieu, l'éducation, la culture africaine, la sensibilité du réalisateur. Le spectateur d'Afrique doit savoir que le cinéma lui donne de la réalité une image artistique c'est-à-dire totalement non réaliste et reconstruite en fonction de ce que le réalisateur prétend lui faire exprimer sensoriellement et intellectuellement.

Aujourd'hui, cent ans après ce décembre 1895, les spectateurs d'Afrique continuent d'être paralysés devant l'image, incapables d'analyser et d'intégrer l'apport de ce document dans leur propre savoir. L'assimilation est immédiate, l'identification subite et l'acculturation certaine.

Aujourd'hui à l'heure de la pluralité des moyens de communication par image, il faut susciter et dynamiser partout où cela est possible, la création des structures d'animation cinématographiques. Les lycées, les collèges, les universités, les centres culturels, les maisons de culture, les maisons de jeunes et autres systèmes de regroupement des jeunes devraient avoir chacun un ciné-club.

La Fédération africaine des ciné-clubs au sud du Sahara (FACISS) est, pour cela, un bien que toutes les structures du cinéma devraient soutenir. Aimer le cinéma d'Afrique, c'est comprendre sa nécessité, c'est connaître ses missions, c'est aider à la réalisation des films. Combien sont-ils qui apprécient vraiment la mission réelle du cinéma ? L'une des missions de la FEPACI est de préparer les spectateurs à la connaissance du cinéma. Les journalistes de radio, de télévision, de la presse écrite doivent eux aussi être avertis du cinéma. Comment draîner des spectateurs dans nos salles de cinéma s'ils ne sont pas sensibilisés à la chose cinématographique.

Va-t-on perdre notre cinéma au profit de celui venant d'ailleurs ?

Le festival de Ouagadougou est la preuve de la force des ciné-clubs. Plusieurs festivals montés çà et là, sont l'œuvre des ciné-clubs, et de certains critiques du cinéma. L'animation a toujours une place prépondérante au cours de cette manifestation qu'est le festival.

1985-1995 décennie mondiale du cinéma. L'appareil des frères Lumière a-t-il ici dans nos pays d'Afrique le spectateur qu'il faut ? Le cinéma est une industrie. Mais a-t-on vraiment conscience de son existence en tant qu'industrie ? Pense-t-on au développement qu'il peut apporter ? Ou alors le considère-t-on comme juste une distraction.

Créons les ciné-clubs, créons des structures d'animation pour former le public. Et le public de demain est à l'école, il est dans les lycées dans les collèges, dans les universités, dans les villages et dans les quartiers. Et c'est là le travail que doit entreprendre la FACISS. Aidons-la à créer les ciné-clubs.

Richard LOBE
Secrétaire Général FACISS.

African cinema has its own language reflecting the orality and aesthetics of the continent. Films, just as books, are therefore an important teaching tool.

The African spectator is not always capable of distanciating himself from the image and integrating its content to his own knowledge. The creation of cine-clubs in all places where young people gather will therefore contribute to the training of the audience and to the development of cinema. This is the role of the African Federation of Cine-clubs South of the Sahara (FACISS).

SOUVENIR

Gueya MONSE

J'avais l'âge de cinq à six ans lorsque je regardai pour la première fois un film projeté par les missionnaires dans un village voisin.

Guezon, mon village natal, n'était pas encore remis de la peur que lui avait causée son déménagement de la terre de ses ancêtres pour s'installer, sur les injonctions du gouvernement ivoirien, au bord de la grande route où ses habitants pourraient profiter de la vaccination, des rencontres avec le sous-préfet, de la construction d'une école et d'un marché, etc.

Sur cette nouvelle terre était déjà implanté un autre village de l'autre côté de la route... Mihan Sea, le chef du village, s'est rendu chez mon grand-papa, Guehi Bassia, encore gendarme, nouvellement arrivé de Man où il était en fonction. Les vieux prirent place et la discussion commença entre Mihan Sea et Bassia :

« Nous venons te voir pour un problème très important. Personne n'ignore comment nous avons quitté la terre de nos ancêtres pour arriver ici, nos masques n'ont pas jusqu'à présent trouvé de place, les sacrifices n'ont pas été faits pour nous mettre en sécurité dans ce nouveau village... Mais j'étais chez moi quand Taboua, le chef du village voisin, est arrivé avec quatre blancs qui nous invitent à assister à un truc de nuit. »

Mon grand-papa qui ne comprenait pas où voulait en venir le chef remuait la tête en le regardant parler : « Taboua m'a présenté ces hommes blancs qui sont des hommes de Dieu. »

Mais toutes les explications de Taboua me donnaient un

mauvais goût de la chose. Une petite machine allait cracher, dans la nuit, la France et ses habitants sur un drap blanc. « Bassia, la question que mes notables et moi nous nous posons est la suivante : si c'est des hommes de Dieu, pourquoi veulent-ils présenter leur machin de nuit quand on sait que c'est les sorciers qui travaillent la nuit et Taboua sait très bien qu'on est mal à l'aise, pourtant il veut nous provoquer... »

Mon grand-papa sourit, coupa la parole au chef qui devenait trop long dans sa conversation et dit : « Dans cette affaire, il n'y a pas de sorcellerie ; c'est un film et c'est la nuit qu'on fait la projection. » Cette explication de grand-papa sur la chose les soulagea un peu de leur peur et le griot fit le tour du village pour informer la population pour le soir même.

Au cours de la soirée cinématographique, Guezon était représenté par le chef, Mihan Sea, trois notables et grand-papa qui m'emmena avec lui. Les cris du griot n'ont rien changé de la peur des habitants de Guezon.

Toute la nuit dans mon sommeil, j'ai rêvé de ces images miraculeuses. Le lendemain, j'ai dû raconter ce que j'avais retenu du film en présence du chef Mihan, de grand-papa, de mes oncles ; ma grand'maman, qui s'était opposée la veille à mon départ, était si contente qu'elle promit d'assister à la prochaine projection. Le chef Mihan Sea, après une longue réflexion conclut en disant : « La sorcellerie des hommes blancs est la bonne. » Il avait oublié ses soucis durant toute la séance de projection et voulait en savoir plus, mais personne n'était en mesure de lui donner des explications. Plus tard, mon grand-papa promit de m'inscrire à l'école à la rentrée suivante et il m'offrit un béret que tout le monde admirait dans le village comme dans le film on admirait le vieux pasteur et son petit-fils Tibo avec son béret.

Gueya MONSE
Cinéaste ivoirien.

Gueya Monse was approximately six when he first watched a film. It was a great event in his village of Guezon. People, and especially the village chief, expressed some fear before the night show because what is happening at night is supposedly linked with black magic.

However, the following day, the chief concluded that the white man's magic was good...

CONDITIONS D'ÉMERGENCE D'UN CINÉMA AU FÉMININ EN AFRIQUE NOIRE

Nafissatou LATOUNDJI

C'est peut-être trop prétentieux de vouloir appréhender les difficultés d'enracinement et de développement du cinéma africain à l'échelle continentale. Mais il y a une évidence qui crève l'œil lorsqu'on s'efforce d'observer de près les réalités de la pratique cinématographique en Afrique et du comportement des peuples africains vis-à-vis du cinéma : la réalité, c'est que le cinéma est encore à l'étape de balbutiement, à l'état de naissance. Par conséquent, le cinéma africain a besoin de grandir, de s'affirmer et de s'imposer aux cinémas européen, américain et asiatique de plus en plus envahissants. Mais aussi, l'Afrique, jeune, est, de surcroît majoritairement féminine.

Comment peut-on donc penser le développement de l'Afrique sans donner à sa plus-que-moitié la place et les moyens d'y participer ?

Il me semble que le cinéma africain après près d'un demi-siècle de vie est encore aujourd'hui malade de son infantilisme masculin. Il a besoin, en ce début du deuxième siècle du cinéma, pour amorcer un développement rapide et graver de manière indélébile son identité sur le grand tableau de l'universel, de s'exprimer par l'imaginaire de la femme africaine ; car en Afrique noire, mieux qu'ailleurs, la femme a son mot à dire par la technique de l'image et du son, dans la mesure où il n'y a pas de secteur de la vie où elle ne joue de rôles historiques.

Pour ce faire, il faut que les gouvernants africains comprennent d'abord, et fassent comprendre ensuite aux « programmeurs ajusteurs » d'Europe qu'important agent de développement, la femme africaine doit être particulièrement encouragée à aller à l'école. Elle doit jouir d'une attention particulière en matière de formation technologique en général et cinématographique en particulier, elle a besoin d'un système souple d'assistance aux entreprises, d'un marché de cinéma et de télévision africains dynamique et d'un circuit mondial de distribution ouvert aux films du Tiers-Monde.

Telle est, de mon point de vue, brièvement exposée ici, l'une des voies de salut pour l'épanouissement du cinéma de l'Afrique noire. Telle est la voie à prospecter pour mettre également fin au marasme que connaît le cinéma béninois aujourd'hui.

Nafissatou LATOUNDJI
Comédienne — Bénin.

The African cinema is still to fully develop, which is not possible without taking into consideration the contribution of women who have an important part to play in all sectors of life in Africa.

Opportunities should therefore be given to women for technical training, particularly in the field of cinematography.

MON RAPPORT AU CINÉMA

Gaston KABORÉ

Je vis le cinéma comme « un lieu du regard », et comme un moyen d'interprétation du réel. Grâce à lui je formule des propositions sur le monde et le rapport qui existe entre les choses. J'ai le sentiment de me raconter autant que je raconte tout ce qui m'entoure ; le cinéma fait de moi un témoin actif qui est contraint de se définir en même temps qu'il tente d'appréhender des faits qui sont en perpétuel mouvement. Mes films sont des véhicules qui me font voyager à l'intérieur de moi-même à la recherche de ma propre vérité d'homme, celle par laquelle je peux finalement rejoindre les autres et partager une aventure humaine et sociale. Je conçois le cinéma comme un territoire où les espaces succèdent aux espaces, dans des imbrications toujours nouvelles et inattendues, espaces de désir, de rêve, d'imaginaire et de fantaisie, espaces de liberté et de responsabilité, espaces d'ombre et de lumière... où je redoute quelquefois de me rencontrer moi-même. J'essaye de garder une grande humilité dans mon approche des sujets et je me défie beaucoup plus de mes prétentions d'objectivité que de mes partis pris délibérés et de ma nécessaire subjectivité. Au fond, je peux dire qu'il me semble parfois être l'interprète fatalement dérisoire de la vie et j'ai besoin à tout moment de vérifier que ma vision du monde n'est pas un leurre, une proposition inopérante et socialement stérile. C'est pourquoi, je me fais une obligation de rattacher ma démarche de créateur à une finalité la plus concrète possible. Tout en me gardant d'affecter une fonctionnalité ou une mission à mes films, je ne peux évacuer une interrogation fondamentale qui pourrait se résumer ainsi : quelle est la justification sociale, culturelle et historique du cinéma que je fais ? Je voudrais que mes films puisent dans la mémoire collective pour mieux y accéder en retour. Je ne suis pas un produit du hasard et mon ambition est que mon cinéma soit le reflet d'une réalité à laquelle je participe et que je contribue à façonner.

Gaston KABORÉ
Cinéaste-Producteur Burkinabè.

For me, cinematography is a way of interpreting reality.

I have the feeling that through this medium, I can tell about myself and about the world around me. With my films, I travel in my inner world searching for my own truth, the truth that will allow me to join the others and share with them. I see cinema as a space where fantasy, dream, desire, light and shadow, freedom and responsibility meet in always renewed ways, a space where I sometimes fear to meet with myself. I try to be humble in my approach. In fact, I sometimes feel that I am, by force, the absurd interpreter of life and I need to check at all times that my vision of the world is not a mirage and remains socially significant. This is why I try to be as concrete as possible and always keep in mind the fundamental question of the social, cultural and historical justification of my films. I wish they would feed themselves on the collective memory and in return have access to this memory. I want them to be a mirror of the reality in which I participate.

LIBERTÉ, LE POUVOIR DE DIRE NON

Jean-Marie TENO

En octobre 1988, aux Journées cinématographiques de Carthage, lors de la présentation au public de mon film ***Bikutsi Water Blues*** *(L'eau de la misère)*, j'avais osé parler de la Liberté : liberté de choix de sujet, liberté d'écriture, loin des créneaux classiques et distincts du documentaire et de la fiction, liberté de dire tout haut ce que quatre-vingt-dix ans d'oppression ne nous permettait pas de dire.

Je me rappellerai toujours les sarcasmes de certains confrères et cette réflexion d'un autre : « Avec des idées comme ça et le film que tu as fait, on peut tuer une carrière. »

Avec les bouleversements partout dans le monde ces dernières années, je ne reviendrai plus sur ces thèmes qui sont aujourd'hui dans la rue. Ma réflexion se portera sur la liberté, corollaire de création et d'épanouissement tant personnel que collectif.

De manière schématique, le monde aujourd'hui est divisé en deux blocs, le NORD et le SUD. Dans le NORD, comme dans le SUD, il y a ceux d'en haut et ceux d'en bas. Ceux d'en haut sont confortablement installés et surtout ne souhaitent pas que ça change. Certains, en bas, s'agitent pour que tout le monde puisse avoir ne serait-ce que le minimum vital, afin que la majorité des gens puissent envisager la vie au quotidien autrement que comme un cauchemar. Quand ceux d'en bas ne peuvent plus suivre et crèvent comme des chiens, ceux d'en haut s'émeuvent, collectent du riz, des cahiers et des crayons et mobilisent les médias pour montrer à quel point ils sont généreux et solidaires.

Régler l'urgence sans s'attaquer aux racines des maux (surtout quand on en a les moyens et qu'on est en partie responsable) est une forme sophistiquée de cynisme. Dans six mois, en bronzant au soleil, ils diront : « On y a été, on a fait ce qu'on a pu pour eux, quelle tragédie, l'Afrique ! » Quelqu'un rétorquera : « Mais n'oubliez pas, nous avons nos SDF (sans domicile fixe), il faut faire quelque chose pour eux. »

Mais à ceux d'en bas qui travaillent dix, voire douze heures par jour, comment expliquer qu'ils ne puissent pas vivre décemment de leur travail ? On leur parle de la crise actuelle qui frappe le monde entier, la vérité est que si les rémunérations des gens d'en bas étaient meilleures, les marges bénéficiaires de ceux d'en haut se réduiraient et ils devraient se passer de la deuxième voiture pour emmener leurs enfants à l'école ; ils ne pourraient plus s'offrir le pied-à-terre à Paris (avenue Foch) ni les nombreuses villas qu'ils se construisent ordinairement avec l'argent du contribuable. Brader le patrimoine économique de l'Afrique est un jeu qui dure depuis plus d'un demi-siècle et qui nous conduit aujourd'hui à des situations du type SOMALIE et LIBÉRIA, qui risque de s'étendre à de nombreux autres pays africains. Ces systèmes d'exploitation économique se sont toujours appuyés sur trois éléments : la répression violente, la désinformation des médias publics et une censure impitoyable. L'objectif étant toujours le même : éloigner, par tous les moyens, les masses africaines de la gestion quotidienne des richesses de leur pays. Cela implique aussi un système éducatif inadapté et très sélectif qui laisse en chemin, sans formation, la majorité des Africains qu'on abreuvera ensuite d'images d'ailleurs, de rêves colorés, sans oublier de leur inculquer insidieusement le mépris de leur image et de leur prochain. Même la religion est utilisée pour justifier et légitimer notre misère terrestre en nous promettant pour là-haut les rivières de lait et de miel, si l'on est crédule et que l'on sait dire : « Oui patron, merci patron ! Vous avez raison patron, comme d'habitude ! »

Notre cinéma arrive dans ce contexte socio-politique trouble. Il doit choisir sa voie entre une rentabilité immédiate qui le condamne à participer à l'abrutissement organisé du continent et une contribution à cette réflexion nécessaire sur la liberté, quitte à devenir impopulaire.

A ce dilemme, chacun apporte la solution qui lui convient, car déjà les analyses de la situation divergent souvent complètement. Ces réflexions et tendances devraient enrichir notre cinéma. Mais malheureusement le cinéma coûte cher et nous sommes entrés dans l'ère de l'aide humanitaire qui n'épargne même pas le cinéma, en prenant toutefois soin de se réfugier derrière toutes sortes de concepts bien formulés.

Je ne vais pas m'attaquer à un certain nombre de commissions qui se mettent en place dans les pays du Nord pour soutenir le cinéma africain, mais je vais tout simplement attirer l'attention des uns et des autres sur une tendance à l'élitisme qui, à la longue, n'aidera pas le cinéma à se structurer dans nos pays, mais aura tendance à développer un mimétisme du box-office européen et aussi la course aux prix dans les différents festivals internationaux. Quoi de plus pernicieux que de distribuer, sur des critères flous, des prix d'autopromotion ? Et toutes ces petites phrases d'experts, dans les couloirs des grands hôtels où se passent les festivals, qui vous disent quels types de films ont le plus de chance d'être montrés dans les TV du Nord et qui vous encouragent à faire comme ci ou comme ça et vous quittent en vous disant : « Tenez, voici ma carte, passez donc me voir à Paris, à Bruxelles, à Londres, à Milan, à Montréal. »

Tous ces gens-là sont des gens d'en haut, ou alors ils travaillent pour eux, ils sont amis avec les gens d'en haut de chez nous. Les uns nous promettent le miel au troisième feu à gauche ou à droite — c'est pareil, maintenant on le sait — et les autres nous fouettent si nous n'avançons pas assez vite dans cette direction-là justement.

La liberté, c'est prendre son temps, c'est choisir de reculer, de ne pas bouger ou d'avancer à son rythme. La liberté, c'est faire en Vidéo 8 ou en Super 8 des documentaires ou des documents, surtout quand tout le monde pense que ce n'est pas valorisant, c'est aussi refuser d'entrer dans cette spirale de la compétition qui nous empêche de réfléchir à plus long terme que notre prochain film.

La liberté pour moi, c'est le pouvoir de dire non... avec le sourire.

Jean-Marie TENO

Jean-Marie TENO, cinéaste camerounais, a collaboré comme critique de cinéma à la revue Buana Magazine *et travaille comme monteur à la télévision. Il a à son crédit un certain nombre de courts métrages et deux longs métrages* ***Bikutsi Water Blues*** *(1988) et* ***Afrique, je te plumerai*** *(1991). Ce dernier film est « une contribution personnelle à la réflexion sur les moyens de sortir l'Afrique du marasme actuel ».*

Article paru dans Cinéma et libertés, *Présence Africaine, 1993.*

TO BE FREE IS TO BE ABLE TO SAY NO

In today's world, to solve emergency problems without solving basic ones is a refined form of cynicism. For more than half a century, the economic wealth of Africa has been dilapidated. This exploitation is based on violent repression, disinformation from the public media and censorship.

The aim is always the same : to alienate the African masses from the daily management of their own wealth. This goes with an educational system that does not care for the majority of the people who are fed on programmes from abroad and are insidiously led into despising themselves and their own people. It also goes with the use of religion that promises a better life in the next world.

It is in this socio-political context that African cinematography is slowly emerging with a choice between immediate rentability and a degrading view of the continent on the one hand, independent thinking and the difficult way to freedom on the other hand.

It is expensive to make a film and the surge of humanitarism in the world may also concern African cinematography. It would not be appropriate to attack agencies from the North that help the production of African films, but I would like to draw attention to the fact that a well structured film industry cannot develop on « goodies » from abroad.

To be free is to take time, to chose to progress at one's own pace. To be free is to decide to film documentaries or documents in video or in super 8. To be free is to refuse to enter a competition that prevents us from thinking on a long term basis. To be free is to be able to say no... with a smile.

LES ESPACES DU CINÉMA QUI VIENT D'AFRIQUE

Don Francesco PEDRETTI

Un jour, je rencontrai un film qui semblait aller très doucement parce qu'il se déplaçait sur les espaces infinis d'un paysage qui me regardait.

Alors, je commençai à regarder moi aussi et à marcher.

Mais, mon allure était comme le vol d'un appareil qui semble presque immobile tandis qu'il dépasse les mille km/h dans le vaste ciel.

Je regardais le paysage en me sentant comme immobile et je sentais que ce paysage pénétrait dans mon esprit.

Je regardais avec des yeux qui n'étaient pas les miens et je voyais des choses jamais imaginées et ayant toutes un sens qui leur était propre, toutes à leur place, toutes dans ma vie.

J'ai compris que je courais rapidement vers les choses, vers un espace vivant qui appartient à la vie d'autres hommes et qui fait partie de ma vie.

Un autre jour, j'ai compris que dans ces grands espaces grandissent de grands cœurs capables de contenir l'amour pour toutes les créatures qui sont sous la terre ou qui rampent, ces créatures qui fleurissent en jaillissant de la terre ou qui regardent du ciel comme les étoiles et la lune pleine de lumière et de mystère.

Ampleur de souvenirs millénaires, restés ingénus ou enchantés, tendresse d'amour comme celui d'une mère et de ses enfants, mystère de vie qui meurt et qui se recrée, des pleurs et des joies à n'en plus finir.

J'ai découvert un autre espace, l'espace immense du cœur africain et j'ai appris à grandir dans la patience, à parler avec patience, à mon tour dans la « palabre » humaine et à voir que la vie s'élargit infinie comme le désert autour de l'oasis, comme la forêt autour des arbres.

J'ai découvert l'ampleur du cœur africain...

Alors, j'ai compris la violence des passions et les danses qui se répétaient, la bonté de l'accueil, les grandes pluies et le *ghibli* sur les terres à côté du désert, la joie bariolée ou le blanc tendre des vêtements, le courage des hommes et la peur des fauves.

J'ai entendu les ouragans des passions du cœur des hommes et d'innombrables morts pour rien.

J'ai entendu des tribus se dresser les unes contre les autres comme les vagues dans l'océan infini.

J'ai ressenti la beauté au sens religieux qui, sous mille formes différentes, unit les hommes entre eux et les hommes à la terre et au ciel.

Je ne voudrais pas perdre ces grands espaces vitaux où m'a amené le cinéma provenant d'Afrique.

Je tremble à l'idée que ces espaces aussi seront peut-être perdus dans le vent venant du Nord.

Les hommes d'Afrique ne voudront-ils pas lutter pour que tous les hommes comprennent qu'il y a encore des espaces de vie ?

Don Francesco PEDRETTI
COE — Milan

THE OPEN SPACES OF CINEMA FROM AFRICA

One day I came up against a film that seemed to go very slowly because it was set in the infinite spaces of a landscape that looked at me.

And so I began to look as well and to walk.

But I walked like a plane that seems to be almost still although really it is travelling at over a thousand kilometres per hour in the wide open skies.

I looked at the landscape and felt as though I were still and I had the sensation that it was penetrating my spirit.

I looked with eyes that were not my own and I saw things that I had never thought of before and all of them had a meaning of their own and a place of their own, all in my life.

I realized that I was running quickly towards things, towards a living space that is part of the lives of other men and also part of my life.

Another day I understood that in those wide open spaces large hearts grow that can contain love for all creatures that live in the earth, crawl on the earth, break out of the earth to blossom, or look down from the sky like the stars and the moon full of light and mystery.

A wealth of memories a thousand years old, that had remained naive or enchanted, the tenderness of maternal love, the mystery of life that dies and is recreated, endless crying and joy.

I discovered another space, the immense space of the African heart and I learned to grow patiently, and to speak patiently, when it was my turn and to see that life broadens out endlessly as the desert surrounds the oasis, as the forest around the trees.

I discovered the immensity of the African heart... Then they explained to me the violence of passion and the repetition of unending dances, the kind welcome and the power of destruction, the great rains and the *ghibli* on the earth next to the desert, multicoloured joy or the tender whiteness of robes, the courage of men and the fear of wild beasts.

I heard the hurricanes of the human passions and countless deaths for nothing.

I heard of tribes rising up against one another like the waves of the infinite ocean.

I felt beauty in the religious sense, beauty that in a thousand different forms, unites man to man and man with the earth and sky.

I do not want to lose these vital wide open spaces that I have approached through cinema from Africa.

I shudder at the thought that perhaps these wide open spaces will be lost to the wind blowing from the North.

Won't the men of Africa continue their struggle so that all men will understand that there are still spaces for life ?

L'AFRIQUE ET LE CINÉMA

Dominique WALLON

L'initiative de la FEPACI de fêter avec force et inventivité le Centenaire du Cinéma me semble avoir, d'entrée, une double signification, de l'ordre du symbolique, mais avec également des conséquences concrètes pour l'avenir.

C'est d'abord une appropriation par les cinéastes africains de toute l'histoire du cinéma c'est-à-dire une volonté d'inscrire la création, la production et la diffusion des films d'Afrique à l'échelle mondiale comme de participer pleinement au dialogue et à l'échange entre cinématographies nationales de toutes origines. C'est une condition mutuelle de survie à court comme à long terme.

C'est aussi le constat que le cinéma africain a déjà son histoire et que la connaissance de cette histoire, des films qui la jalonnent est nécessaire à la continuité, économiquement sans cesse menacée, et à l'enrichissement de la création cinématographique d'aujourd'hui.

L'inauguration de la cinémathèque panafricaine de Ouagadougou à l'occasion du FESPACO 1995 marquera de la manière la plus concrète et la plus spectaculaire cette volonté de conserver et de valoriser la mémoire du cinéma de ce continent.

A l'aube du deuxième siècle du cinéma, il est inévitable de s'interroger sur la possibilité même de ce siècle et en tout cas sur la nature et la place du cinéma au cours des prochaines décennies.

L'histoire du cinématographe est longtemps restée celle d'un dialogue entre deux continents, l'Europe et les États-Unis, dialogue des créateurs et des publics doublé dès le départ d'une concurrence industrielle et économique sans merci.

L'irruption des autres continents dans la cinématographie mondiale s'est faite à des époques et dans des conditions variables selon les contextes politiques et économiques. Elle n'a malheureusement modifié que de manière épisodique et jusqu'à présent marginale les rapports de force économiques qui déterminent largement la possibilité de créer et produire des films.

Le constat des évolutions en cours ou à venir amène inévitablement à se poser deux questions :

- quelle place va laisser au film entendu comme une œuvre créée pour être vue collectivement dans une salle, l'invasion de l'image à domicile, soit par les réseaux de satellites associés au câble et au téléphone, soit par le développement de nouveaux supports de fixation de toutes les sortes d'images — et de textes — utilisables à domicile ?

- dans ce contexte y aura-t-il place pour un cinéma différent de celui qui apparaît à l'industrie américaine comme la seule alternative économiquement viable au petit écran, le grand spectacle de divertissement surajoutant les « effets spéciaux » à l'accumulation de toujours plus d'images coup-de-poing ?

Le problème n'est pas de considérer que la multiplication des images à domicile soit négative en soi ou que le cinéma industriel ne puisse faire preuve d'intelligence et de talent, il est de savoir si les auteurs, les réalisateurs, les producteurs de cinéma dans tous les pays du monde, y compris aux États-Unis évidemment, auront assez d'imagination et de ténacité pour séduire des publics suffisamment larges à l'échelle de chaque pays ou continent en leur proposant des images, des histoires capables de les étonner, de les réjouir ou de les émouvoir par le seul génie du sujet et de son traitement par le langage cinématographique.

Il est pour moi évident que le renouvellement créatif de chaque cinématographie nationale dépend tout autant de sa capacité à saisir les évolutions de la société que de son ouverture aux autres cinématographies et aux différentes manières par lesquelles elles répondent au double enjeu que j'évoquais plus haut.

Ainsi le cinéma français risquerait-il de se scléroser s'il ignorait les cinémas d'Afrique, puisqu'il s'agit d'eux, et leur manière de rendre compte des crises et mutations de ce continent ainsi que leur mode spécifique de narration ou d'imaginaire.

Le développement des cinématographies africaines est une des conditions de la survie du pluralisme artistique et culturel à l'échelle mondiale et, très concrètement, de l'avenir des cinémas d'Europe et tout spécialement de celui de mon pays.

Ce n'est pas à moi de dire combien ce développement est une nécessité et devrait être une priorité absolue pour l'Afrique. A travers l'évolution du cinéma, se joue aussi celle, plus large, de l'audiovisuel et de la production d'images et donc la possibilité pour l'Afrique de participer activement au dialogue des cultures à l'échelle mondiale.

Le problème est d'autant plus difficile en Afrique que les cinémas, comme la production audiovisuelle, y sont dans une situation d'extrême fragilité du fait de l'absence de base économique interne, aussi bien du point de vue du marché (salles, télévision, vidéo) que de l'apport d'un soutien financier public régulier et suffisant. C'est bien la discontinuité de la production qui caractérise la plupart des cinématographies africaines avec les conséquences négatives qui en résultent en termes de potentiel technique ou de structures des entreprises.

Le partenariat avec les pays du Nord et notamment avec la France, devient une condition de plus en plus souvent nécessaire à la production d'un film, mais même s'il s'élargit progressivement à des domaines comme ceux de la formation ou de la diffusion des films, il reste trop limité pour avoir un impact structurel.

Par ailleurs, tout développement de l'aide publique française à la production se heurte à la situation de rétrécissement du marché en France et en Europe pour des films qui s'éloignent trop du modèle dominant. Pour cette raison, il faut qu'aujourd'hui les productions aussi bien françaises, qu'africaines, d'Amérique latine ou d'Asie, pour être correctement diffusées — et en amont correctement financées —, soient « meilleures » et « plus fortes » que les autres.

L'observateur extérieur doit aussi constater que malgré les difficultés, l'analyse des problèmes et des solutions à mettre en place progresse largement grâce au travail de la FEPACI. Les États africains précisent progressivement leurs politiques du cinéma pour les adapter aux principes d'une économie de marché, en redéfinissant les points d'application d'une régulation et d'un financement publics, toujours, et même encore plus, indispensables.

Il faut, à l'évidence, poursuivre cette voie pragmatique de part et d'autre pour élargir et donner plus d'efficacité au partenariat Nord-Sud, mais la célébration du premier siècle conduit inévitablement à se poser également les questions de la possibilité d'effectuer un saut aussi bien quantitatif que qualitatif.

Les États africains, à l'échelle du continent ou de ses différentes régions, ne pourraient-ils placer collectivement au niveau des priorités réelles la survie du cinéma et l'émergence d'une production audiovisuelle à la hauteur des enjeux des décennies à venir ?

Les instances de partenariat Nord-Sud, qu'il s'agisse de l'UNESCO, des institutions de la francophonie, de l'Union européenne, ne devraient-elles pas prendre les décisions nécessaires pour faire passer le thème de la production, de la diffusion, de la conservation des images du SUD, du statut de sujet privilégié de discours — et de priorité effectivement de second rang — à celui d'une priorité absolue qui se caractériserait par des décisions prises dès les deux années qui marquent la naissance puis la présence du cinéma dans le monde entier, 1995 et 1996.

Dominique WALLON

Directeur général du Centre national de la cinématographie (FRANCE).

AFRICA AND CINEMA

The FEPACI's initiative to celebrate the Centenary of cinematography is symbolical and at the same time meaningful as regards the future.

The African film makers want to be part of the history of

cinematography for the African cinema, in its own right, is a contribution to the world heritage of cinematography.

The opening of the Ouagadougou film library during the 1995 FESPACO will be the concrete manifestation of the will to keep and valorize the memory of African cinema.

But what will be the place of the film show in the future when images will be brought home by satellite, cable, telephone and other new supports ? What will be the nature of the cinema of the new century ? Will there be an alternative cinema to the American superproduction with special effects and striking images ?

The creativity of each national cinematography depends on its ability to follow social changes and to open to other ways.

The development of African cinematography is necessary to maintain a cultural and artistic pluralism worldwide. Though African films are confronted with a lack of local infrastructure and are more or less subjected to partnership with countries of the North, the African audio-visual production should become a priority so as to occupy a place in the future both qualitatively and quantitatively.

Thanks to the creation of the FEPACI, the African governments progressively elaborate film policies that fit the principles of a market economy. It is also to be noted that the organs of the North-South partnership should perhaps decide that the production, broadcast and exhibition as well as the conservation of images from the South are an absolute necessity and take action accordingly.

UN AMI VENU DU FROID

Bernard BOUCHER

Je suis américain comme mes amis sont africains ou européens. Je vis au Québec comme mes amis vivent au Burkina Faso, en Tunisie, en France ou en Wallonie. Nous aimons le cinéma. Cependant, pour nous, de l'Afrique et du Québec, nos cinématographies sont des continents largement inexplorés et malheureusement méconnus.

Le cinéma africain est venu au Québec en voyageant dans l'espace francophone. Il est arrivé sur les ailes du jumelage et de la solidarité. C'est connu, la découverte exalte les sentiments et porte aux plus belles promesses.

Le cinéma québécois a fait des tournées en Afrique. Il a reçu tous les hommages du chaleureux continent et s'est réjoui de l'accueil souvent enthousiaste des spectateurs.

Après ces voyages dans le rayonnement culturel d'un espace politique, nos cinémas se devaient d'atterrir dans la réalité commerciale de nos marchés du film. Le choc fut difficile. Pour l'un et pour l'autre.

Le cinéma, que l'on a coutume d'identifier à mon continent, a pris possession des réseaux de distribution et des salles à travers le monde. De son usine de rêve, il irradie sur la planète des images qui nettoient les écrans de toute trace d'un quelconque espace culturel autre que le sien, et il achète le goût des spectateurs. Au nom de la solidarité continentale, je pourrais me réjouir. Je me perdrais et mes amis avec.

La boule de feu hollywoodienne occulte toutes les cinématographies américaines qu'elles soient péruvienne, argentine, cubaine et plus encore en Amérique du Nord, les cinémas mexicain, canadien, états-unien indépendant et québécois. Il y a des cinémas américains qui voudraient se lier dans la production et la diffusion avec ceux des autres continents.

Revenons à l'atterrissage du cinéma africain au Québec. Moins d'une part de marché sur cinq est encore disponible pour tout ce qui n'est pas hollywoodien. Une part sur dix est partagée, plus ou moins également, entre les films québécois et ceux du monde entier, moins la France qui conserve encore, heureusement, une place visible. Bon an mal an, des films africains font carrière en salle commerciale. Malgré la modestie des résultats, leur présence est souvent supérieure à tant d'autres qui sont en train de nous quitter, comme l'Italie, l'Espagne, le Japon...

Puis, dans l'espace de solidarité où nous nous sommes réunis, Africains et Québécois, le goût de faire des films ensemble nous est venu. Nous avons examiné, au gré des circonstances, nos façons de faire, recherché des sujets, éliminé des obstacles administratifs, écouté des exposés sur nos objectifs et nos cultures.

Vous avez découvert une autre Amérique ; nous avons trouvé des Afriques. Vous nous avez demandé de financer vos projets, nous vous avons parlé de coproduction. Ensemble, nous avons constaté que nos cultures sont différentes jusque dans l'administration, comme un baiser est différent d'une poignée de main bien que tous les deux scellent l'amitié.

Le jeune cinéma africain, dans toutes ses pluralités, frappe à la porte des centenaires fort de son ambition et de son besoin essentiel de dire. Il doit cogner dru et fort, car ils sont trop nombreux à être imbus et indifférents.

Le jeune cinéma africain parle sincèrement de toutes les magies anciennes et modernes. Il sent l'urgence de fournir au monde des images de la beauté et de la misère, de la richesse et de la laideur tissées dans la complexité de son destin.

Alors que le numérique et la dématérialisation de l'image s'apprêtent à subjuguer nos espaces d'appartenance culturelle, le cinéma africain est un laboratoire d'images dépossédées. Il a patiemment appris à pêcher malgré tous ceux qui le forcent encore à accepter des poissons financiers. Malgré les embûches, il se présente aux célébrations du centenaire paré de grandes œuvres, sa cohorte conduite par des cinéastes admirables.

Dans un univers où l'autoroute sera désormais électronique, se pourra-t-il que les Québécois connaissent mieux l'Afrique et son cinéma ?

Je voudrais seulement souhaiter, dans l'espace où nos cinémas peuvent se faire, que nous réussissions à nous connaître au point de nous voir comme de réels partenaires. Je dis tout simplement à mes amis africains qu'il y a une Amérique solidaire où un jeune cinéma frappe lui aussi à la porte du centenaire chargé d'un désir de reconnaissance et inspiré par l'ambition de partager le monde avec ses amis.

Bernard BOUCHER

Secrétaire Général Institut québécois du cinéma.

Cinematographies from Africa as well as from Québec are wholly unexplored and little known.

The African cinema came to Québec in the trail of francophony. Reciprocally, cinema from Québec has toured Africa. The success of the cultural diffusion of these cinematographies is unfortunately marred by the marketing aspect, for the American — Hollywoodian — cinema dominates all distribution networks worldwide.

However, African films enjoy, on a small but significant scale, a commercial exhibition in Québec and in spite of cultural differences, Québec is involved in the co-production of African films.

As we are about to be flooded by digital and virtual images, the African cinema is offering images of its own, images of beauty and misery, wealth and hideousness, often produced with bait money. Whatever the conditions, African film makers are present with their works at the celebration of the Centenary of cinematography.

In a world where the electronic highways of communication will soon take the lead, the wish is for a true partnership between two young cinematographies yearning to communicate and share.

UNE INDÉPENDANCE NÉCESSAIRE

Andrée DAVANTURE

Le cinéma des pays d'Afrique au sud du Sahara, n'a pas encore cent ans.

Il n'en finit pas de NAÎTRE.

Nous le savons riche et porteur de promesses qui nous fascinent ; mais nous n'en discernons pas toujours la complexité.

Des clés nous manquent pour en faire de multiples lectures.

Peut-être ne sommes-nous pas encore assez libres dans nos têtes pour percevoir dans les balbutiements de ces naissances difficiles les aspirations à une réelle liberté.

Seule cette liberté indispensable permettra d'exprimer la plénitude d'une identité.

Cet épanouissement ne pourra se réaliser que dans le cadre d'une totale indépendance culturelle et économique qui donnera à l'art cinématographique africain sa réelle dimension.

Andrée DAVANTURE
Chef monteuse
Déléguée Générale de l'Association ATRIA.

A very promising African cinematography, the complexity of which we are not always capable of totally apprehending, is slowly emerging.

Its stammerings should perhaps be perceived as a yearning for freedom. In order to fully develop, the African cinema has to be culturally and economically independent.

TRAIN D'AMOUR...

Claire DENIS

Décidément, je préfère oublier la lugubre sonorité du mot « Centenaire ». Comme le dirait Michel Piccoli : se retrousser les manches pour préparer l'année 101 du cinéma, c'est mieux. Ni fleurs, ni couronnes.

Depuis la gare de La Ciotat des frères Lumière, le cinéma a choisi d'être un grand train féroce et rieur, qui se fout des frontières, de la classe des wagons, qui surgit là où on ne l'attend plus. Un train d'amour qui fonce d'un cœur à un autre cœur.

En février 1995, la locomotive entre en gare de Ouagadougou.

À vos tickets !

Claire DENIS
Réalisatrice.

Cinema : a train that ignores borders and appears suddenly and unexpectedly. A train that rushes from one heart to the other, a love train.

In February 1995, the train will enter the Ouagadougou station.

Get your tickets !

UNE CULTURE DU DEVENIR

Sarah MALDOROR

L'histoire du XXe siècle s'est écrite avec le continent africain sur un douloureux parchemin.

L'aventure extraordinaire du premier siècle de cinéma s'achève avec ce XXe siècle.

Hier, en Afrique comme aux Antilles, la « palabre » était le moment d'expression du savoir. Celui où les mots, s'enchaînant, partaient à la découverte du sens.

Aujourd'hui, la palabre peut s'accompagner de l'image qui fixe et témoigne.

L'image, culture du « devenir » du mouvement de la pensée, emmagasine aussi la mémoire.

Dans les Antilles plus que jamais déchirées, des réalisateurs, des poètes, des écrivains, des sculpteurs... se regardent, s'écoutent et se répondent par-delà les distances : c'est dans ce jeu de miroirs qu'un destin peut se déployer, une marche s'engager vers la connaissance.

Être dans le réel des Antilles d'aujourd'hui, c'est aller de sentier en sentier... Comment allons-nous garder notre image alors que les « autoroutes de l'information » sont là ?

Célébrons, nous aussi, ce centenaire du cinéma, culture du « devenir » et de la connaissance de l'Autre.

Sarah MALDOROR
Réalisatrice.

Yesterday, in Africa as well as in the West Indies, knowledge manifested itself through palaver. Today pictures have been added to palaver in the conquest of knowledge and process of memorization.

In our times of « highways of information », when the West Indies are more than ever in a turmoil, artists explore all paths in search of knowledge. So let us celebrate the Centenary of cinematography, a culture of evolution which gives access to knowing the other.

NEW DAWN OF AFRICAN CINEMA

Margaret FOMBE

Be it video, or film, motion pictures have contributed tremendously in shaping the lives of people all over the world. In Cameroon, particularly and in Africa in general, what can aptly be styled the motion picture revolution, though quite recent, is growing strong.

As a means of communication, TV recently unveiled a thunderstorm within media circles in developing countries as it did several years ago in the West. As a result, it has contributed in the rapid change of the life-styles of the adolescents and adults in these societies.

Before TV came to Cameroon in 1985, youths had been exposed to an avant-goût of motion pictures in cinema halls strewn all over the country. The messages from these movies were varied and easily imbibed as a result of their inert potential of appeal to the eyes and ears simultaneously. TV only came to complete the role and reinforce the mechanism by taking the message deeper and in most cases closer into living rooms and bedrooms. The truth is that the TV boom has adversely affected movie hall enterprises in many African countries.

With a short 50-year history of African cinema, nothing could have been as devastating as a rush for video films. No matter the trend of events, the dream of many African film makers — « that cinema be the voice of Africa » — is gaining a foothold. Their guide has been a strong belief that, « cinema can speak and can transform the world ».

African films have transcended the primary role of entertainment. With the changing times they serve as powerfull vehicles for strong messages. No doubt, TV and cinema industries in most African countries, though in their budding stages, have embraced the leading role they deserve in transmitting messages and above all, educating, especially in a continent where there is a startling rate of illiteracy. The major societal problems of health, food, shelter, in a word, development, must be examined through a medium that easily gets its messages through. Pictures must not only « move » ; they must « speak ».

One needs not search long to know why most African film and TV organisations lay emphasis on productions which tend to X-ray and criticise retrogressive aspects of African cultures, degrading environment, poverty, disease, bad governance, etc. While western film industries celebrate their centenary churning out entertainment stuff, African producers dedicate their energies to addressing basic and vital issues.

The strength of motion pictures cannot be underestimated in the struggle to wrench Africa out of its malaise. With little or no financial means, technical infrastructure, and skills, African film makers are determined to get their imprint on the footage of the history of moving pictures. Mere cognizance is out of question. The effort is for a new world order in an important means of communication, such as motion pictures.

The history of African cinema by non-Africans, has been one smeared with tints of disaster. In fact, western producers who had slight interest in African culture had painted the African blacker than he is. From the common themes of crime, socio-political ruin, witch-craft, etc., it is easy to understand that nothing good could come out of the « dark » continent. Today is a new dawn.

Margaret FOMBE
TV Producer/Director — Cameroun.

De nos jours, le cinéma et la vidéo modèlent la vie des gens.

Avec sa courte histoire de 50 ans, le cinéma africain, lui aussi, a fait son chemin : il ne sert pas uniquement de divertissement, et malgré son manque de moyens financiers et d'infrastructure technique, il véhicule des messages, aborde les problèmes cruciaux, éduque. Avec la télévision, il a donc un rôle important à jouer dans le développement de l'Afrique afin de placer le continent dans un nouvel ordre mondial.

LE REGARD DES AUTRES : POUR UN SUPPLÉMENT D'AME

François GUILLERME

Lorsque l'homme africain d'aujourd'hui, lorsque l'intellectuel africain contemporain s'interroge sur la situation de son continent face aux civilisations extérieures, il le voit presque toujours (et presque toujours d'abord et uniquement) comme un continent « sous influences ».

Il est de fait que « le progrès », la « civilisation de consommation » et la toute puissance de l'image animée venue d'ailleurs (celle de la télévision, des cassettes vidéo et du cinéma) sont tombés sur le continent comme « la misère sur le monde » !

Il y a de quoi y perdre son âme, et c'est ce qui arrive aussi ailleurs ; qu'on se souvienne des mouvements de défense et de promotion du cinéma européen par ses artistes et réalisateurs, les Français en tête, contre l'invasion potentielle américaine.

Mais que peut-on contre les lois du marché et la demande du public (sa dose quotidienne d'images, pas chères et même si possible gratuites) ?... L'attente est la même dans les capitales africaines et les cités européennes, avec les mêmes solutions. Vous pouvez voyager tranquille ; vous y trouverez les mêmes feuilletons américains, avec les mêmes contre-effets (encore dénoncés ici, déjà oubliés là) : l'a-culturation des populations.

Peut-on s'arrêter à ce triste constat universel ? Quand on est artiste, africain ou non, il est fondamental de promouvoir son art comme moyen de sauver son âme, l'âme de son peuple, son patrimoine, son art de vivre, sa civilisation. Les artistes de chaque pays, de chaque continent partagent ce même projet. Il est le ferment de leur œuvre. Ils y puisent toute l'énergie qui leur permet d'exister contre vents et marées.

Afrique ma sœur, c'est un Européen qui te parle, tu as encore d'autres ressources ! Examine le regard des autres sur toi ! Que serait l'art du XXe siècle sans l'apport de l'Afrique ? Peinture, sculpture, danse, musique, il n'y a pas de domaine où l'âme africaine n'a pas profondément renouvelé le patrimoine universel. Que serait la musique contemporaine sans le jazz ? Et chacun peut multiplier les illustrations dans tous les domaines.

Alors cinéaste africain, en ce centième anniversaire de la naissance du cinéma, souviens-toi du regard des peuples du monde. Fais ton cinéma, invente ton cinéma. Crée tes histoires et tes images, pour toi et pour les tiens. Le patrimoine universel en sera enrichi et renouvelé. Le monde saura y puiser ce supplément d'âme dont il a besoin, pourvu que ton cinéma soit fidèle à l'Afrique, à son âme et à son génie.

François GUILLERME

The African continent is ridden with a so-called progress, consumer civilisation and images from overseas... What is to be done in view of the demands and expectations of a public who craves for its daily dose of soap-operas ?

African artists, especially film makers, have a duty to promote their culture, heritage, traditions to save their people from acculturation and to expose their rich civilisation to the rest of the world for the benefit of all.

ANNEXE

Invitations à contribuer à la publication d'un ouvrage sur le thème « L'Afrique et le Centenaire du cinéma ».

I

Chère Madame,
Cher Monsieur,

Le Centenaire du cinéma va être célébré durant le biennum 1994-1995 ; le cinéma africain, le plus jeune cinéma du monde, doit occuper pleinement sa place dans cette célébration.

L'Afrique doit faire entendre sa voix et célébrer à sa manière, par elle-même et pour elle-même ce Centenaire car le cinématographe fait désormais partie de son patrimoine propre.

A l'occasion du Centenaire du cinéma et sous l'impulsion du célèbre écrivain et cinéaste sénégalais Ousmane Sembène, la Fédération Panafricaine des Cinéastes (FEPACI), en partenariat avec les festivals de Ouagadougou et de Carthage, se propose de conduire la publication d'un ouvrage qui reflétera la pensée, les points de vues, les opinions et la vision de l'Afrique sur le cinéma ; l'expérience cinématographique africaine est déjà riche et ce continent contribue depuis plusieurs décennies à façonner l'histoire du cinéma mondial.

Nous faisons appel à vous pour que vous apportiez votre contribution en nous envoyant vos textes, ceux que vous prendriez le temps d'écrire parce que vous percevez l'importance singulière et historique de cet ouvrage.

Cette publication verra le jour en février 1995 mais tous les textes seront collectés une année entière auparavant, afin qu'une équipe rédactionnelle en organise la présentation définitive. Vous êtes prié(e) d'envoyer le plus vite possible vos textes qui peuvent aller de quelques lignes à plusieurs pages (7 au maximum) et sur tous les sujets qui vous inspirent, le canevas ci-joint n'étant en rien limitatif du champ réflexif que souhaite embrasser cet ouvrage. Nous vous demandons également de ne pas hésiter à contacter sur votre initiative des femmes et des hommes de culture, des penseurs, des universitaires, des chercheurs, des journalistes et critiques, des écrivains, des artistes et créateurs pour qu'ils nous envoient des textes.

Cette publication aura une signification et une portée uniques et nous vous invitons instamment à en être les artisans. Le Centenaire du cinéma est le vôtre, il est celui de l'Afrique.

Veuillez croire, chère Madame, Cher Monsieur, en l'assurance de notre considération distinguée.

Gaston KABORÉ

II

Célébration du Centenaire du cinéma*

Chère Consœur,
Cher Confrère,

Nous sommes à l'aube du troisième millénaire et l'Afrique subit de plus en plus le déferlement massif d'images venues d'ailleurs. Pour toi, tourner un film continue de relever d'un héroïque pari et le distribuer sur ton continent demeure un véritable casse-tête ; tes images sont étrangères, voire interdites sur ton propre territoire. Ton premier public n'a pas accès à tes œuvres cependant qu'elles amassent des lauriers de plus en plus nombreux dans les compétitions internationales.

Tu restes lucide et déterminé à te battre car tu ne veux pas t'évader de ta propre responsabilité ; ton peuple attend tes images, il en a un besoin vital. Tu sais que tes œuvres n'ont pas à rougir de quoi que ce soit car elles témoignent de ton regard sur ta société, sur son histoire.

Peu à peu le cinéma entre dans le patrimoine de ton peuple mais tu sais que presque tout reste encore à faire. De temps en temps, tu ressens le besoin de t'arrêter pour faire le point et repartir avec plus d'énergie et de vision.

---

* Lettre publiée dans *Écrans d'Afrique* n°s 5-6, 3e-4e trimestres 1993.

La célébration du Centenaire du cinéma t'offre la singulière occasion d'une profonde réflexion. L'Afrique ne doit avoir aucun complexe face à cette célébration et elle doit y contribuer par elle-même et pour elle-même.

C'est à cela que t'invite ta Fédération, la Fédération Panafricaine des Cinéastes. Il ne faudrait pas que tu te laisses confiner à un rôle de figuration dans une fête où ton continent ne compterait que pour une périphérie peu consistante.

Le cinématographe est une invention qui appartient à toute l'humanité et désormais l'histoire du cinéma universel ne peut s'écrire sans ton empreinte, celle de ton peuple, de son imaginaire, de sa vision du monde.

Ta Fédération t'appelle à contribuer par tes écrits à l'édition d'un ouvrage qui reflétera les points de vues, les opinions et la vision de l'Afrique sur le Centenaire du cinéma. Cette publication verra le jour en février 1995 mais tous les textes seront collectés une année auparavant afin qu'une équipe rédactionnelle en organise la présentation définitive.

En conséquence, tu es prié(e) d'envoyer le plus vite possible tes textes qui peuvent aller de quelques lignes à plusieurs pages (7 au maximum) et sur tous les sujets qui t'inspirent, le canevas ci-joint n'étant en rien limitatif du champ réflexif que souhaite embrasser cet ouvrage. N'hésite pas à contacter des femmes et des hommes de culture, des penseurs, des universitaires, des chercheurs, des journalistes et critiques, des écrivains, des artistes et créateurs pour qu'ils nous envoient des textes.

Cette publication aura une signification et une portée uniques : sois-en l'artisan. On attend tes textes pour le 31 janvier 1994 au plus tard.

Le Centenaire du cinéma est le tien. Ne le rate pas et ne le fais pas rater à l'Afrique, ton Afrique.

Confraternellement.

Gaston KABORÉ

I

Subject : Celebration of the Film Centenary

Dear Madam,
Dear Sir,

The Film Centenary will be celebrated during the 1994-1995 biennum ; the African cinema, the youngest one in the world, must fully play its role in this celebration.

Africa must voice her opinion and celebrate this Centenary in her own way, by herself and for herself, for the filmmaker is as from now one part of her own heritage.

On the occasion of the Film Centenary and under the leadership of the famous Senegalese writer and filmmaker Ousmane Sembène, the Pan-African Federation of Filmmakers (FEPACI) with the partnership to the Ouagadougou and Carthage Festivals, intends to work on the publication of a book that will reflect the thinking, points of view, opinions and vision of Africa on cinema ; Africa already has a rich experience on cinema and this continent has been contributing for several decades in shaping the history of the world cinema.

We call on you to give your contribution by sending us texts that you will take time to write because you measure the great and historic importance of this book.

The book will be published in February 1995 but all the materials will be collected a year before, for the editing team to be in the position of organizing the final presentation. So, please send as soon as possible your texts expected to vary from a few lines to many pages (not more than 7) and to be on any topic that inspire you, the attached outline being in no way restrictive of the scope of thinking that will be covered by the book. Also, we are asking you not to hesitate in getting into touch on your own initiative, with women and men in the area of culture, thinkers, scholars, researchers, journalists and critics, writers, artists and creators for them to send us materials.

This publication will have unique significance and scope and we urge you to be instrumental to it. This Film Centenary is yours, that of Africa.

Sincerely yours !

Gaston KABORÉ

II

Celebration of the Film Centenary*

Dear Colleague,

We are now at the dawn of the third millenium and Africa is increasingly overwhelmed by the massive influx of images from outside. For you, making a film is still a heroic bet and distributing it on your continent remains a real headache ; your images are unknown and even prohibited on your own continent. Your primary audience has no access to your works while these accumulate more and more awards in international competitions.

Yet, you remain clear-headed and determined to struggle because you are willing to take your responsibilities ; your people are expecting your images. They are in vital need of these images. You are well aware of the fact that your work has nothing to be ashamed of, for it is the mirror of your look on your own society, on its history.

Step by step, cinema is becoming part of your people's heritage but you know that almost everything is still to be done. Now and then, you feel the necessity to stop and assess the situation before continuing your way with increased energy and vision.

The celebration of the Film Centenary gives you a unique opportunity for in-depth thinking. Africa should not feel any kind of complex regarding this celebration and she has to get involved in it by herself and for herself.

The Pan-African Federation of Filmmakers, your Federation, invites you to join in the celebration. Do not allow yourself to stay in the background in a celebration where your continent would play a second role.

The cinematograph is an invention that belongs to the whole of humanity and from now on, the history of universal cinema cannot be written without your emblem, that of your people, of their mind, their vision of the world.

Your Federation calls on you to give your own contribution through your writings, to the production of a book that will reflect the points of view, the opinions and the vision of Africa on this Film Centenary. The publication will be issued in February 1995 but all the texts will be collected a whole year in advance for the editing team to be able to organize the final presentation.

So, please send as soon as possible your material, expected to vary

---

* Published in *Écrans d'Afrique* nos 5-6, 1993.

from a few lines to several pages (not more than 7) and to be on all topics that inspire you, the enclosed outline being in no way restrictive of the scope of thinking that will be covered by the book. Also, do not hesitate to get in touch with women and men dealing with culture, with thinkers, scholars, researchers, journalists and critics, writers, artists and creators, in order to get them to send us some material.

This publication will have unique significance and scope : to be instrumental to a lofty endeavour. Your material is expected by January 31, 1994 latest.

This Centenary is yours. Don't miss it and don't allow Africa, your Africa, to miss it !

Brotherly yours !

Gaston KABORÉ

TABLE DES MATIÈRES

TABLE OF CONTENTS

II. Perceptions du cinéma africain
II. Appreciations of African cinema

Troisième partie/Third part

ÉTAT ET PERSPECTIVES DU CINÉMA AFRICAIN
STATE AND PROSPECTS OF AFRICAN CINEMA

Quatrième partie/Fourth part

OPINIONS — TÉMOIGNAGES
OPINIONS — STATEMENTS